はじめて話すけど……

小森収インタビュー集

聞き手＝小　森　収

創元推理文庫

I CONFESS...

interviewed by

Osamu Komori

2002, 2023

はじめて話すけど……

各務三郎に海外ミステリの魅力を、皆川博子に本に溺れた子ども時代を、三谷幸喜に理想の〈作戦もの〉とは何かを、法月綸太郎にバークリー作品の真骨頂を、石上三登志にヒーロー論での読み解きを、松岡和子に戯曲を翻訳することの困難さと楽しさを、和田誠にアメリカ文化に触れる喜びを、それぞれはじめて話してもらいました——〈短編ミステリの二百年〉で日本推理作家協会賞と本格ミステリ大賞をW受賞した評論家による他に類を見ない贅沢なインタビュー集が待望の文庫化。本書では新たに、北村薫に「良き読者」であり続ける秘訣を訊ねています。

登場人物

各務三郎……ミステリを翻訳、評論するバードウォッチャー

皆川博子……日本人の出ない小説を書く作家

三谷幸喜……代役《アンダースタディ》までこなす喜劇作家

法月綸太郎……あらゆる小説を謎解きとして読む推理小説家

石上三登志……広告マンの顔を持つ註の好きな評論家

松岡和子……ふくろうと芝居の好きな翻訳家

和田誠……あるときはイラストレイターあるときは映画監督

北村薫……二代続いた国文家系の小説読み

小森収……笑ってばかりいるインタビュアー

目次

あるいは、もっと深い曰くがあるのかもしれませんが。
わたしはただ、本人に逢って訊いてみることしかできません。
――ロス・マクドナルド『さむけ』（小笠原豊樹訳）

はじめて話すけど……

小森収インタビュー集

各務三郎《かがみさぶろう》――ミステリがオシャレだったころ

各務三郎（かがみ・さぶろう）

一九三六年愛知県出身。早稲田大学商学部卒業。早川書房に入社し、『ミステリマガジン』の編集に携わる。六九年より編集長となり、七三年まで務める。退社後は海外ミステリ翻訳、評論執筆、アンソロジー編纂を手がける。九五年『チャンドラー人物事典』で第四八回日本推理作家協会賞を受賞。主な著作に『ミステリ散歩』『赤い鰊のいる海』、訳書にトム・デミジョン『黒いアリス』、イヴ・タイタス『ベイジルとふたご誘拐事件』など。ほか、ガードナーやクイーンの傑作集の編訳や、ジュブナイル向けに〈シャーロック・ホームズ〉やクリスティ作品を訳出する。

もちろん私は各務さんのことを各務さんと呼ぶが、このインタビューに関しては、太田博《おおたひろし》さんに話を聞くというつもりで、席に臨んだ。ローティーンだったころの約二年間、太田博編集長時代の「ハヤカワミステリマガジン」を読んだことが、私の人生の大きな部分を決定した。この連続インタビューの第一回目を、各務三郎さんで始められるのは、たいへん嬉しいことだ。なにしろ、私は、いろいろなミステリはもちろん、カート・ヴォネガットもジョン・チーヴァーもバッド・シュールバーグもアーウィン・ショウもデイモン・ラニアンもフィリップ・K・ディックも、みんな「ミステリマガジン」で知ったのだ。題名は、実は以前、私が書いた別の文章に用いたものだが、動かしがたいものなので、再度用いることにした。

いきなり好き勝手に

小森　まず早川書房入社のいきさつから。

各務　大学は二年落第してるから、一九六四年四月に入ってるはず。ミステリはもちろんだけど、ブラッドベリなんかも好きだった。大学のころに、異色作家短篇集[*1]が出始めて、当時としてはけっこう高い本だったけど、買って読んでたんだね。それで、こういうのを編集できたらいいということで、編集部に常盤新平《ときわしんぺい》さんを訪ねていった。そしたら、近いうちに試験をやると言う。それが早川書房がはじめてやった入社試験[*2]だった。経理室があって、そこを半日開放して、国語と英語の試験をやった。英語はクリスティの文章だった。

小森　それを訳すんですね。

各務　そうそう。辞書なしでね。あと、国語は常識問題かな。英語は、そんなにできなかったと思う。国語の方は百点だったと、あとで上司になった校正の人に言われた。要するに、英語はできないけれども、日本語にはうるさかったわけ（笑）。まあ、問題がやさしかったんだね。

小森　入社して、最初は校正をなさってたんですね。

各務　そう。それで翌《あく》る年に編集に行ったのかな。常盤さんが編集長で、築山《つきやま》さんという人が編集実務をやっていた。それから三、四年して、常盤さんがニューヨークへ出張したことがあって、その号[*3]をきっかけに、編集長を代わろうという話になったと思うんだけどね。そこらへん、よく憶えてないんだ。はじめのころは、築山さんとふたりでやってて、すぐ、築山さんはノンフィクションの方に回ったんだね。そのあとは、編集実務は僕が全部やるわけ。台割《だいわり》こしらえるでしょ。それを常盤さんとこに持ってくと、ここはダメって常盤さんが言ったら、そこは差し替える。

小森　ということは、作品のセレクトなんかも、すでに各務さんが……。

各務　やってる、やってる（笑）。常盤さんは、それほどミステリが好きというわけじゃない。それにハヤカワ・ノヴェルズとかポケミス（ハヤカワ・ポケット・ミステリ）や単行本なんかもやってたから、雑誌に細かく口出ししなかった。

小森　じゃあ、いきなり好き勝手やってたわけですか。

各務　そう（笑）。

小森　常盤編集長時代の後半と太田博編集長の時代のHMMに、ニューヨーカーの短篇や都会

＊1　五〇年代の作家を中心に、SF、ファンタジー、幻想小説、ミステリなどの境界線付近にある作家を、異色作家として一括りにした叢書。三期十八巻で、早川書房のロングセラーとなった。ラインナップは、第一期がロアルド・ダール、スタンリイ・エリン、ジャック・フィニイ、チャールズ・ボーモント、レイ・ブラッドベリ、ジョン・コリア、第二期がフレドリック・ブラウン、ロバート・ブロック、ジェイムズ・サーバー、リチャード・マティスン、ロバート・シェクリイ、マルセル・エイメ、第三期が、シオドア・スタージョン、ダフネ・デュ・モーリア、レイ・ラッセル、ジョルジュ・ランジュラン、シャーリイ・ジャクスン、そして最終巻がアンソロジー。途中新装版全十二巻を経て、現在は全二十巻の新版となっている。

＊2　生島治郎『浪漫疾風録』にも、生島治郎らしき人物が早川書房の入社試験を受けるいきさつが書かれている。

＊3　「ミステリマガジン」一九六八年二月号

小説みたいな、ミステリ離れしたものがたくさん載ってたという記憶があるんです。

各務　そういうのは常盤さんだよ。都会小説みたいなのはね。デイモン・ラニアンとか、リング・ラードナー。そういうのをやってたら、加島祥造《かしましょうぞう》さんが、（翻訳を）やりたいって言ってきた。だから、田中小実昌《たなかこみまさ》さんなんかの訳もあったと思う。

小森　では、常盤編集長時代に各務さんが出した趣味というのは、どういうものだったんですか。

各務　たいしたことはないよ。このころから〝幻想と怪奇〟を、滑り込ませるようなことはしてた。そのうち、どのあたりからかな……。

小森　毎年八月号恒例の幻想と怪奇特集ですか。

各務　その前に、〝奇妙な子どもたち〟という特集をね。要するに、子どもが主人公の、幻想小説やSFに近い号があってね。六七年の六月号にやってるね。その年の八月号にはオーガスト・ダーレスの「淋しい場所」をやってる。その後のスプラッタものと違った、アニミズムの世界をうまく使ったようなものが好きだった。

小森　そういうアーカムハウス系[*1]のものは、原書でお読みなんですよね。

各務　注文すれば取り寄せることもできた。それに本屋に行けば、幻想小説や怪奇小説のアンソロジーはけっこう出てて、そういうのから拾う。それこそ、常盤さんに最初に言われた「資料は自分で買え」でね。

小森　「資料は自分で買え」は、最初に常盤さんに言われたんですか。

各務　そう。自分で買わないと身につかないし、そうでないと、会社の言うままになるぞと。とにかく、資料は自分で買って、自分で勉強して、それで、アルバイトもやれと（笑）。初任給二万円だからね。

小森　手取り？

各務　手取りじゃないよ。そんなに税金引かれる額でもないけど。初任給二万円は、よく憶えてる。よその会社の初任給に比べれば、かなり低かったはずですよ。光文社なんかがストやってたでしょ。そうするとね、あんな高給取りがなにやってるって思ったもんね。こちらは労働条件も良くないし。

小森　労働条件が良くないというのは、どういう点で。

各務　まず、給料でしょ。それと、こっちは遅刻の常習犯だけど、遅刻は分単位で月給から引かれるしね。一時間以上の遅刻は半日の休みになる。だから、一時間寝坊したら、もう、昼から行きますってね、一時ごろ、のこのこ出かけていく。

小森　これは都筑道夫《つづきみちお》さんも『推理作家の出来るまで』に書いてらしたんですが、「ミステリマガジン」の編集長というのは、忙しくないんですって？

＊1　H・P・ラヴクラフトの遺稿を出版するために、オーガスト・ダーレス、ドナルド・ワンドレイが一九三九年に作った出版社。ラヴクラフトの本のみならず、オーガスト・ダーレス、クラーク・アシュトン・スミス、ロバート・E・ハワード、ロバート・ブロックなども出版している。

各務　だって、二ヶ月先くらいまでは、だいたい見当つくでしょ。あれが何枚、これが何枚と計算していくと、頭の中では、もうすでに雑誌はできてるわけだから。あとは、それを発注するだけ。そうすると、ほかのことを考えてる時間の方がずっと長いわけです。そんなときは会社にいてもしょうがないから、ほとんど、神田《かんだ》だけど、古本屋界隈《かいわい》でネタ探ししたり、下訳のまねごとみたいなことしたり。

小森　それは他社の仕事なんですか。

各務　他社のじゃないよ。最初にやらされたのはね、常盤さんの『ディリンジャーズ・デイ』ってジョン・トーランド[*1]の、あれをね、三人くらいで分けてやってた憶えがあるね。

小森　それは三人とも、みんな早川の社員なんですか。

各務　そうです（笑）。それで、もし、それが会社から、常盤さんの名前で翻訳が出るとするじゃないですか。そうすると、印税じゃなくて、原稿料一枚二百円くらいで買い取りなんです。いい本なんだけど、全部会社の財産になっちゃう。でも、金はないし、やりたいと言えば、力があればやらせてもらえるわけ。

小森　それで、下訳には、いくら払ってるんですか。

各務　五十円くらい。百円は貰ってなかったんじゃないかな。社内の人間が雑誌で翻訳やると、一枚五十円か百円か。それで、埋め草なんかを書くと二百円かな。

小森　社内翻訳というのは、外部の翻訳家の人よりは稿料は安いんですか。

各務　そりゃ安いですよ。

小森　外部の人でいくらくらいだったんですか。

各務　いくらぐらいだったか憶えてないねえ。たぶん、人によると思う。下版して雑誌ができるでしょ。そのあとで原稿用紙の束を持って経理部行って、おねがいしまーすって言って、計算してもらう。それがいくらぐらいだったかは分からない。

小森　高い人ばかり使うなとか、そういうことは言われないんですか。

各務　それは言われない。言われないけども、しっかりした人、若い人というのを使いやすい状況にはなるわけ。だから、たとえば、宇野利泰《うのとしやす》さんなんかに頼むのは、これはもう、長篇があって、その長篇を雑誌で広告する、つまりパブリック・パーパスってことで、権利を安く買って、それを翻訳してもらうような場合。矢野徹《やのてつ》さんに訳してもらったアリステア・マクリーンの『麻薬運河』も、そういう形でやってると思う。

小森　権利は単行本とは別に取らなきゃいけないんですか。

各務　そう。雑誌は雑誌用に。そのかわり、同じ出版社だから安く取れるわけ。それを三回か四回にわけてやれば安くやれるでしょ。『麻薬運河』ってのは、映画化されたけど、あの原題は、なんて言ったっけ……パペット・オン・ア・チェインだ。あのころは、どうやって題名を日本語にするのか、ちょっと雑誌を見せてくれって言って勉強しにきた配給会社の社員もいた。だから、日本語に対する思い入れというのは、まだあった時代なんだ。六〇年代から七〇年代

＊1　ジョン・トーランド『ディリンジャー時代』

ころまではね。
小森　そういうところ、各務さんは、ご自分の得意領域だとお思いだったでしょう（笑）。
各務　……タイトルひねるのは好きだったねえ（笑）。
小森　そうでしょう！
各務　だって、編集者が一番面白がれるところじゃないですか。帯だとかね。そういうとこでないと、自分で面白がることができない。もちろん、単行本のタイトルは編集会議で、みんなで決めるわけ。毎週月曜日に社長室で。社長と専務と、あと編集部員全員で。そんなに数はいない。福島正実《ふくしままさみ》さん、常盤さん、あと先輩たちが四人くらいいて、若手が三人くらいか。いろんなタイトルを、原題はこうで邦題はこうでと、やるわけ。そこで決まったやつが単行本のタイトルになる。それを全部やってた。でも、雑誌の場合は、長篇でも会議にかける必要がない！
小森　勝手にやれる。
各務　そう、そう。

常盤新平さんのこと

小森　常盤新平さんには、いろんなところを連れ歩かれたんですか。
各務　常盤さんもねえ……やっぱり暇じゃないですか（笑）。人に会いにいくとか言って、あるいは編集部員を呼んでダべるわけ。まず、一番最初はね、御徒町《おかちまち》に連れていかれたね。万年筆買えってね。

小森　万年筆ですか。

各務　あのころね、ペリカンの五千円のやつで、BBっていうペン先の太いやつがあるんですよ。それを、とにかく買えっていうんです。

小森　買えというのは、買ってくれたということですか。

各務　違う違う。自分の金で。

小森　でも、初任給二万円のころでしょう?

各務　そのころの五千円だけれども、要するに、翻訳もやりたいだろう、勉強もしたいだろうから、まず万年筆が必要だってね。

小森　はあ。

各務　それで、常盤さんの筆跡もまねながら(笑)下訳をやる。それで、辞書引き引き翻訳のまねごとをやった。そうやって、みんな早川の編集の空気が身体に染みつくようになってくるわけ。

小森　各務さんが編集長になったときに、前編集長の常盤さんは、「ミステリマガジン」だけじゃなく、編集部全般を見る立場になったということですよね。

各務　要するに、SF以外の読物の部門の部長になるということですね。でも、肩書きが変わっただけで、はじめからトップにいた。その下に、ハヤカワミステリ、ハヤカワ・ノヴェルズ、単行本、「ミステリマガジン」があった。
小森　各務さんは、編集長になっても、やってる仕事は以前と同じだったわけですね。
各務　そう、まったく変わらない（笑）。ただ、前説[*1]が増えただけ。
小森　編集長になったときに、部下にあたる人は入らなかったんですか。
各務　入ってこないよ、まったく。ひとり。
小森　じゃあ、常盤さんがいなくなっただけなんですか。
各務　いなくなっただけ。名目的にね。六七、八年ごろには、もう、ひとりでやってたわけだから。ゲラ読むのは、校正の人がひとり手伝ってくれた。
小森　菅野《すがの》圀彦《くにひこ》さんは途中で入ったんですか。
各務　菅野さんはポケミスをやってた。雑誌の方はタッチしていない。
小森　各務さんは辞めるまでひとりでやってたんですか。
各務　そうですよ。だから、本来、長島良三《ながしまりょうぞう》さんの方が、歳は同じだけど、俺より三年くらい先に入ってる。でも、どういうわけか、こっちにお鉢が回ってきた。
小森　「野帖《やちょう》メモ」というコラムがありましたね。あれ、各務さんが編集長のころの最後の一年くらい、署名が菅野になってましたよ。
各務　「野帖メモ」は俺が書いたはずだよ。だって、俺のあとは長島さんにタッチして、そのあとに菅野さんだから。彼は、あのころは、全然雑誌にはタッチしていない。
小森　じゃあ、あの名前はなんだったんだろう。

各務　編集部の人が書くときはね、水沢新六《みずさわしんろく》という名前があって、これはみんなが使ってるわけ。ほかにもいくつかあったと思うよ。

小森　ハウスネイムというやつですね。常盤さんはミステリ部門を統括したあと、わりとすぐ辞めちゃうんですね。

各務　あれはね、そのころに菅野さんとか諏訪部《すわべ》さんとかが中心になって労働組合を作ろうということになって、それで、会社が編集サイドと営業サイドに割れるわけ。営業サイドというのは、労働組合なんてとんでもないという社長側ね。そういうすったもんだがあった。そのとき常盤さんは組合には入れない。役職になってるから。ただ、組合に好意的ではあった。で、どういう因果か、俺が組合委員長に祭り上げられちゃって……。そうしたら、そのころに、ジュニアが来るわけ。いまの社長。それが編集部に配属される。

小森　それまで、二代目はなにをしてたんですか。

各務　アメリカかどこかに留学してたのかな。それで帰ってきて入ると、常盤さんと机を並べるわけ。

小森　立場上は編集部のなにになるんですか。

各務　なんになったんだろうねえ（笑）。分からないんだけど。

＊1　「ミステリマガジン」巻頭ページに編集長が書くエッセイ。ＥＱＭＭ五九年八月号から始まり、ＨＭＭ七九年六月号まで六代の編集長によって書き継がれた。

小森　うひゃー。

各務　どういう資格で入ったのか、分からないけれども、それでもって、常盤さんと互いに口もきかない。そういう状態がずっと続いたよね。そういう間にも社内では組合問題が起こってる。で、常盤さんは組合寄りの意見を持ってる。ジュニアはミステリのことをなにも知らない。なにも知らないけれども、それなりに出版理念みたいなものは持ってるわけ。そうすると、なにも知らないくせにっていう意識が常盤さんの方にはあって、意見の対立になるわけ。それで、結局、こんなとこにいられるかってことで、辞めちゃった。

小森　喧嘩別れですか。

各務　少なくとも、常盤さんの内心はそうでしょう。表立ってはともかくとして。まあ、そのころは賃上げ闘争とかいってストもしてたもんな。

小森　賃上げ闘争してたということは賃金は上がらなかったんですか。

各務　上がんないよ。だって年に千円ずつしか上がらないんだから。二万円が二万一千円。

小森　で、ストやって上がったんですか。

各務　憶えてない。

小森　(爆笑)

各務　だって、力のある組合じゃないもの。

「ミステリマガジン」の中のユーモア

小森　各務さんが編集長になったころというのは、もちろん、連載なんかはそれ以前から続いているわけですが……。

各務　『進化した猿たち』というのは、たぶん、星新一《ほししんいち》さんの方から言ってきたと思うんです。それで、向こうのシンジケートとどうやって連絡つけようかと、常盤さんもずいぶん苦労したはずなの。

小森　あれは版権はひとつひとつ取るんですか。

各務　いや、版権は総括してね。そういうシンジケートがあるから、そこに金を入れといて、雑誌掲載権と、おそらく出版権も取ってるはず。

小森　それは、コマ漫画専門に扱ってるんですか。

各務　向こうの漫画は、新聞や雑誌、とくに新聞が多いですよね。一コマ漫画は、共同通信なんかと同じで、シンジケートから配信されるわけです。だから、同じ一コマ漫画が、あちこちの新聞に載ったりする。一社一社じゃなくて、漫画のシンジケートがあって、そこと契約して掲載する。だから版権を取りやすいという面もある。そうでないと、ひとつひとつ探さないといけないから、たいへんなわけ。

小森　『進化した猿たち』が始まったときには、もう各務さんはいらしたんですか。

各務　こういうふうにやりたいってのを自分で考えてた。色をのっけた上にスミでやれば、きれいにいくんじゃないかとか、単行本のときも、ちょっと変型の方がいいとか。そういうレイアウトで一番楽しめる。

小森　かっこいい本でしたよね。

各務　あれ、ずいぶん売れたはずだよ。最初のやつも良かったし、あとの『新・進化した猿たち』も。それから新潮の文庫に入ったしね。ああいうコマ漫画の分類てのはなかったし、斬新な本だったと思うよ。

小森　私が今回調べて改めてびっくりしたのは、小林信彦《こばやしのぶひこ》さんの起用についてです。もちろんパロディの「中年探偵団」があって、すぐに「深夜の饗宴」が始まるんですが、一年くらいで、またすぐに『大統領の密使』が始まる。切れ目がないんですね。ほぼ毎月、なにかの連載が続いてるんです。[*1]

各務　そうかもしれない。あの人はユーモアというものを非常に高く買ってるわけでしょう。俺も結城昌治《ゆうきしょうじ》は『白昼堂々』で直木賞を取るべきだったと思ってたくらいだから、小林さんはユーモアのあるもので直木賞を取れる、取るべきだと思ってた。[*2]

小森　ということは、あいだに「深夜の饗宴」はありましたが、『大統領の密使』みたいなものは、最初から狙っていたということですか。

各務　そういう小説で、直木賞を取れるはずだと。取れば、日本の小説も変わるんじゃないかぐらいのことは、若気の至りで、考えてはいた。『大統領の密使』なんて、いま読んでも、いい作品だと思うんだけどね。かなりユニークなものだけど、今度は、それを評価する批評家がいない。

小森　オヨヨ大統領シリーズは、最初子ども向けで二冊出てますね。

各務　出てますね。だから、それを大人向けでやりたいという話が、小林さんから来てると思う。こっちの発想じゃない。ああいうものを載っける媒体はないわけ。そうすると「ミステリマガジン」なんかは一番都合がいい。

小森　それはそうですね。で、それを受ける各務さんの側の思惑というのは、なにかあったんでしょうか。

各務　だから、どこかで料理をやろう、と。

小森　ということは、『大統領の晩餐』は最初から計画にあった？

＊1　太田編集長時代の「ミステリマガジン」への登場は以下の通り。「中年探偵団」（六九年九月号）「深夜の饗宴」（六九年十月号～七〇年九月号）『大統領の密使』（七〇年十月号～七一年四月号）「ぼく自身のための広告　問題児をめぐる想い」（七一年六月号、中原弓彦名義）『大統領の晩餐』（七一年六月号～七一年十二月号）「雲をつかむ男」（七二年一月号）『パパは神様じゃない』（七二年八月号～七三年十二月号）。

＊2　『白昼堂々』は集団スリグループを描いたコミカルなクライムストーリイだが、直木賞を受賞したのはシリアスな『軍旗はためく下に』でだった。

各務　それは、もう（笑）。料理が入ってくると面白くなるはずだし、元々、料理のことを書いた本は好きだったんだ。そういうのを小説で書いたのは、あまりないしね。

小森　それをよく二冊目まで我慢しましたね。

各務　いや、それは、たぶん話してると思う。やりながらね。小林さんは小林さんで思惑はあるわけだし。で、シリーズで何冊かこしらえるうちには、そういうこともやれるよみたいなことが、小林さんの方からあって……。それに『密使』にも、冷やし中華を考案したテレビディレクターとか出て来るじゃない。戦中とか敗戦後の経験があると、食い物には意地汚くなってるところはあるわけ。僕は、いまでも、にんじんは嫌いだし、ふかし芋も嫌だし、そのころ食わされてまずかったものは、極力食わないようにしてる。それと、当時は高度経済成長が始まってるから、文士なんかが、食べ物の話を随筆で書くような時代になってる。壇一雄《だんかずお》の『わけのしんのす』からサヴァランの『美味礼讃』から、こっちは面白いから読み貯めているわけじゃないですか。こういうのをミステリの中に入れたら、これは面白いやと、そのへんで考えたと思う。あとは、小林さんが書いたものを、こっちは面白がっていればいいわけ。

小森　あれは単行本は売れたんですか。

各務　憶えてない。ベストセラーというほどにはならなかった。ペイはしたはずだ。あの本は、小森さんの世代が買うには、けっこう高い……。

小森　高かったです。ワタシ買いましたけど。中学生には高かったです。

各務　そういう意味で、大人の方は、そんなに飛びつくようなものはなかったと思う。もっとずっと後の方の世代が、飛びつくのにちょうどいい、恰好の題材だったはずなんだ。

小森　私の同世代では、数年後に角川文庫に入ったとき読んだって人が多いですね。

各務　そういう意味で、小林さんの狙ったところは、もっと後の世代で活きたということじゃないかな。そのころは、まだ、ユーモアの小説は売れないと言われてた時代だし、映画も、笑いがあると軽んじられるということがあるわけです。そうすると、みんな笑いを避ける。受け入れる側のキャパシティが小さいわけね。まだ、日本がアメリカの植民地政策に抵抗する姿勢を見せていたころだしね。ユーモアがあるものは過小評価されるというのが、そのへんまでは、ずっとあったね。だから、星さんのユーモアの世界が受け入れられたというのが、意外と言えば意外だった。アメリカほら話なんて筑摩書房から出たけど、全然評判にならなかったもんね。

小森　ブラック・ユーモア特集を[*1]、六八年くらいにやってるよね。

各務　ありましたね。

各務　あのころ、ブラック・ユーモアとか、シックジョークといったものをやり始めたわけ。レニー・ブルースが激しい社会批判をして、つぶされていった時代。そういうのは、片岡《かたおか》（義《よし》男《お》）さんとか小鷹《こだか》（信光《のぶみつ》）さんとかが詳しいわけ。で、別の方向だとジョーゼフ・ヘラーの

＊1　六八年十月号。ボリス・ヴィアン、星新一、ジェイムズ・パーディ、ローラン・トポール、三条美穂（片岡義男）、福島正実の短篇に、ジョーゼフ・ヘラー『キャッチ＝22』の抜粋が載った。以後、六九年十二月号、七一年五月号とブラック・ユーモア特集を組んでいる。

『キャッチ＝22』とかいったもの、アメリカのアブソード・ノヴェル、不条理小説っていうのも、ブラック・ユーモアの中に入ってくる。もうちょっとすると、こういうのは流行《はや》るようになるからというわけで、特集やって、単行本でブラック・ユーモア選集というのを、これは長島良三さんが担当した。ボリス・ヴィアンは『北京の秋』だったかな。それから、トール・テールという、ブラック・ユーモアに比べて、もうちょっとファミリアな感じのする話が、これはもう、マーク・トウェインのころからある。それが、ブラック・ユーモアの背景にくっつくわけ。それとは別に「橋の不思議」みたいな、アメリカほら話の範疇《はんちゅう》には入らないようなものもある。そういうのも、こっちは面白いから、古本屋行って探すわけ。

小森　時期はちょっとくだりますが、浅倉久志《あさくらひさし》さんがガンガン訳してた、ユーモア・スケッチ[*1]ですね。ロバート・ベンチリーとか。

各務　そう、そう。ああいうやつ。こっちは、ブラック・ユーモアやアブソード・ノヴェルよりも、そういったものの方が好きなわけ。でね、浅倉さんに頼むと、彼はもうちゃんと知ってる。そのころ、六〇年代とか七〇年代初めは、翻訳者がそれぞれ得意分野を持ってて、ちゃんと勉強している。いまみたいに、お願いしますと渡すだけという関係じゃない。だから、翻訳者と会って話すのが楽しいんだ。いろいろ教わるし。情報交換する。相対《あいたい》で、話しながら仕事ができる。こっちはこっちで、編集者側の思い入れがあるから、こっちに引っ張り込もうとするし、向こうは向こうで、こういうのがいいんだから、こういうのやろうよと言う。そういう引っ張り合いをやりながら、雑誌ができてった。

若手起用のエッセイ陣

小森　各務さんのころの「ミステリマガジン」は、評論やエッセイの数が増えてます。片岡義男さん、小鷹信光さん、石上三登志《いしがみみつとし》さん、森卓也《もりたくや》さん、松坂健《まつざかけん》さん、瀬戸川猛資《せとがわたけし》さんといった方々を起用されてますよね。[*2]

各務　それはね……ミステリは誰が読んでも面白いじゃないですか。でも、面白がるための資

＊1　浅倉久志によるユーモア・スケッチの紹介は、七二年四月号掲載のH・アレン・スミス「指の歴史」に始まる。それらは『ユーモア・スケッチ傑作展』全三巻と『すべてはイブからはじまった』に収録されている。

＊2　太田編集長時代に開始した連載には、それぞれ以下のようなものがある。片岡義男「予言するアメリカ 1950年代」（七〇年九月号〜七一年四月号）「マッド自身」（七一年十二月号〜七三年十一月号）、石上三登志「紙上封切館」（七〇年九月号〜七一年十月号）「男たちのための寓話」（七一年十一月号〜七二年十月号）、森卓也「漫画映画の世界」（七〇年十二月号〜七二年五月号）「メリー・ゴー・ギャグ」（七二年六月号〜七四年三月号）、小鷹信光「パパイラスの舟」（七〇年十二月号〜七三年七月号）、瀬戸川猛資「二人で殺人を」（七一年一月号〜七一年六月号）「警戒信号」（七一年八月号〜七三年九月号）、松坂健「死体をどうぞ」（七一年七月号〜七三年七月号）。

質というものが、読者には必要とされる。いろいろな面白さがミステリにはあるけれど、トリックがどうのとか、そういうことでしか、評価されていなかった。ミステリの世界はそんな狭いもんじゃなくて、もっと、いろんな楽しみ方ができるはずだと、ずっと思っていた。ミステリの背景にあるものをピックアップしながら、それについて書いていれば、ミステリの楽しみ方も増えるじゃないですか。僕なんかは、半分くらいはエッセイで埋めたっていいじゃないか（笑）と、ずっと思ってたし、いまでも思ってる。片岡さんというのは、あまり人とつきあわない。それで、待ちあわせると、必ず三十分遅刻する。そのことをエッセイに書いたことがある。

小森　あ、それは「待たれる身のつらさについて」[*1]でしょう。

各務　そうそう。

小森　あれは片岡さんですか。書評をやっていた松坂健さんというのは、どういう方なんですか。

各務　彼は瀬戸川さんと、同じくらいの歳のはずでね……編集部に顔を出していたのかな……憶えていないんだけど。けっこう読んでるから、書いたら？　と言って、持ってくると、ああだこうだ言いながら、載っけてた。

小森　けっこう書き直しなんかもあったんですか。

各務　書き直しは、あまりしない。こう書いてるけど、僕はこう思うとかね。別の読み方もあるんじゃないかとかは、ああだこうだ、と。あっちは若いから。六つや七つは下なはずだからね。昭和ヒトケタの人たちは、僕にとっては兄貴なわけ。兄貴だから、好きなこと言える。それで、下に対しては少し遠慮があるわけ。

小森　いやあ、どっちにも好きに言えるのかと思ってました（笑）。

各務　遠慮はあるさ（笑）。僕には、五つ違いと三つ違いの兄貴がいた。子どものころから、知識は力なりという言葉を実践してた。とっくみあいやるとすぐ負けるから、口で負かそうとしてね（笑）。三つ上の兄貴には、絶対勝てるわけ。子どものころから。だから、五つ上の兄貴が相手で、これと対等にやりあおうとすると、とにかく知識がいる。それと論理的な組み立て。これをずーっとやってきたからね。小林さんにしても、福田淳《ふくだじゅん》さんにしてもそうだけど、兄貴みたいなもんだから、わりと言いたいこと言う。だけど、下に対しては、遠慮はあるよ。

小森さんにしても、一回りは違うはずだから……。

小森　なんてことを！　各務さん。二回り違いますよ。私と各務さんでは。

各務　（笑）そんなバカな！

小森　私は三十三年生まれ。

各務　千九百？

小森　五十八年。

各務　五十八年と三十六年。えっと。二十二？　違うねえ（笑）。

＊1　『赤い鰊のいる海』に収録されている「夢見る男たち、あるいは待たれる身のつらさについて」。

小森　そうでしょう。
各務　（笑いが止まらない）
小森　たまたま、中学生のときに「ミステリマガジン」を読んでましたから、こうなってますけど。
各務　そうかあ。
小森　しかし、あのころの「ミステリマガジン」はガキも読んでた。いまもそうなのかな。読者のお便り欄「響きと怒り」を見ても、十四、十五はざらにいましたね。
各務　けっこう、いた。だからね、クラスの中にひとりとか、学年にひとりとかふたりいるんだよ。小説読むのが好きっていうのが。それが全国にいるわけでしょう。そういうのから手紙が来ると、嬉しいわけ。いまでも、俺の子ども向けのミステリの翻訳を読んだ子どもが、いろんな質問してきたり、なにか教えてくれって言ってくるのには、全部返事を書いてる。
小森　へーっ。なにを教えてくれってくるんです？
各務　クリスティさんに手紙を書きたいんだけどとか、ここで紹介されていたホームズのゲームだとか、クリスティのクイズの本だとか、そういうのは、どこに行けば手に入りますかとか。いちいち、それに返事書くわけ。で、そこからさあ、教えてくれてありがとうございました、では、これこれはどうでしょうって、また別の質問が来る。疲れるんだけど、向こうが飽きるまで相手する。
小森　各務さん、子ども向けにチャンドラーを訳そうとかいう気はないんですか。

各務　まあ……そういうのは、あったけどねえ……潰れた。俺は、ホームズやクリスティがほとんどなんだけど、少なくとも、大人向けよりも、すっと頭に入るはずと自負してる。短篇の場合はきちんと訳すから。長篇の場合は、長さのことがあって困るんだけど、短篇はきちっと訳せるからね。読んですぐ分かるように。分からないところは訳注をつけられる。だけど、大人向けのは、そういうことなにもしてないね。あれはね、ホームズにしろクリスティにしろ、大人向けのを訳してる人は怠慢《たいまん》だと思う。

一九七一年九月号

小森　ぜひ、おうかがいしたいのは、一九七一年九月号の海外ショートショート・フェスティヴァルについてです。まず、この号のことを（目次コピーを見せて）憶えていらっしゃいますか。
各務　憶えていない。
小森　やっぱり、そうか。
各務　憶えていないけれども、ブラッドベリは伊藤典夫《いとうのりお》さん？　じゃあ、ショートショート特集やるから探しといてとか言ってるはずです。あとは、アンソロジーとかから持ってきてるはず。神田で五十円くらいで買っといてね。
小森　五十円と聞くと幻滅だなあ（笑）。

各務　矢野浩三郎《やのこうざぶろう》さんなんかにも探しといてもらって。あと、これまでに訳されているかいないか、これは翻訳者も知ってなきゃいけないし、編集者も知ってなきゃいけない。

小森　その点は、小寺佐和子《こでらさわこ》さん＊1に「響きと怒り」で突っ込まれてたことがありましたね。

各務　すでに翻訳ずみである、どこそこに載っかってたというのを、よくやるわけ。

小森　実は、この号、私が最初に読んだ「ミステリマガジン」なんですね。

各務　あー、なるほど。

小森　で、さっぱり分かりませんでした。なに書いてあるのか。

各務　あー……そうかい？

小森　今回三十年ぶりに読み返して、さすがに今度は分かったものもあるんですけど。それでも、やっぱり感覚が違いましたよ。「あやまち」とか「荷車」とかは、面白さから、どこか拒まれてる感じがして。しっくり、ぴたっと分かるという感じではなかったです。シュールバーグとかジョン・オハラなんかは、たぶん子どもだから分からなかったんだろうというのが、今回分かりました。ブラッドベリも当時はピンとこなかったですよ。

各務　そういうのは、ひょっとしたら、あるかもしれない。ここがなぜ面白いのか、でも、なにか妙にひかれるものがある世界だっていうようなのは、全部は分からなくっても、さっさと載っけてたからね。そういうことはある。どこがこれは面白いんだろうなっていう感じのは、それはありますよ。

小森　それは、全然つまんないというのとは、区別できるんですね。

各務　うん、分かる。つまんないのが分かるってのは、全部分かってるから、つまんない。分かんないから面白いってのはあるわけ。そんなのは、こっちの責任じゃねえやってのが、あるでしょう。ひょっとしたら、こちらが読みちがえてるのかもしれないし。そんなことは構っちゃいない。あとは読者がどう判断するかで、ハイって手渡すだけ。そのへんは編集者の無責任なところでね。

小森　で、約一名悩んだ読者がいました（笑）。だけど、シュールバーグは読み返して、面白かったですね。

各務　これ、なんだっけ。子どもをこう（放り投げる恰好）するやつ？　飛べって。ユダヤ式のね。シュールバーグはユダヤ人でしょ。

小森　あ、そうなんですか。

各務　だって、シュールバーグって名前はユダヤ人のだもん。それで、これには、ユダヤの人生訓があるわけでしょう。『巨人は激しく倒れる』の作者でしょう。

小森　長篇は『何がサミイを走らせるのか？』しか読んでないんです。

各務　でも、このショートショート特集は、（メンバーが）けっこう有名どころですね。中学生ぐらいが友だちにぶつには、もってこいの題材だね（笑）。

＊1　童話作家、杉みき子の本名。「ミステリマガジン」には三木杉子の名で登場したこともある。後述するように「響きと怒り」の常連である。

小森　ぶってたんですか（笑）。

各務　いや、俺が中学生のころは、外国のものなんて、少年ものしか読んでない。もっぱら日本の小説。小学生のころに、改造社の文学全集は部分的に読んでた。総ルビだから読める。それから、貸し本屋で山手《やまて》樹一郎《きいちろう》とか吉川英治《よしかわえいじ》とか。中学生くらいになると、筑摩書房から日本文学全集が出始めた。兄貴が大学生で親父に買ってもらってたから、それも読めた。

各務カラー

小森　各務さんのころの「ミステリマガジン」は、境界線上というかミステリじゃないというか、そういう小説が多かったですよね。

各務　ロバート・E・ハワードは、「SFマガジン」と取り合ったね。こっちは幻想と怪奇だと言い、「SFマガジン」を編集してた森優《もりゆう》（南山宏《みなみやまひろし》）さんはSFだと言いね。密室ものでもあったね。なんだっけ。

小森　『魔術師が多すぎる』[*1]じゃないですか。ランドル・ギャレット。

各務　そうそう。これは骨子《こつし》がミステリなんだからミステリで出すべきだって言って、森優ともめたことがある。彼はSFで出したかったんだね。そのころ、鏡明《かがみあきら》とか今岡清《いまおかきよし》が、幻想と怪奇みたいなのが好きで、同人誌をやってた。彼らはSFの方によく出入りしてたね。剣と魔法の国そのものに、僕はそれほどの思い入れはないわけ。だけど、流行らせてやろうという気はある。ハワードとかトールキンの名をみんなに知ってもらおうというね。

小森　では、このころ各務さんが思い入れていたのは、ジャック・フィニイとシャーリイ・ジャクスンですか。

各務　異色作家短篇集の範疇に入るようなものね。フィニイは好きだった。

小森　私は、フィリップ・K・ディックも、このころの「ミステリマガジン」で知りましたね。「クッキーばあさん」とか。

各務　そう？　古い号じゃなくて？　僕は『高い城の男』のイメージしかないから。ディックはね、大塚勘治《おおつかかんじ》さんなんかが好きだったと思う。

小森　大塚さんというのは？

各務　仁賀克雄《じんかかつお》さん。

小森　そう、そうです。必ず仁賀克雄訳でしたね。

各務　だから、仁賀さんが、こんなのがあるよって持ってきたんだ。彼もワセダミステリクラブのころから読んでる人でしょう。小鷹信光なんかと一緒だった。

＊1　科学のかわりに魔術が力を持つ、パラレルワールドのヨーロッパ（英仏がひとつの王国になっている）を舞台に、ダーシー卿と魔術師ショーンのコンビが密室殺人に立ちむかう。このシリーズは、「ミステリマガジン」に掲載された短篇が『魔術師を探せ！』にまとめられたほか、他の雑誌にも数篇の短篇が翻訳されている。

小森　前説で各務さんがお書きになってたと思うんですけど、五〇年代のアイデアストーリイ以後の新しい短篇を評価する評論家が欧米にもいないと。

各務　まず、パズル小説の時代は終わったという思いこみがある。六〇年代には、売れないわけ。クリスティなんか全然売れない。クイーンなんかも、向こうでは、ほとんどお呼びじゃない。五〇年代の終わりから六〇年代七〇年代は、スパイ小説全盛の時代なわけ。そこで、ある種の作家は、スパイ小説でない別の犯罪小説を模索する。ジュリアン・シモンズなんかは、『クライムストーリイ論』かな、薄い本があるんだけど、その中で、トップランナーとして、パトリシア・ハイスミスをあげている。そういう評論なんかを手に入れて読んでるから、それに感化されることはあるわけじゃないですか。これは、日本ではあまり言われてないから、ちょっと紹介しとこうみたいなね。実際、売れなかったんだよ。クリスティの『復讐の女神』なんて、リストから落としてるから、（翻訳権を）取っといた方がいいと言って、僕が企画を通した憶えがある。それぐらい、日本でも、あまり売れなかった。七〇年代になって少しずつ逆転するようになって、いまでこそ、どのジャンルもけっこう読まれて、恐怖小説なんかが売れたりするけど、そういうことは当時なかった。

小森　恐怖小説が生き返ったのは『ローズマリーの赤ちゃん』からと考えていいんですか。

各務　いや、あのころはねえ……あれは、あのころ売れたんですよ。売れたんですけど、それから十年くらい過ぎて、スティーヴン・キングなんかが出てから、そこから戻って、『ローズマリーの赤ちゃん』が良かった、というふうになったんじゃないかしら。あのころ、アニミズムの世界を切ってしまって、怖いのは人間の心という考えに流れてきちゃった。もともとはキリスト教の文化を引いているんだけど、そこから、スプラッタものやスティーヴン・キングが出て来るわけでしょう。そこらへんは、僕は全部もう拒否しちゃってる。アニミズムの世界しか興味ないわけ。ＳＦでは、七〇年代の半ばくらいから、カート・ヴォネガットJr.なんかが、アメリカあたりで評価されるようになると、妙に哲学チックなＳＦを書くようになるわけ。理屈っぽいＳＦが出て来て、それを評価しようとする。で、みんな一所懸命理屈をつけるんだけど、作品的には面白くない。そこらへんで、僕はＳＦを読まないことにした。

小森　ニューウェイヴのあたりは良かったんですか。

各務　Ｊ・Ｇ・バラードの『結晶世界』とか？　あそこらへんまでは、いいんです。あれは、もっと前だからね。だから、ＳＦにおける、センス・オブ・ワンダーの世界が潰されちゃうわけでしょう。そんなのには、つきあってられない。ほら、よくあるでしょう。ミステリを評価するのでも、ルーティーンワークを評価しない。クリスティを貶《けな》すということがあるじゃないですか。でくの坊の登場人物とか、こんなことはありえないとか、描写力がなってないとか。あれは、昔話の世界をまったく理解せず、物語と物語る力の強さを分からずに、ストレイトノヴェル・コンプレックスに陥ってる。物語る力のない小説は読む価値がない。

小森　その言葉、聞かせてやりたい人がたくさんいますね（笑）。

各務　それに、貶してる本人が書いてる小説が、クリスティに及びもつかないということが、まずほとんどだね。ミステリなんて、ＳＦもそうだけど、もともとは伝承説話の世界なんでね。

読み手の文化的背景とか社会的背景が、常にそれを支えてきている。そこらへんを、みんな勘違いしてる。パズル小説について、いろいろ説を述べる人はたくさんいるけれども……僕は、まあ……期待してないしね（笑）。

小森　パズル小説についての説で思い出しましたが、都筑道夫さんの『黄色い部屋はいかに改装されたか？』の連載も、各務さんが編集長のころですが。

各務　これは都筑さんが書くのにえらく苦しんでたころなの。トリックのアイデアが浮かばないんだ。それで、なんとか、自分でもって過去の作品を分析しながら、たぶん、自分のパズルストーリイを作ろうとしてたんだね。都筑さんが、ホックの短篇をいただいたのも、そのころですよ。

小森　そのことを指摘したという小寺佐和子さんの投書を、「響きと怒り」で探したんですが、ないんですよ。

各務　見つからない？　あったはずだけどな。

小森　かなり遡《さかのぼ》ってもみたんですが。

各務　都筑さんから、エドワード・D・ホックのあの短篇は訳さないのって電話がかかってきたことがあったのね。

小森　各務さんが編集長のころ？

各務　そう。それからね、しばらくして、そのホックの短篇を載っけたわけ。そしたら、都筑さんのあれと一緒ですねっていう小寺さんの投書があった。

小森　その投書を探したんですが……ないんだなあ。今回、改めて調べてみると、小寺佐和子さんの投書はすごい頻度《ひんど》で掲載されてましたね。
各務　毎号書いてきてたね。
小森　一回、「響きと怒り」欄が独占されたことがありました。しかも、ちょっと量が多かったので、入らなかったらしくて、最後の方は行間をつめて、むりやり収めてる（笑）。あの方のファンがいましたもんね。「響きと怒り」の小寺さんの投書を心待ちにしてる人が。小寺ファン。
各務　そうかもしれないね。すごくよく読んでてね。編集サイドとしては、非常にありがたい読者だった。いまは、どうしてらっしゃるか知らないけれど、ウィンタブルック・ハウス通信に、まだ書いてるんじゃないかな。あの人はクリスティファンだから。
小森　読者が登場する「街角のあなた」も各務さんが始めたページですね。あれも、各務さんの手づくりで？
各務　ほかにやる奴いないもの。
小森　やっぱり、人と会ってお喋りするのがお好きだったんですか。
各務　好き。ある目的を持って人に会いにいくわけじゃないですか。で、その目的は早くすませるわけ。あとは、くだらなーいことを、ぐだぐだぐだぐだ話してるわけ。そちらの方が面白いし、教わることも多いわけ。だから、編集者は喫茶店から生まれる。そうでなきゃおかしいんじゃないかって気がする。

「ミステリ散歩」のこと

小森　東京タイムズで連載してらした「ミステリ散歩」も編集長時代の仕事ですね。

各務　表立っては外でのはじめての仕事じゃないですか。あれは、青木雨《あおきあめ》（彦《ひこ》）さんが、ミステリに関するエッセイを「ミステリマガジン」でやってて、それの原稿取りをしてるうちに、気易いから、原稿のここはこうだああだとやるわけね。それで雨さんが書いてみないかと言って、一年くらい続いたのかしら？

小森　けっこう長かったですね。

各務　それの単行本化を、早川の編集部に出したら、蹴られて、そのあとで雨さんが文泉ってとこに左遷されて……。

小森　文泉って、東タイの会社なんですか。

各務　子会社みたいなもん。それで、一夏かけてふくらませた。

小森　早川から出せなかったのは、社員だったからですか。

各務　社員だからでしょう。編集部員に、あまりそういうことをさせると、しめしがつかないというふうに、だんだんなってきてる時代であったとは思う。エッセイ集みたいなものを出させると、そこを基盤に外部で力を発揮されて困るという、経営側の考え方があるんじゃないの。そんなことなら仕事だけ精出してやりゃあいいんで、名前売るなんて、福島さんや常盤さんま

で で、それ以外は困ると思うじゃないですか。

小森 じゃあ、福島さんや常盤さんに対しても、内心ではいいと思ってはいない？

各務 思ってないですよ。でも、早川を引っ張ってきたのは、そのふたりだし、ＳＦに関しては、福島さんの存在は、めちゃくちゃデカいじゃないですか。常盤さんは、ハヤカワ・ノヴェルズで、一気に早川書房の知名度を上げた人物でしょう。

小森 ハヤカワ・ノヴェルズというのは、それほど大きかったんですか。

各務 最初がジョン・ル・カレの『寒い国から帰ってきたスパイ』で、これすごかったからね。そこで常盤さんは発言力を増やしたんだ。社長も直接仕事に関しては文句言えないでしょう。福島さんも、そう。もともと、ミステリやＳＦの好きなやつを連れてきて、編集させて出版するということだったでしょ。だけど、詳しい人は、編集だけでは絶対に納まらない。ものは書くし、翻訳はやりたがるし、雑誌があればそこでいろんなこと書きたがる。実際、福島さんなんて、何年も布団で寝たことがないくらい、がんばってた人だからね。本は手に入れて勉強してる。常盤さんだって、そのころ家に行ってびっくりしたんだけど、相当な本のコレクターだった。それはミステリじゃなくて、マフィアの話だとか、向こうの雑誌のことだとか、都会小説だとかだからね。「ヒッチコック・マガジン」なんかに大原寿人《おおはらとしひと》名義で書いてる。常盤さんはアメリカの文化については詳しい。そういうのは会社にとっては、編集出版をするキイマンにはなるけれど、その下のやつは仕事をしてればいいわけだから、よそで名前を売られちゃ困る。長島さんなんかが『エマニエル夫人』を訳したときに……。

小森　え、あれは長島さんの訳でしたか。
各務　あれは長島さん。で、警視庁にひっかかったでしょ。
小森　それは長島良三訳になってるんですか。
各務　いや、別の名前。それで、ばれたんだけど、社長は長島さんが好きだから、辞めさせまいとした。俺だって、ポルノグラフィーを一冊訳してるよ。『ディープ・スロート』っていう映画があったでしょう。あれが輸入されるっていうんで、ノヴェライゼイションを訳したことがあるよ。

矢作俊彦をひねり出す

小森　あと、お聞きしたいのは、矢作俊彦《やはぎとしひこ》[*1]さんのことです。これ処女作の「抱きしめたい」の作者紹介の文章で、人を介して原稿が持ち込まれたとあるんですが、どなたを介したんですか。
各務　憶えてない。とにかく会って、文章が面白かったから、載っけた。
小森　野球場のシーンを憶えてらっしゃるということでしたね。
各務　そうそう。神宮《じんぐう》球場でね。三塁ベースのあたりで弾丸がはねる短い描写が印象的だった。巧いからね。それで、名前も適当にこちらで作って……。
小森　それは、ペンネイムを作ってくれと頼まれたんですか。
各務　たぶん、そうだと思うよ。だけど、この名前がいいから、これにしようと彼に言った憶えはないんだよね。
小森　各務さんが考えたということは……。
各務　それは間違いない。
小森　それを、いまだに使ってますよ。どうやってつけたんですか。
各務　矢作は、俺の生まれた岡崎《おかざき》の近くに矢作川というのがあって、こっちの各務も読めないやつがいるから、その程度には読めないだろうと。あまりない名前だから、憶えれば忘れないだろうというのもある。俊彦というのは、頭良さそうな名前だし……。
小森　（爆笑）それで、作品は読んですぐ載せたんですか。
各務　そうですよ。もらって一月とか二月で載っけたはずですよ。
小森　それで数ヶ月して、第二作目の「夕焼けのスーパーマン」が載るんですが、あれは依頼したんですか。
各務　あれば載っけるよぐらいのことは言ったね。なんとか、その人がうまくいってくれれば

＊1　「ミステリマガジン」に掲載された矢作俊彦の小説は以下の通り。「抱きしめたい」（七二年六月号）「夕焼けのスーパーマン」（七二年九月号）「王様の気分」（七四年五月号）「殺意によろしく！」（七四年六月号）「言いだしかねて」（七四年九月号）「リンゴゥ・キッドの休日」（七六年十二月号～七七年一月号）「真夜半へもう一歩」（七七年四月号～七八年一月号に断続的に連載）「ヨコスカ調書」（七九年一月号～四月号未完）「ジャップ・ザ・リッパー――序章」（八六年七月号）

いいなという気はあるし。でも、矢作さんはうまくいくような気がしてたな。

小森　そのあと、三作目を書かずに、『長いお別れ』の漫画[*1]になるんですが。

各務　これは、彼がチャンドラーきちがいだったからですよ。その前にも漫画を描いてたんじゃないかな。で、やりたいって言って。これも版権がどこにあるか調べた憶えがあるね。チャンドラーの死後、版権所有者がどうなってるのか、分からなくなってたんだね。

ぎゃっとなって退職

小森　それから、七三年の四月号[*2]。これが、辞めるきっかけになった……。

各務　オルツィの原稿ね。

小森　これの真相はどういうことなんですか。

各務　真相は単なるこっちの間違いですよ。このころ、もう、いい加減にやってたと思う。だから、原稿を読みもせずに載っけてるんですよ、それは。で、訳者も気づかなかったし、校正の人も気づかなかった。

小森　その原稿はどういうふうに載ったんですか。

各務　結局、半分しか載っかってない。読むとヘンだなと思うはず。

小森　私は読んでるんですけど、半分だけだとは気づいてないですね。面白かった記憶がないから、そもそもつまらないと思ったか……。このころは、もう、やる気がなかった？

各務　嫌になってたことは確かだね。組合運動から、社内の空気が暗くなっていた。だからといって、いい加減にやってたというわけではないはずなんだけどね……。とにかく、これに関してはね、アンソロジーかなんかで見つけて、ちょうどいい、これで特集をやっちゃおうって、中身も確かめもせずに、やってたんですよ。で、あとで気づいてぎゃっとなった。

小森　それで、このことで辞表を出したわけですか。

各務　六月号にちゃんとした原稿を全部再録して、それで辞めますと。わざとやったんじゃないかとか、社長に嫌味言われてね。

小森　わざと！

各務　辞めたいから、わざと。だけど、これは百パーセントこっちの手落ちだからね。

小森　じゃあ、会社を辞める準備とか、そういうものは、なにもなかったんですか。

各務　なにもないよ。外の仕事も、ほとんどやってなかったし。だけど、なんとなく、食えるというのはあるわけ。辞めたあとで、いろいろ先輩たちが心配してくれて、それで仕事を持ってきてくれた。

＊1　レイモンド・チャンドラーの長篇をダディ・グースが漫画化した。七三年一月号〜七四年四月号に連載。ダディ・グースは、もちろん矢作俊彦のこと。

＊2　オルツィ特集として隅の老人ものが三本掲載されたが、そのうち「リヴァプールの謎」が不完全なまま載ってしまい、次号でおわび、その次の号に再掲載された。

小森　本当にいきなりだったんですね。

各務　かみさんにも、事後報告だからね。来月辞めますって……。『ミステリ散歩』が出たときに、会をやってくれたわけ。そのときに、稲葉明雄《いなばあきお》さんだったか小林信彦さんだったかが、すごい生意気な編集者がいるって言ってさ。確かに、彼らにとっては、生意気な弟になるわけ。だけど、そういう人たちに助けてもらって、俺は生きてきた。人生のいろんな面で。経済的にも世渡りでも。

小森　そういえば、よく喧嘩売ってましたね。中島河太郎《なかじまかわたろう》さんとか大井廣介《おおいひろすけ》さんとかに。

各務　あれは正論だと思ってるから。思ったことを言ってるだけだから。

小森　正直に（笑）。

各務　そう、正直に（笑）。森村誠一《もりむらせいいち》についても批判を前説やコラムで書いたのね。そんなバカな理屈があるかって。そのあと何年かして、長島良三さんが、森村誠一に原稿を頼みにいって、あんなこと書いておいて原稿頼むのかと言われたと言ってたね。

小森　いまの感じからすると、各務さんが、よく森村誠一を読んだなと思いますね。当時から、日本のものは、あまりお読みじゃなかったでしょう？

各務　ちょこちょこしか読んでない。外国のミステリは、どんなにつまらないものでも、何ヶ所かは、こいつ力入れてるなあというところがあるわけ。いくら翻訳だって、その気持ちは伝わる。だけど、日本のものは、それが、俺には感じられない。だから、翻訳ものを読んでいた。

皆川博子《みながわひろこ》――皆川博子になるための136冊

皆川博子（みながわ・ひろこ）

一九三〇年生まれ。七二年、児童文学長編『海と十字架』でデビュー。七三年、「アルカディアの夏」で第二〇回小説現代新人賞を受賞。八五年『壁―旅芝居殺人事件』で第三八回日本推理作家協会賞を、翌八六年『恋紅』で第九五回直木賞、九〇年『薔薇忌』で第三回柴田錬三郎賞、九八年『死の泉』で第三二回吉川英治文学賞、二〇一二年『開かせていただき光栄です』で第一二回本格ミステリ大賞を受賞する。一二年、第一六回日本ミステリー文学大賞を受賞。一五年、文化功労者に選出される。二二年『インタヴュー・ウィズ・ザ・プリズナー』で第六三回毎日芸術賞を受賞。『冬の旅人』『総統の子ら』『双頭のバビロン』『風配図』に代表される歴史巨編のほか、『ゆめこ縮緬』『結ぶ』『蝶』のような幻想奇想が交錯する短編まで幅広く執筆する。読書エッセイに『辺境図書館』など。

なにかの折に、皆川博子さんから、お好きな小説の話をうかがったことがある。そこで出て来た小説は、圧倒的に戦前や戦後すぐに読んだという本が多かった。それでアンソロジーを作りましょうかという話もした記憶があるが、お得意の「そういうの誰が読むのかしら」という台詞で、その場はおしまいになった。今回、そのときのことを思い出して、どのような読書体験をすれば皆川博子になれるのか、教えていただくことにした。ご本人は「誰が私みたいになりたいと思うのかしら」とおっしゃるに違いないのだが、皆川博子さんには、濃いファンが多いと思うし、同業者のファンも多い。皆川博子さんのようになりたいと思う人は、案外いるだろうと私は考えているのだ。ここに登場する本を浴びるように読めば、もちろん、あなたも皆川博子になれるだろう。皆川博子さんほどの才能さえあればの話だが。

溝に落ちながら

小森　今日は、皆川さんが子供のころお読みになっていた本の話をうかがいたいと思います。

それは、つまり、太平洋戦争前夜の日本で、イケナイ女の子はなにを読んでいたかということになるかと思います。

皆川　真面目な女の子だよお（笑）。しかし、一世紀昔のことやさかいねえ。

小森　一応、読書リスト（八五ページ参照）を作っていただいているので、それに沿って、お話していただくのがいいかと思いますが、一番最初に本を読んだ記憶というのは、いくつくらいのものですか。

皆川　いくつなんでしょうね。

小森　リストにはアンデルセンの童話なんてありますね。

皆川　それは小学校に上がる前。

小森　当時は国民学校なんですか。

皆川　いえ。小学校。途中から国民学校になったの。

小森　皆川さんは、お生まれが京城《けいじょう》、いまのソウルですね。東京にいらしたのは、いつごろなんですか。

皆川　生後三ヶ月。京城生まれって、いろんなところで書いたから、引き揚げ体験者と思われがちだけど。戸籍上は昭和五（一九三〇）年生まれで、三ヶ月で東京、渋谷《しぶや》。[*1]

小森　ということは、最初の読書の記憶というのは、渋谷ですか。

皆川　渋谷。溝《どぶ》に落ちながら。

小森　（笑）なんですか。その、溝に落ちながらというのは。

皆川　道を歩きながら読みふけるものだから。あのころは溝がU字溝なので、しょっちゅう落っこちてた。荷馬車を引く馬が電信柱につながれていて、本を読みながら、馬と衝突したり（笑）。

小森　歩きながら読んでたんですか。

皆川　それは、みんなやるでしょう。このごろは、交通事情が悪いけど。本が好きな子はやるでしょう。

小森　私のころは無理でしょうね。

皆川　当時は車が少なかったからね。ぶつかっても、馬か自転車だから、たいしたことなかった。ただ、父親は、歩きながら読むのは目が悪くなるからいかんと言ってた。目からの距離が揺れるからでしょうね。

小森　乗り物の中で読むのも、目には悪いと言いますよね。

皆川　だけど、父親が見てさえいなけりゃ、やるわよなあ。

小森　歩きながら読むのはいけないと言われたけど、本を読むこと自体、いけないとは言われなかったんですか。

皆川　子供の本はね。大人の本はいけない。それから、だいたいにおいて、うちの中にこもっ

＊1　正しくは昭和四年十二月八日生まれ。当時はかぞえ年だったため、親が、翌年一月二日生まれとして役所に届けた。

て本を読むことは、いい傾向とは思われない。「外へ出て遊べ」。

小森　そう言われるんですか。

皆川　いちいちは言われないけれど、なんとなく、うしろめたいものを感じつつ。

小森　そのうしろめたいのが良かったと。

皆川　そうそう（笑）。でも、まあ、ピーちゃんは本の虫だからというのが、叔母なんかの了解事項だった。親は喜ばなかったけれど。

小森　ピーちゃんと呼ばれてたんですか。

皆川　叔母たちからね。博子だから。ヒーちゃんじゃなくピーちゃんになって。

小森　じゃあ、最初は叔母さんか誰かに読んでもらったという感じですか。

皆川　人に読んでもらった憶えは全然ないの。いつのまにか、（本を読むことを）覚えていた。最初は誰かが読んでくれなくちゃ覚えるわけないいんだけど。

小森　では、最初の記憶というのは、童話ですか。

皆川　そうですね。外国童話とか。絵本もあるわね。

小森　そういう本は家にあったんですか。

皆川　それは、たぶん、親が買ってくれてたんだと思う。それと「幼年倶楽部」。だけど、そんなものでは、とても間に合いませんよねえ。で、うちが医者だから、往診に自家用車を使うわけね。その当時は運転手がいて、その一家が道をへだてた向かいの裏の方の長屋に住んでいて、私は、しょっちゅう行っちゃあ、そこには「譚海《たんかい》」とかあるから……。うちの方は普通の住宅を借りて、家族も住むし、一部が診療所で待合室もあるというふうになってたんだけど、待合室には、もう、大人の雑誌がごろごろある。「キング」とか。

小森　じゃあ、童話の次はいきなり、それだったんですか。

皆川　いろんなものが、ごっちゃだわねえ。最初童話で、それから大人の本と順を踏んでなくて、あるものを手当たり次第。

小森　じゃあ、そのへんからは、童話あり漫画あり絵物語あり。

皆川　大人の〈悪い〉小説あり（笑）。

小森　その大人の〈悪い〉小説は、小学校上がる前から読んでたんですか。

皆川　あったから読んだ。だって、目の前にあって、読むなって言われてもねえ。患者さん用に揃えてあるわけだけど、襖《ふすま》へだてただけだから。そこの待合室で、私が処女作を書いた。

待合室で処女作を

小森　そうそう、そのお話をうかがわなきゃ。吉屋《よしや》信子《のぶこ》さんの連載でしたっけ？

皆川　『毬子』。「少女の友」か「少女倶楽部」が一冊だけ待合室にあって、うちはどっちもとってなかったから、看護婦さんか誰かの持ち物だと思うんだけど、それで連載中の『毬子』の一回分だけ読んだの。主題歌だか、そのお話をもとにした歌詞だかを募集していた。

小森　お話は憶えてますか。

皆川　主人公の少女の毬子さんが、たいへん不幸であって（笑）、お琴《こと》という、ちょっと年上の若い娘がいて、そのお琴が、ささやかな洋食屋、いまで言うレストランをやることになる。その店の名をつけるのに、上野の精養軒《せいようけん》みたいにナントカ軒にしようといって毬子軒にするというのを憶えてる。

小森　そういう小説で主題歌を募集した。

皆川　幼稚園が嫌いで、さぼっていたとき。待合室の白いカヴァーのかかったソファーに寝転がって、それを読んでて、それで、やおら画用紙を持ってきて、クレヨンで大きく「あはれ毬子よ　お琴にあへるか」と書いたら、紙一杯になっちゃって（笑）。その先を思いつかなくて、送り方も分からないから、それで終わっちゃった。

小森　幻の処女作は吉屋信子の未完の主題歌（笑）。当時は吉屋信子さんだから読んだとか、ナニナニだから読んだとか、そういうのはないわけですね。

皆川　ないですねえ。あるものは読む。

小森　その「あるもの」というのは、待合室にあるものと、家にあるものと、運転手さんの家にあるものですか。

皆川　あと、東横（デパート）がすぐ近くだったから、東横の本売り場。

小森　いまは駅の建物になってるところですね。

皆川　あれの何階だかが本の売り場で、そこへ通って。

小森　買ったわけではないんですね。

皆川　買えるわけないわよ（笑）。子供のときは、お祭りの日しか、自由に使えるお金はもらえなかった。憶えてるのが、小学校一年の夏休みに、そこへ通って少年小説を一冊読み上げた。たぶん、それがはじめて読んだ長い小説ではないかと。

小森　それはなんという小説ですか。

皆川　『涙の握手』水守亀之助《みずもりかめのすけ》。そのときは、作者の名前なんか読まないから、日本人の出ない外国の話としか憶えなかった。

小森　当時からエキゾチックなものがお好きだった。

皆川　でしたねえ。でも、日本の古い時代のも好きだったし、子供の身の回りの日常生活を書いたような話でなければ、なんでも面白かった。

小森　そのころから、くそリアリズムや社会派風は、お好きじゃなかった（笑）。

皆川　その夏読んだので、もうひとつ印象に残っているのが『三吉馬子唄《さんきちまごうた》』。これは、海の家で、集団の中に私ひとりだけ入れられた。それで、そこは年上の人たちがいっぱいいるから、いろんな本を持ってきていたの。「少女の友」の付録だと思うけど、歌舞伎の「重の井子別《しげのいこわか》れ」の話を西條八十《さいじょうやそ》がリライトしたもので、須藤重《すどうしげる》の挿絵付きで、口絵がカラーで、歌舞伎の有名な場面とあとで知ったけど、重の井が裲襠《うちかけ》を広げて、子供の三吉がこう持ってる。「坂は照る照る　鈴鹿《すずか》は曇る」なんて歌もそこらへんで覚えた。「間《あい》の土山雨が降る」と三吉が歌いながら馬を引っ張っていく。

小森　そういう歌を子供のころ覚えると、忘れないものですね。

皆川　「なにが良うてか糸屋のお嬢　やくざ弥ァ公になぜ惚れた」とかね。これはタイトル全然憶えてないんだけど、大人の雑誌で読んだやつ。

小森　じゃあ、小学校上がるか上がらないかのうちに、そういうのをごたまぜに読んでいたわけですね。アンデルセン、グリムの童話があって、小川《おがわ》未明《みめい》があって、コグマノコロスケ、タンクタンクローがあって、謝花《しゃか》凡太郎《ほんたろう》*1の漫画があって、「譚海」「キング」という雑誌があって、で、西條八十ですか。

皆川　でも、本好きの子はみんなそんなのを読んでたよ。別に私が特別じゃなくて。身近にあるものはなんでも読むから。

小森　本好きなお子さんというのは、皆川さんのまわりにはいらしたんですか。

皆川　私のまわりにはいなかった。あとになって久世《くぜ》（光彦《てるひこ》）さんのお話を聞くと、小学校に上がる前から、菊池《きくち》寛《かん》の『真珠夫人』とか『第二の接吻』あたりは読んでらしたそうよ。昭和の子供は読むのよ（笑）。

小森　私も昭和の子供ですが（笑）。

皆川　戦後生まれは〝昭和の子供〟じゃないの（笑）。「昭和の子供よ僕たちは」と歌ったあたりが、昭和の子供。そういう歌があったの。「昭和昭和昭和の子供よ僕たちは　姿もきりり心もきりり」だったかな。

小森　それは学校で歌わされるんですか。

皆川　普通に歌ってた。

小森　はじめて聴きました。
皆川　お父さま歌っていらっしゃらなかった？
小森　親父は大正の子供ですから。「めじろ　ロシヤ　野蛮国　クロパトキン　きんたま」ってのは聴かされました。
皆川　「マカロフ　ふんどし　締めた」って。
小森　そこは違うなあ。「饅頭《まんじゅう》の中には餡一丁　朝鮮征伐清正が　学校の生徒を率き連れて帝国万歳大勝利　李鴻章《りこうしょう》の頭は禿げ頭」でしたね。
皆川　それは私たち言わなかったわね。日露戦争のころの歌が八方に広がって、いろんなヴァージョンができたんでしょうね。親の前で歌うと、行儀の悪い歌を歌うなと叱られた。でも、それ、最初に教えてくれたのは父親だった。父、明治の子供だから。

オムレッカツレッツハムライス

小森　では、漫画、絵物語のお話をうかがいましょうか。中島菊夫《なかじまきくお》の『日の丸旗之助』と、文

＊1　戦前から戦後にかけての漫画家。中村書店の描き下ろし漫画の「顔」で、『びっくり突進隊』『魔法の昭くん』などの作品がある。三一書房『少年小説大系別巻3　少年漫画傑作集（一）』に『まんが忠臣蔵』が収録されている。

が牧野《まきの》大誓《たいせい》、画が井元《いもと》水明《すいめい》の『長靴の三銃士』は、復刻版のコピーを手に入れたんですが。こういうのは雑誌でお読みになったんですか。

皆川　雑誌でも読むし、単行本でも読むし。

小森　単行本はやはり待合室で？

皆川　このへんは買ってくれたわね、親が。無害な漫画だから。それから、友だちのところで借りるとかね。

小森　『長靴の三銃士』に関しては、コピーを手に入れる前に、皆川さんが描いてファックスで送ってくださったイラストが、似ていたのでびっくりしました。*1

皆川　（笑）だって、印象的な絵だもんね。頭に長靴を逆さにのっけて。シュールだよね。しかも、底がすりきれないと頭からとれない。

小森　これ、国会図書館で読んで、はじめて知ったんですけど、刑罰なんですね、頭に長靴をのっけるという。

皆川　そうなのよね。私もコピーを読み直して、ああ、そうだったのかと思ったけど。

小森　男の子と女の子と猿が鬼が島にルビーを取りにいって捕まっちゃう。それで刑罰で長靴を頭に被せられるんだけど、そのかわり、長靴を被っていると強くなる。

皆川　ヘンよねえ。それで、お祈りして長靴を取ってもらうんだけど、長靴が取れて敵方の頭に移ると、敵の方が強くなっちゃう。

小森　これは漫画じゃなくて、絵物語というんですか。ページの上半分に絵があって、下半分に文章がついている。
皆川　映画の影響みたいね。サブタイトルとかダブるとかいう約束事のト書きがあって。無声映画の影響かもしれないわね。
小森　そうですね。ダグラス・フェアバンクスがいきなり出て来て、主人公たちに剣を教える（笑）。
皆川　そのあと、京都へ行って東山三十六峰《ひがしやまさんじゅうろっぽう》でチャンチャンバラバラ。
小森　これ、やっぱり、子供向けだと思うんですけど、そこにダグラス・フェアバンクスが出て来て通じるということは、当時、みんな観てたんですか。
皆川　うちは見せてくれなかったけれども。
小森　皆川さんも名前ぐらいはご存じだった。
皆川　どうだったろう。うちは、とにかく映画見せてくれなくて、映画雑誌がいとこの家に行くとあったから、それを見て、いろいろ覚えたけど。
小森　映画は観たかったですか。
皆川　そりゃ、観たかったですよ。渋谷だから、道玄坂《どうげんざか》を上ると映画館があって、いまもある

＊1　これがそのイラスト。

かな、それで映画館の前にスチール写真が貼ってあるのを指くわえて見ていた。

小森　さすがに映画にひとりでは行かなかった。

皆川　行ったよ。あ、ひとりじゃないけど、親に内緒で。小学生のときだったけど。大井町《おおいまち》のいとこのうちに遊びにいったときに、いとこと映画館に入って、でも、どうやって入れたのか憶えてないのよね、お金持ってないし。帰ってからバレて、私はお客だったから怒られなくて、いとこだけ怒られて、すまんことであった。

小森　なにを観たか憶えてらっしゃいますか。

皆川　日本映画で『鬪魚』というの。池部良《いけべりよう》のデビュー作。池部良が、そのいとこのお兄ちゃんに似てるって大人たちが話してるんで、どんなんだか見てみようって入ったの。話はさっぱり面白くはなかったんだけど。

小森　子供のとき観た映画というのは、それだけですか。

皆川　いや、子供向けの映画はいくつか、連れていってもらったわね。シャーリー・テンプルの『アルプスの山の娘』とか、高峰秀子《たかみねひでこ》の『馬』とか、『風の又三郎』とか。大人向けのは全然だけど。

小森　『長靴の三銃士』と同じ作者の『へのへの龍騎兵』。これは手に入らなかったんですが。

皆川　壁のへのへのもへじの落書きが飛び出してきてという話だったと思う。よく憶えていない。

小森　なんか、いい加減だけど、妙にぶっとんだところがある作家なんですかね。登場人物が逆立ちすると、下の文章を上下ひっくり返して組んでみたり。それに比べると『日の丸旗之助』はまともですね。

皆川　このころのって、だいたいこういうコマ割よね。変化がなくて。手塚《てづか》（治虫《おさむ》）さん以降だもんね、映画的になったのは。

小森　あと、『のらくろ』『冒険ダン吉』『タンクタンクロー』といったところは定番として、問題は謝花凡太郎ですね。

皆川　子供のとき、たくさんあったのよね、謝花凡の漫画は。魔法使いの出て来る話とか、講談本を漫画にしたようなのとか。清水の次郎長を漫画にしたのがあって、武居のども安が登場すると、「どんどんどもると人を斬る　たんたん武居の安五郎」。講談本だったら「武居の安五郎、鬼のような奴よ。どどとどもれば人を斬る」で、それをリライトしたんでしょうね。

小森　私が子供のころ観たテレビドラマの清水の次郎長では、ども安は、ちゃんとどもってましたね。

皆川　あと、魔法使いの出る漫画では「チリップチリップレーナニコヨヒ」というのが、ヒヨコニナーレの呪文。

小森　（笑）それを聞くと、やっぱり安直な人なんじゃないかと思いますよ。

皆川　魔法の絨毯で飛んでいくときの呪文が「ナムサツダルマオンダルギャ　オムレツカツレツハムライス　マホウノモリヘトンデイケ」っていうの。

小森　ハムライスというのは、どういう食べ物なんですか。

皆川　ハム混ぜた炒めご飯じゃない？
小森　そのへんもうかがっておかないと、ハムライスというのはどういうものかと思っちゃうんですよ、後世の人は（笑）。
皆川　その当時は、なんの疑問もなく唱えてたけどね。

全集を片っ端から

小森　では、渋谷時代のあとの話をうかがいましょう。
皆川　渋谷は家族の家と診療所が一緒だったから、だんだん、子供も増えたので、小学校二年の七月に、世田谷《せたがや》に住まいを移しまして……。
小森　下北沢《しもきたざわ》ですね。いまの私の家の近く（笑）。
皆川　そうそう。鎌倉橋《かまくらばし》の。で、渋谷の医院の方には、おじいちゃんおばあちゃんと、叔父とか叔母たち、つまり私の父の両親と弟妹が住むようになって、そうすると、がぜん、渋谷に本が豊富になったんですよね。世田谷の方は新しい家だから、応接間に本棚を置いて、空っぽじゃ恰好がつかないから、いろんな全集ものをドッと買い込んだ。一気に読むものが増えた。
小森　叔父さん叔母さんというのは、なにをなさってたんですか。
皆川　学生だった。叔父が大学生で、叔母が津田（塾）に行ってたの。そこで、渋谷の家には、たぶん叔父の持ち物だと思うんだけど、現代大衆文学全集[*1]という青竹色の表紙の厚い本、活字が大きめで全部ルビ付きのがダーッとあるし、岩波や改造の文庫もあるし、待合室には、こちらは叔母のものかな、世界大衆文学全集、翻訳もので小豆色の小型の本があった。それで家の本棚には、新潮社の世界文学全集[*2]と、蜜柑色の表紙の大判の明治大正文学全集。四段組だった。あとは単発の本もぎしぎしあるし。

小森　それを片っ端から読んだわけですか。

皆川　嬉しいよお、これは（笑）。お寿司屋さんに行って、ネタをここからここまで全部って注文するようなものだから（笑）。そうそう、それで、ディケンズ全集があったの、家の方に。

小森　あ、その話をうかがいましょうか。それは、私も少し調べてますから。これはですね、正確には、ヂッケンス物語全集です。

皆川　松本泰《まつもとたい》と松本恵子《けいこ》の訳でしょう？

小森　そうです。それで、なんと、これ中央公論から出てました。

皆川　そうなの？　口絵が宮本三郎《みやもとさぶろう》[*3]だったな。顔は日本人っぽくて、スタイルは洋装で、名前はみんな日本のに直してある。

小森　それがすごいですよね。『漂泊の孤児』は『オリヴァー・トゥイスト』なんですが。

＊1　平凡社から昭和二（一九二七）年より刊行。全六十巻。
＊2　新潮社から昭和二（一九二七）年より刊行。全三十八巻。
＊3　洋画家。裸婦を描いた作品に定評がある。

皆川　織部《おりべ》捨吉《すてきち》ね。ナンシーが那須子《なすこ》。
小森　で、『千鶴井《ちづるい》家の人々』って言うんですか。
皆川　チャズルウィットがね。涌井《わくい》珍介《ちんすけ》てのが出て来るのよね。元がなんなのか憶えてないけど。
小森　さっきの世界大衆文学全集では、ポーとかユーゴー、デュマ、ハガードといったところですか。
皆川　『洞窟の女王』は面白かった。『ソロモン王の宝窟』とセットになってたのかな。
小森　それから、皆川さんにリストを作っていただいたときに、エインズワースの『倫敦塔』を、もう一度お読みになりたいということだったんですが、国会図書館で請求したら、紛失してました。
皆川　エリザベス女王に幽閉されるジェイン・グレイの話ね。ほかのは、わりあい読み返してるんだけど、『倫敦塔』は、とても面白かったという記憶があるだけで、読み直してないのよ。
小森　日本の大衆小説も並行してお読みですよね。国枝史郎《くにえだしろう》とか。
皆川　『八ケ嶽《やつがたけ》の魔神』の出だしの部分は、大正時代のヨーロッパの戯曲の翻訳ものみたいでね、台詞の口調といい、ちょっとバタくさくて、ふつうの時代ものと違った雰囲気なの。それから、矢田挿雲《やだそううん》＊1の『澤村田之助』というのを、忘れもしない小学校三年のときに読んで、手足失い、舞台に立って、すごい美貌で男も女も誘惑しまくり、金をまきあげ、金がなくなれば放り捨てるというのに、ぶち当たった。挿絵がまた濃かった。橘小夢《たちばなさゆめ》＊2。

小森　このころの挿絵というと。
皆川　少年ものなら伊藤彦造《いとうひこぞう》＊3と山口将吉郎《やまぐちしょうきちろう》＊4ね。少女ものなら、中原淳一《なかはらじゅんいち》＊5、蕗谷虹児《ふきやこうじ》＊6。高畠華宵《たかばたけかしょう》＊7は、私たちが読んでたころよりちょっと前。
小森　そういう人たちは、子供の間で人気があったんですか。

＊1　作家。『太閤記』などの作品がある。
＊2　洋画家。版画も多い。浮世絵とアールヌーヴォーに影響を受け、大正から昭和初期にかけて妖華耽美な挿絵を描いた。
＊3　大正時代に新聞の挿絵を描き始め、戦争をはさんで、細密なタッチの挿絵を「キング」「少年画報」などに描いた。時代ものが多い。『伊藤彦造イラストレーション』（河出書房新社）としてまとめられている。
＊4　挿絵画家。「少年倶楽部」に連載された吉川英治『神州天馬俠』の挿絵が有名。
＊5　戦前、「少女の友」（実業之日本）の表紙や付録の絵を描いた。戦後は「ひまわり」「それいゆ」「ジュニアそれいゆ」などの雑誌を発行し、プロデュースの才能も発揮した。
＊6　大正から昭和にかけての挿絵画家。竹久夢二の紹介で「少女画報」に挿絵を描き始める。詩、小説も書き、作詞もする。「花嫁人形」は彼の詞に渡仏中に無断で曲をつけられたもの。
＊7　日本画家。大正時代「少女倶楽部」「少女画報」「婦女界」「主婦之友」「日本少年」などに挿絵を描く。郷里の愛媛県重信町（現・東温市）に高畠華宵大正ロマン館がある。

皆川　私の間で人気があった。あんまり、友だちとそういう話はしなかったわね。
小森　皆川さんは友だちと遊ぶときはなにをしてたんですか。
皆川　外遊びは、とても憂鬱だけど、仲間に入って、縄跳びとか石蹴りとか。ときには、みんなが外に遊びにいっても、私はここでいいわと言って、本を読んでたり。
小森　友だちの家で本読んでたりしてたんでしょう。
皆川　そりゃそうですよ。うちにない本を読むのが目的で行くんだから。親しくない友だちでも、新しいところを開拓して、本を読みにいく。
小森　それは、そこのうちに読みたい本があるというんじゃなくて、読んでない本があるだろうということですか。
皆川　行けば、なにかあるだろうと。
小森　ホントになんでもよかったんですね。
皆川　すると、『アラビアン・ナイト』の伏字だらけのが揃ってるとか、シェイクスピア全集の坪内逍遙《つぼうちしょうよう》訳が揃ってるとか。そうすると、毎日通って読む。シェイクスピアは小学校五年のときに、隣の家にあるのを発見したんだ。隣の兄ちゃんより私の方が愛読してた。
小森　シェイクスピアで一番のお気に入りは？
皆川　なんだろう。『タイタス・アンドロニカス』[*1]なんて言わせないでね（笑）。
小森　そう言っていただくのを待っておりまして（笑）。
皆川　印象には残るわよね。

『白痴』はちょっとヤオイ

小森　世界大衆文学全集に戻りますが、エミール・ガボリオの『ルコック探偵』なんてありますね。

皆川　ルコック探偵とシャーロック・ホームズと両方入っていたけど、私、シャーロック・ホームズって、そんなに好きじゃなかった。

小森　探偵小説に触れたのは、そのあたりになるんですか。

皆川　同じころ、日本の方では乱歩《らんぽ》とか、小酒井不木《こさかいふぼく》とか。あと、横溝正史《よこみぞせいし》の『真珠郎』の初版がうちにあったんだ。母親か誰かが読んで置いてあったんだろうね。雑誌では横溝の三津木《みつぎ》俊助《しゅんすけ》ものがたくさん載ってた。乱歩の『大暗室』も雑誌でだったけど、トイレの中が一番落ち着いて読めるから、持ち込んで、それで、雑誌を開いたら、途端に『大暗室』の顔が焼けとろけて半分髑髏《どくろ》になった、田代光《たしろひかる》[*2]のイラストが見開きでバーッと出て来たから、ぎゃーっと叫ん

＊1　シェイクスピアの作品中、血なまぐさく残虐なことで有名なもの。一九九九年『タイタス』として映画化された。

＊2　洋画家。挿絵も昭和初期から生涯描き続け、遠藤周作『女の一生』、山崎豊子『白い巨塔』、松本清張『黒い画集』などの挿絵が有名。

で壺の中に落としちゃった（笑）。

小森　（笑）それは、じゃあ、落としたまんま。落としたと言うこともできず。

皆川　言わないわよ（笑）。読んじゃいけないって言うくせに、管理は甘かった。ヂッケンス物語全集がうちにきたときも憶えてるんだ。ドッと本が届いて、親が本棚に入れるのよね。私は読みたくてしょうがないのに、許可が出たのは二冊だけ。それが『漂泊の孤児』と『少女瑠璃子』。たぶん、タイトルから、子供が主人公らしいということで、その二冊だったのね。あとはダメと言われたんだけど、もちろん、読みたおして……。

小森　以前から不思議だったのは、戦前に子供時代をおくった人には、とにかく全部読んだ、あるものはみんな読んだと、おっしゃる人がけっこういるんですね。戦後生まれで、そういうふうに言う人は知らないんです。私自身を考えても、手にとれる本が全部読めるなんて、考えもつかない。そもそも、世田谷に引っ越した小学校二年というのは、何年になるんでしょう。

皆川　昭和十二年ね。

小森　アラビアン・ナイトは伏字が多かった。で、ギリシア神話より北欧神話の方がお好きだったというのが、いまの皆川さんを見ていると、なるほどと思います。並行して戯曲をたくさんお読みになってますね。

皆川　小学校の低学年のころ読んだ、子供向けの本の中にも戯曲形式のものがあったしね。

小森　そうなんですか。

皆川　日本の作家も書いてたよ。坪内逍遙が日本の古い話を童話劇の形で書いてたり。それから、もちろん、メーテルリンクもあるし。だから、戯曲も小説読むのと同じように好きだった。それにもってきて、叔母が結婚して経堂《きょうどう》に住んで、その家に行くと、叔母の結婚相手の持ち物らしい世界戯曲全集[*1]が揃ってた。だから、叔母の家に行っては、それを端からかじってた。

小森　叔母さんの旦那さんは、なにをなさってたんですか。

皆川　サラリーマンなんだけど。

小森　あの当時は、いろんな全集が出ていますが、たいていは、巻数がめちゃくちゃあるんですよね。

皆川　幸せだったよ、あのころは。読む本がたくさんあって。

小森　このころ読んだ戯曲では、ピランデルロやイェイツを憶えてらっしゃるわけですか。

皆川　その前に、新潮社の世界文学全集の方にハウプトマンが入ってたのね。ハウプトマンは自然主義の「織工《おりこ》たち」のようなのもあるけど、そっちはちっとも面白くなくて、それと一緒に入ってた「沈鐘」が、子供のときは、すごく好きだった。ロマンティックな話で。これは泉《いずみ》鏡花《きょうか》も翻訳してるんだ。新潮社の全集は違う人の訳だけど、泉鏡花訳が別にあってね。とても古風な言葉で訳してあって、面白いよ。「夜叉ケ池」は、「沈鐘」に影響されたものだと言われている。

小森　私は皆川さんのリストを見るまで、聞いたこともなかったんですが。アシャアルの「ワ

＊1　近代社から昭和五（一九三〇）年より刊行。全四十巻＋別巻一。

タクシと遊んでクダサイ」は、再読していかがでした？
皆川　やっぱり、役者が客席から出て来る話だった。あそこが、やたら印象に残ってたんだ。
小森　岩田豊雄《いわたとよお》の解説も投げやりですよね。よく分からずに訳したと書いてある。
皆川　あのころとしては新しいやり方だったんじゃないのかな。別役《べつやく》（実《みのる》）さんと通じるものがあると思わない？　台詞がずれていくような。
小森　言い返しやくり返しが多かったり。
皆川　別役さんの方がずっと洗練されているけれど。
小森　おそらく、不条理劇のはしりというか。
皆川　ベケットなんかが出る前だもんね。いまではありきたりの手法だけれど、はじめてだったからショックを受けた。架空の世界である舞台と、安全なはずの客席が、雑炊状態になったことが、怖かった。それまで、戯曲と小説を同じように読んでいたのが、〈客席〉という特殊性を意識させられた。
小森　メタシアターですよね。登場人物もサーカスかなんかで演じる人間を演じている。
皆川　ピランデルロも、そうね。
小森　「エンリコ四世」も「作者を探す六人の登場人物」も、当時お読みだったんですよね。
皆川　好きだったな、ピランデルロは。実際の舞台は観たことないけど。戯曲で読んだ中では一番好きな人のひとり。メタとしては、アシャアルよりはピランデルロの方が、よくできてるわよね。アシャアルは単純よね。

小森　ピランデルロはいまも残っているけれど、アシャアルは、ちょっと……。

皆川　ははは。

小森　私が意外だったのは、ルナールの『にんじん』がお好きだということです。

皆川　あれは小学校二年ぐらいかなあ。岸田國士《きしだくにお》の訳で。大人というものがめちゃくちゃ不条理な存在に描かれているところに、非常に共感が持てた（笑）。

小森　あれは暴力的な家庭ですよね。

皆川　私、肉体的暴力は全然受けてないけどね。圧迫はすごかったから。ただ、芝居や映画は結末をべたべたに甘ったるくしている。お父さんが、突如、にんじんに対して、ものわかり良くなっちゃう。ことに映画はね。

小森　そういうのお嫌いでしょう?

皆川　ラストは嫌い。小説の方は甘さが一切ないでしょ。『にんじん』と同じころ好きだったのが、ジュリアン・グリーンの『閉された庭』。これが、また、ミもフタもない暗い話で。女の子が主人公で、お父ちゃんと姉ちゃんと三人で暮らしてて、お父ちゃんはガミガミ言うわ、姉ちゃんはブーブー言うわ。女の子は閉ざされた状態で、隣の医者を好きになるんだけれど、その医者は医者の姉ちゃんが囲いこんでいて、女の子を邪険にする。最後、女の子は自殺しちゃう。救いのかけらもない。そういうのが十歳にならないころから好きだったんだから、根っから暗い（笑）。

小森　ドストエフスキーは、このころからお読みですね。

皆川　ドストエフスキーは私に一番深く食い込んでる。軽く「好き」とは言えないくらい。

小森　最初は『罪と罰』ですか。

皆川　それが、新潮社の『世界文学全集』にあったの。『カラマーゾフの兄弟』と『白痴』が一番好きだけど、それは女学校に入ってからね。

小森　ドストエフスキーのどういうところがお好きだったんですか。

皆川　これ書いちゃダメよ。『白痴』は、ちょっとヤオイですね（笑）。最後ラゴージンとムイシュキンはまさにそうじゃない。抱き合って。

小森　それ、なぜ書いちゃいけないんですか（笑）。『悪霊』は読みとおせなかったと、以前うかがったんですが。

皆川　しょっぱなでいつも挫折するの。スタヴローギンの告白だけ読んでいた。いろんな国の小説を読むでしょ。そうすると、ロシアの小説が一番好きだったな。暗くて重くて。それから、北欧とドイツね。

小森　圧倒的にヨーロッパの小説ですね。

皆川　アメリカの小説は、戦前、そんなに紹介されなかったし、戦後読んだアメリカの小説で好きなのは、南部の作家だな。フラナリー・オコナーとか、カースン・マッカラーズとか。最近のアメリカの作家だと、スティーヴ・エリクソンがいい。

牛乳のフタを読む

小森　時期的なことを確認すると、小学校五年くらいから女学校というと、太平洋戦争中ということですか。開戦当初は、まだ平穏な生活だったんでしょう？

皆川　小学校五年のときに（アメリカとの戦争が）始まったんだけど、学校の朝礼で、戦争はこれから長期戦だって言われて、三十年戦争とか百年戦争が頭にあったから、まあ、一生戦争なんだろうと思った。戦争のない生活というのは、ないんだろうと。

小森　なるほど、じゃあ夢のようでしょう。平和が半世紀続いちゃいました（笑）。

皆川　不思議ですねえ。だけど、もう空襲と食糧難は嫌だよ。そのころから白内障なのか、小森くんは視界の中に黒い影が見えることはない？

小森　いや。

皆川　いまでも見えることがあるんだけど、このくらい（大きさを示して）の影が動いてるのが見えるの。それが、目が悪いからだってことに気づかなくて、その朝礼で言われたときに、それが見えてたのを憶えてる。

小森　戦争だからといって生活が変わるわけでもない？

皆川　全然。英語の授業だって、女学校に行けばあったし。

小森　女学校に入るのはいつなんですか。

皆川　昭和十七年。
小森　英語の授業はあったわけですか。
皆川　三年の一学期まで、あったわよ。
小森　女学校はどちらに行かれてたんですか。
皆川　いまの駒場《こまば》、当時は都立第三と言ってた。そのころは六本木《ろっぽんぎ》にあった。一年のとき、制服がセーラー服だったの。三年のとき組替えがあって、そのときは野暮ったい国民服になってた。
小森　六本木の学校というのは、遠いような気もしますが。
皆川　そんなでもない。下北沢から渋谷まで井《い》の頭線《かしら》で行くでしょう。渋谷から、あのころは都電で六本木まで。交差点から麻布十番《あざぶじゅうばん》の方へ降りていく。で、第三の先をずーっと行くと東洋英和があって、あそこはカッコよくて、昭和十九年に、こちらがへちま襟の国民服になっても、あちらは、上がセーラー服。下はスカートはいけなくてズボンになったけど、私たちはズボンの上からゲートル巻かされて、私はもちろん、うまく巻けなくて、しょっちゅうズルズル引きずってた（笑）。それが、東洋英和はゲートルなんかしなくて、ズボンも細身で、裾がちょっと開いたカッコいいズボン。
小森　当時は学区というものはなかったんですか。
皆川　知らない。親が第三受けろって言うから受けただけだから。
小森　試験で落ちたりすることはあるんですか。

皆川　もちろん。いまの義務教育の中学とは違うから。私たちのときは、幸い、なぜか学科試験がなかったの。内申書と体育のテストだけ。

小森　体育なんて大丈夫だったんですか。

皆川　全然大丈夫じゃないから、親が必死になったの。縁側に鉄棒つけて懸垂《けんすい》の練習させたり、ボール投げの練習させたり（笑）。

小森　戦争が進むにつれて、本が読めなくなるということは、なかったんですか。

皆川　うちにいればよかったんだけど、疎開して田舎に行くと、本屋はないし、まわりにまったく本がなかった。

小森　疎開はいつ？

皆川　女学校の三年の夏に一度沼津《ぬまづ》に疎開したの。ところが、一向に空襲がないんで、大丈夫だろうって戻ったら、その翌年の三年生から四年生になる春に、東京大空襲があって、それで東北の方にもう一度疎開した。

小森　沼津にはどのくらいいらしたんです？

皆川　二ヶ月ぐらいかな。そのときに白井《しらい》喬二《きょうじ》の『富士に立つ影』を読んだの。沼津の親戚の家にあったんだ。バルザックの『麁《あら》皮』もそこで読んだ。白井喬二は小学校五年のときに『祖国は何処へ』を熱読したけれど、あれは、なぜあんなに面白かったんだろう。沼津は母の実家で、母の兄が医者をやっていて。沼津にはまだ本があったわね。大人の本だから、おおっぴらには読めなかったけど、それでも読んでたな。

小森　依然、建前としては読んじゃいけなかったわけですか。

皆川　女学校に入ってからは、そんなに厳しくはなくなったけど、沼津の伯母は、感心せんという顔だった。

小森　昭和二十年、敗戦の年に入っても、東京にいる間は、本に不自由はしなかったんですか。

皆川　そうね、でも、あらかた読んじゃってたから、新しいものはなかなか。昭和二十年の春休みに東北へ疎開して、そこにまったくなにも本がなくて、八月に敗戦で、九月か十月か、かなり早くに東京に帰ってきた。

小森　その半年間は本が読めなかったわけですか。

皆川　しょうがないから牛乳のフタを読んでた。

小森　なんですか、それは。

皆川　牛乳瓶のフタに字が印刷してあるじゃない。何月何日とか。あれを読んでいた（笑）。祖母と一緒に疎開したんだけど、祖母か叔母かの持ち物に、婦人雑誌の付録で料理の作り方の本があって、しょうがないから、ジャムの作り方なんてのを読んでた（笑）。

小森　東北に疎開する前に東京にいらしたとき、東京の本屋には本があったんですか。

皆川　そう言えば、六本木の交差点近くに本屋があって、そこで鷲尾《わしお》雨工《うこう》の『吉野朝太平記』を必死に立ち読みした憶えがある。

小森　立ち読みは、よくやってたんですか。

皆川　しました。映画雑誌は、いつも立ち読みだった。

小森　東北はどちらに疎開なさったんですか。
皆川　白石《しろいし》という仙台《せんだい》のひとつ手前。いろいろとカルチュアショックを受けた（笑）。疎開はいじめられたし。
小森　集団疎開じゃなくて縁故《えんこ》疎開ですよね。
皆川　縁故。集団疎開は小学生ね。あれ、悲惨だったらしい。迎い入れる側が親切だと、大丈夫だったようだけど。
小森　疎開から戻ったのは、世田谷、渋谷のどちらに。
皆川　世田谷。そこは焼けなかったから。渋谷は丸焼け。学校は六本木が焼けちゃって、いまの駒場に移ってきたの。復帰してすぐは、学校は焼け跡に体育館しか残ってなくて、そこで授業してた。

下北沢の本屋事情

小森　戦争終わってすぐは、本はあったんですか。
皆川　ないよ。
小森　どうしてたんですか。
皆川　泣いてた（笑）。闇米の買い出しに母と農家に行って、その家でも本を探したけど、なかった。でも、古本屋を歩きまわったな。下北沢にも古本屋あったたし。上の道、下の道って分かる？　下北沢の駅に行くのに、鎌倉橋の方からいまの代田《だいた》一丁目を通って行くのが上の道、それからいまの南口商店街の方を行くのが下の道。それで、下の道を駅から来ると、代沢《だいざわ》小学校まで来ちゃわないで、もっと駅よりのところに、古本屋があったの。お金ないから、父の本を持ってって売っぱらって、自分の読みたい本を買ったこともある。本を売るのに名前を書かされるのよね。最初は自分の名前を書いてたんだけど、あんまり、女の子の読みそうにない本ばかり売るもんだから、古本屋がすごいヘンな顔して、それで全然違う名前書いたら、前に書いたのとつきあわされて、どっちがほんとの名前だとか言われて（笑）。

小森　新刊というのは出てたんですか。

皆川　ぽつぽつ花仙紙のひどいのが出て来て。結婚してからは貸本屋を利用してたけど。

小森　ご結婚は何年ですか。

皆川　二十二歳ってことは、昭和二十七年かな。

小森　それまでは、本はどうしてたんですか。

皆川　どうしてたのかしら。買ってたのかしら、貸本屋で借りてたのかしら。安部《あべ》公房《こうぼう》が出たあたりは、もう買って読んでたわね。

小森　貸本屋は下北沢にあったんですか。

皆川　一軒あったわね。

小森　結婚するまで鎌倉橋にいらしたんですか。

皆川　そう。結婚してから、ひところは世田谷の岡本町《おかもと》、二子《ふたこ》玉川《たまがわ》の近くにいて、それから高《たか》田馬場《だのばば》に移って、祖師ヶ谷大蔵《そしがやおおくら》に移って、それで、いまのところ。
小森　じゃあ、下北沢の貸本屋なら、独身時代ですね。
皆川　結婚してからも、下北沢へはちょくちょく行っていたの。早川のポケット・ミステリ[*1]が出たのはいつごろかしら。あれを貸本屋でせっせと借りて読んだのよ。
小森　女学校の卒業はいつなんです？
皆川　あのときは四年と五年とどっちでも卒業できたのね。私は昭和二十二年に五年で卒業して、その年に新制に切り替わった。だから、最後の女学生ね。それから東京女子大に入って……二年生の夏で、すぐやめちゃったけどね。
小森　そのころ、本屋さんはどこにあったんですか。
皆川　下北沢の駅を出て忠実屋ってあるじゃない。
小森　いまはダイエーになってますね。
皆川　そこに入っていく角、駅の階段を降りてすぐのところに、ちっちゃい本屋が一軒あった。そこで「キネマ旬報」や「映画の友」を立ち読みしてたの。学校の帰りに。上の道と下の道、南口商店街の方と井の頭線の吉祥寺《きちじょうじ》よりの出口の方とをつなぐ地下道があったの。汚くて怖か

＊1　世界屈指の点数を誇る早川書房のミステリシリーズ。一九五三年の刊行開始以来、現在も新刊が出ている。皆川追記：ハヤカワさん、すみません。あのころ、収入乏しくて、買えなかったのです。そして、本屋さん、立ち読みしてごめんなさい。

った。

小森　下北沢の北口の市場は闇市だったところですよね。

皆川　そうね。でも、闇市になる前を憶えてないのよね。闇市は敗戦後だものね。天ぷら屋があったはずなんだけど。

小森　本屋さんは、下の道にあっただけですか。

皆川　世田谷代田の駅のそばにも一軒あったわね。それが小学校の同級生の家で、その子はちっとも本を読まないから、もったいないなあ、私が本屋の子になりたかったと思ってた。本に埋もれて暮らしたいと思ってたから。いまは、埋もれ過ぎて寝る場所もない（笑）。

読んで楽しいものがあれば

小森　韻文《いんぶん》についても、うかがっておきたいんですが、リストに「万葉集」が出て来ますね。歌集も手当たり次第の中に入ってたんですか。

皆川　岩波新書の『万葉秀歌』で読んだの。女学校の一年のとき。あのころは「万葉」は、わりとよく読まれてて、私は「古今」より「万葉」が好きだった。私たちは戦争で授業がカットになって、古典もあまり習わなかったから、いまでも、王朝ものなんかはきちっと読めないの。

小森　だけど、歌集は読んでいたと。

皆川　生活短歌は全然興味ない。塚本邦雄《つかもとくにお》さんとか葛原妙子《くずはらたえこ》さんは大好きだけど。

小森　中井英夫《なかいひでお》さんは全作品とありますが。
皆川　中井さんの詩は、可愛らしいよ。
小森　中井英夫さんは小説ですか、やはり。『虚無への供物』。
皆川　『虚無への供物』は、乱歩賞のことも、全然なんにも知らなくて、予備知識なしで、タイトルに惹かれて読んで、のめり込んだ。表紙に、赤い薔薇が一本、すっと横になっててね。持ってるよ、いまでも。
小森　リストの中には原書でお読みのものもあるんですよね。
皆川　叔母が私に英語を教えてくれたから。
小森　それはいつごろですか。
皆川　女学校入る前に。多少なりとも先に英語をやっておくと、女学校に入ってから楽だということで。『トワイス・トールド・テイルズ』とか簡単な本をテキストにして。
小森　それで、コールリッジの「老水夫行」とかストリンドベリを英語でお読みだったたんですか。
皆川　それは、自分が好きで読んだの。
小森　原書はどこで手に入れたんですか。
皆川　ストリンドベリの『スワン・ホワイト』は、確か、古本屋で手に入れた。コールリッジも古本屋かな。赤い表紙の、薄い小さい本。
小森　そういう本は買ってもらえたんですか。

皆川　おこづかい工面して、自分で買った。女学校に入ってからよ。

小森　以前、ヨーロッパ取材でご一緒したときも、アン・ライスだったかのペイパーバックをお読みでしたよね。最近も原書で読まれることはあるんですか。

皆川　めったにないですよ。必要な資料ぐらいね。英文科に入ったけど、やめちゃったでしょ。だけど、童話の翻訳をやる人になりたいなという気持ちが、常にありまして。ときどき、本を読んだり、英語の先生のところへ行ったり、まあ、やったりやめたりで、身につかなかったんだけど。

小森　結局、皆川さんが一番本を読んでいたのはいつごろですか。

皆川　小学校に上がったあたりから女学校の二、三年ぐらいまでかしらね。その後戦争で、本が欠乏した。あと、七〇年代、よく読んだ。

小森　一日に何冊も読むという感じですか。

皆川　それは、読めれば読むわね（笑）。親の目がないときとか。

小森　読むのは早かったんですか。

皆川　早かっただろうね。最近は、もう全然読めない。読みたい本も少なくなった。

小森　それは、読むよりも書いてる方が楽しいからじゃないですか、いまは？

皆川　いや、読んで楽しいものがあれば、それにこしたことはないのよ（笑）。

付録　皆川博子になるための136冊の本

インタビューのために皆川博子さんに選んでいただいた本のリストを掲載する。正確には136冊以上あるのは見ての通りである。

・アンデルセン、グリムの童話
・小川未明の童話（坪田譲治、鈴木三重吉といった生活童話は嫌いだった）
・作者不詳「太陽馬」（外国の童話）
・吉本三平《よしもとさんぺい》『コグマノコロスケ』
・阪本牙城《さかもとがじょう》『タンクタンクロー』
・中島菊夫『日の丸旗之助』
・牧野大誓・文　井元水明・画『長靴の三銃士』『へのへの龍騎兵』
・謝花凡太郎の漫画
・水守亀之助『涙の握手』
・西條八十『砂金』『花物語』『三吉馬子唄』
・ゲルハルト・ハウプトマン「沈鐘」

・ジュール・ルナール『にんじん』
・ジュリアン・グリーン『閉された庭』「地上の旅人」
・ホフマン『黄金宝壺』『ブランビラ姫』『牡猫ムルの人生観』
・ハウフ『隊商』
・メーテルリンク「ペレアスとメリザンド」「モンナ・ヴァンナ」
・ウィリアム・バトラー・イェイツ『隊を組んで歩く妖精たち』「鷹の井戸」
・メリメ「マテオ・ファルコーネ」「カルメン」
・アルトゥール・シュニッツラー「盲目のジェロニモとその兄」
・ブールジェ『死』『弟子』
・黒岩涙香《くろいわるいこう》『死美人』『鉄仮面』
・野村《のむら》（松田）瓊子《けいこ》『七つの蕾』
・山中峯太郎《やまなかみねたろう》「星の生徒」
・吉川英治『神州天馬俠』『左近右近』『天兵童子』『鳴門秘帖』『神変麝香猫』
・横溝正史『真珠郎』
・白井喬二『祖国は何処へ』『富士に立つ影』
・少年講談全集
・国枝史郎『八ケ嶽の魔神』「染吉の朱盆」
・下村悦夫『悲願千人斬』

・江戸川乱歩「踊る一寸法師」『パノラマ島奇譚』『孤島の鬼』「芋虫」「人間椅子」他
・矢田挿雲『澤村田之助』
・前田《まえだ》曙山《しょざん》『落花の舞』（『紅はこべ』の翻案）
・三《み》上《かみ》於《お》菟《と》吉《きち》『敵打日月双紙』
・小酒井不木「恋愛双曲線」「疑問の黒枠」
・ヂッケンス物語全集『漂泊の孤児』（オリヴァー・トゥイスト）『千鶴井家の人々』（チャールズ・チャズルウィット）『少女瑠璃子』（骨董店）『北溟館物語』（荒涼館）など
・エドガー・アラン・ポー「アッシャー家の没落」「黒猫」「振り子と陥穽」他
・ヴィクトル・ユーゴー『九十三年』『レ・ミゼラブル』
・アレクサンドル・デュマ『三銃士』『モンテクリスト伯』
・ヘンリー・ライダー・ハガード『洞窟の女王』
・アンソニー・ホープ『ゼンダ城の虜』
・ラファエル・サバチニ『スカラムッシュ』
・アベ・ブレヴォ『マノン・レスコー』
・デュマ・フィス『椿姫』
・テア・フォン・ハルボウ『メトロポリス』
・エミール・ガボリオ『ルコック探偵』『湖畔の悲劇』
・エインズワース『倫敦塔』

・シェイクスピア全集
・『アラビアン・ナイト』
・北欧神話
・曲亭馬琴《きょくていばきん》『南総里見八犬伝』（途中まで）
・「万葉集」
・エーリッヒ・ケストナー『ファビアン』『飛ぶ教室』
・アンリ・バルビュス『地獄』
・ロマン・ロラン『魅せられたる魂』
・エミリー・ブロンテ『嵐が丘』
・シャーロット・ブロンテ『ジェイン・エア』
・オスカー・ワイルド『サロメ』（日夏耿之介《ひなつこうのすけ》訳）
・オノレ・ド・バルザック『鞣皮』
・明治大正文学全集（芥川龍之介《あくたがわりゅうのすけ》「藪の中」「河童」他、泉鏡花「高野聖」「婦系図」他、谷崎《たにざき》潤一郎《じゅんいちろう》「ある少年の恐れ」「少年」他、森鷗外《もりおうがい》「ヰタ・セクスアリス」）
・トゥルゲーネフ「父と子」
・アウグスト・ストリンドベリの戯曲
・アルフレッド・ド・ミュッセ「ロレンザッチョ」
・チャールズ・ディケンズ『二都物語』

・エミール・ゾラ『ナナ』
・シンキェヴィッチ『クオ・ヴァディス』
・シラー「群盗」
・エドモン・ロスタン「シラノ・ド・ベルジュラック」
・ルイジ・ピランデルロ「作者を探す六人の登場人物」「エンリコ四世」
・ゴーリキー『どん底』
・アシャアル「ワタクシと遊んでクダサイ」
・ベルトルト・ブレヒト「コーカサスの白い輪」
・A・A・ミルン『熊のプーさん』
・アルチュール・ランボオ「酩酊船」（小林秀雄訳）
・コールリッジ「老水夫行」
・グールモン詩集
・ロートレアモン「マルドロオルの歌」
・ジャン・ジロドゥ「オンディーヌ」他
・J＝P・サルトル「神と悪魔」「出口なし」
・トム・ストッパード「ローゼンクランツとギルデンスターンは死んだ」
・ボリス・ヴィアン『日々の泡』
・フェルナンド・アラバール「建築家とアッシリアの皇帝」「厳粛な聖体拝領」「迷路」「戴冠

式」他
・ジャン・ジュネ「女中たち」他
・フラナリー・オコナー『賢い血』『善良な田舎の人』
・カースン・マッカラーズ『心は淋しい狩人』
・ハンス・E・ノサック「海からきた少年」「弟」
・アラン・ロブ＝グリエ「快楽の漸進的横滑り」
・グスタフ・マイリング「ゴーレム」
・ジョン・ファウルズ『魔術師』『コレクター』
・ミュッセ「ロレンザッチョ」
・ドストエフスキー『罪と罰』『カラマーゾフの兄弟』『白痴』
・〈一群のミステリ〉ディクスン・カー、アガサ・クリスティ、エラリー・クイーン、クリスチアナ・ブランド、ボアロー&ナルスジャック、ヘレン・マクロイ
・奇妙な味の短篇群
・安部公房『壁――S・カルマ氏の犯罪』「赤い繭」『水中都市』『箱男』
・大江《おおえ》健三郎《けんざぶろう》『芽むしり仔撃ち』
・古井《ふるい》由吉《よしきち》『杳子』
・加賀《かが》乙彦《おとひこ》『フランドルの冬』
・武田泰淳《たけだたいじゅん》『富士』

・高橋《たかはし》たか子『誘惑者』『骨の城』
・石上《いしがみ》玄一郎《げんいちろう》「絵姿」「自殺案内人」「針」
・吉田《よしだ》知子《ともこ》『蒼穹と伽藍』『無明長夜』
・中井英夫全作品
・吉岡実《よしおかみのる》詩集
・塚本邦雄の短歌と小説（とくに『詞華美術館』）
・葛原妙子の短歌
・柳原白蓮《やなぎわらびゃくれん》「指鬘外道」
・日夏耿之介の詩
・郡虎彦《こおりとらひこ》全集
・尾崎翠《おさきみどり》『アップルパイの午後』（とくに「第七官界彷徨」）
・夢野久作《ゆめのきゅうさく》・久生十蘭《ひさおじゅうらん》・小栗虫太郎《おぐりむしたろう》
・山田《やまだ》風太郎《ふうたろう》全作品（とくに『妖異金瓶梅』『風来忍法帖』『警視庁草紙』）
・山尾《やまお》悠子《ゆうこ》『仮面物語』
・スーザン・ヒル『ぼくはお城の王様だ』
・グレンドン・スワースアウト『動物と子供たちの詩』
・イエージー・コジンスキー『異端の鳥』
・ウィリアム・ゴールディング『蠅の王』

・ブルーノ・シュルツ『肉桂色の店』
・ホセ・ドノソ『夜のみだらな鳥』
・ハンス・ヘニー・ヤーン『鉛の夜』『十三の不気味な物語』
・ジュリアン・グラック『半島』他
・『平家物語』
・謡曲集
・説経浄瑠璃（「をぐり」「さんせう太夫」など）
・泉鏡花（「高桟敷」「星の歌舞伎」など）
・名作歌舞伎全集（「葛の葉」「白波五人男」など）
・鶴屋南北《つるやなんぼく》（「東海道四谷怪談」「桜姫東文章」など）
・河竹黙阿弥《かわたけもくあみ》（「三人吉三」など）
・アゴタ・クリストフ『悪童日記』
・エリック・マコーマック『パラダイス・モーテル』
・スティーヴ・エリクソン『彷徨《さまよ》う日々』
・ウンベルト・エーコ『フーコーの振り子』
・セオドア・ローザック『フリッカー、あるいは映画の魔』
・バリー・ハナ『地獄のコウモリ軍団』
・ミック・ジャクソン『穴掘り公爵』

・清水邦夫「鴉よ、おれたちは弾丸を込める」
・篠田節子《しのだせつこ》『聖域』
・古川日出男《ふるかわひでお》『13』『沈黙』
・久世光彦『桃』

三谷幸喜《みたにこうき》——理想の作戦ものを求めて

三谷幸喜（みたに・こうき）

一九六一年東京都生まれ。日本大学藝術学部演劇学科卒業。大学在学時に劇団「東京サンシャインボーイズ」を結成。現在では舞台、映画、テレビドラマと多方面で活躍する。主な作品に映画「THE 有頂天ホテル」「清須会議」「記憶にございません！」、舞台「オケピ！」「日本の歴史」「大地」、ドラマ〈警部補・古畑任三郎〉シリーズ、「新選組！」「真田丸」「鎌倉殿の13人」など。エッセイに〈三谷幸喜のありふれた生活〉シリーズなどがある。

三谷幸喜さんの本を、私は四冊担当したが、目前の仕事を離れてゆっくり話をしたことは、数えるほどしかない。私が人づきあいの悪い編集者であるせいもあるが、三谷さんは昔から忙しい人なので、そうそう時間を奪うわけにはいかない。今回のインタビューの端緒《たんしょ》となった映画の話は、その数少ない会話の中で出て来たものだ。「作戦もの」というのは、必ずしも成熟した言葉とは言えないだろうが、この一言で、ドンピシャリ中身を言い当てているのだから、仕方がない。むしろ、これをきっかけに、レンタルビデオ屋に「作戦もの」というコーナーができることを、切に望むものである。

「作戦」という言葉が入るだけで

小森　今日は三谷幸喜さんに、作戦ものの映画ないしはテレビの魅力について教えていただくということで、始めます。

三谷　その前に、僕がなぜ作戦ものの話をするかが、分からなかったんですが、昔、小森さんに作戦ものに詳しいって言ったんですよね？

小森　言いました。

三谷　僕はそれが記憶にないんですよ。

小森　確か、映画の話をしていて、作戦ものについては、ビデオのすごいコレクションを持っていると三谷さんが言って、私もそういう映画は好きだという話をしたら、全部貸すから観ないかと言ってくれたんですね。ところが、そのころは、私がビデオデッキを持っていなかったから、話は立ち消えになってしまった。

三谷　たぶん十年くらい前の話ですよね。小森さんとそういう話をしたのは。

小森　たぶん。

三谷　それで、いまさらなんですが、僕、そんなに詳しくないんですよ。ビデオのすごいコレクションもないし……。

小森　（苦笑）

三谷　だけど、作戦ものが、好きなのは好きなんですよ。まず、タイトルに「作戦」という言葉が入ると、もうそれだけで、面白そうな感じがするじゃないですか。同じような路線で「ナントカ計画」というのもあって、これも面白そうだけど、映画では、あんまり見かけない。映画はやっぱり「～作戦」。それで、「作戦」という言葉の入った映画をリストアップしてみました。

小森　これですね。（リスト[*1]を取り出す）

＊1　三谷幸喜作成のリストは以下の通り。太平洋機動作戦（51）太平洋作戦（51）零号作戦（52）ダイヤモンド作戦（59）ペティコート作戦（59）南太平洋ボロ船作戦（60）アイヒマン追跡作戦（61）替え玉作戦（61）陽動作戦（61）史上最大の作戦（62）ダイナミック作戦（62）白馬奪回作戦（62）100人のスカート作戦（63）大諜報作戦（64）大列車作戦（64）バンコ・バンコ作戦（64）駆逐艦ベッドフォード作戦（65）クロスボー作戦（65）007／サンダーボール作戦（65）ダイアモンド作戦（65）黄金作戦・追いつ追われつ（66）現金作戦（66）紳士泥棒／大ゴールデン作戦（66）続・黄金の七人レインボー作戦（66）地上最大の脱出作戦（66）電撃フリントGO！GO作戦（66）バルジ大作戦（66）マーメイド作戦（66）キッド・ブラザー作戦（67）女王陛下の大作戦（67）0011ナポレオン・ソロ　ミニコプター作戦（67）特攻大作戦（67）電撃フリント・アタック作戦（67）無責任恋愛作戦（67）ファントマ・ミサイル作戦（67）アンツィオ大作戦（68）ダイヤモンド強奪作戦（68）ラスベガス強奪作戦（68）北極の基地／潜航大作戦（68）スパイ大作戦　薔薇の秘密指令（69）ミニミニ大作戦（69）004／アタック作戦（70）地球爆破作戦（70）二重スパイ　国際諜略作戦（70）マッケンジー脱出作戦（70）黄金の七人　エロチカ大作戦（71）ヨーロッパの解放・第3部／大包囲撃滅作戦（71）クレイジー・ボーイ　金メダル大作戦（72）クレイジー4人組　スーパーマーケット珍作戦（73）黒いジャガー　アフリカ作戦（73）クレイジー・ボーイ　ミサイル珍作戦（74）マンハッタン皆殺し作戦（74）特攻サンダーボルト作戦（76）あきれたあきれた大作戦（79）恋のジーンズ大作戦／巨人の女に手を出すな（81）

三谷　双葉十三郎《ふたばじゅうざぶろう》さんの『ぼくの採点表』の総索引で調べてみたんですが、やってみて分かったのは、最初は一九五一年の『太平洋機動作戦』から始まって、やっぱり戦争ものが多いんですけど、六〇年代に入ってからが、すごい多いんですよ。『黄金作戦』とか『マーメイド作戦』とか。『キッド・ブラザー作戦』というのは、観たことがないんですが、気になるじゃないですか。

小森　このリストは、今回作ってもらったものですが、六〇年代当時、観てたんですか。

三谷　観てましたね。六〇年代後半から七〇年代のアタマなんですが、そのころテレビで観てるんですよ。ただ、大作というのは、ほとんどなくて、B級とか、シリーズものの第三作目とかの、そろそろワンパターンになってきたかなっていうときに「作戦」ってつくんですよね。『ファントマ・ミサイル作戦』[*1]とか。『電撃フリント』は最初からついてるのかな。これは、僕、観てないけど『クレイジー4人組　スーパーマーケット珍作戦』とか。

小森　それは、観なくていいのでは。

三谷　観てるんですか。

小森　映画を観始めたころの地方の中学生は、行ってしまうんですよ、そういうのに。

三谷　このシリーズって、リストでは最初、クレイジー・ボーイになっていて、一度、クレイジー4人組になって、またクレイジー・ボーイに戻ってるんですが、同じものなんですか。

小森　同じですね。フランスのアイドルっぽい四人組で。『HELP！　四人はアイドル』みたいなのを狙って、セコいという感じの映画。

三谷　やっぱり「作戦」ってつくとB級映画っぽい匂いがあるんですよね。
小森　俄然《がぜん》そうなりますね。
三谷　一応、いまのところ、最後の「作戦」ものというのは、『恋のジーンズ大作戦／巨人の女に手を出すな』で、以来、二十年くらいないんですが（笑）。とにかく、そういうのに、子どものころは惹かれるんですよね。小学校から中学校にかけてくらい。ビリー・ワイルダーなんかも好きで観てたんですけど、一方で、こういうB級系のものも記憶に残るんですよ。たぶん、そういうの方が、テレビでは、頻繁に放送されますから。だから、観てたと思うんですが、ほとんど記憶には残っていない。『電撃フリント』とか『ファントマ』くらいですか。『紳士泥棒／大ゴールデン作戦』も記憶に残ってて、あとになって、ニール・サイモン脚本だと知った。
小森　そういうのが記憶に残るときというのは、どういうふうに残るんですか。
三谷　戦争ものじゃない作戦ものっていうと、やっぱり犯罪ものになるじゃないですか。なにか盗んだりとか、誰かを騙したりとか、そういう計画を綿密に練って実行に移す。そういうのが、僕の幼ごころをくすぐったんだと思うんですよ。あと、作戦ものってコメディになりやすい。計画がたて続けに失敗するシチュエーションは笑いにもっていきやすいから。『ペティコ

＊1　一九六七年。ファントマシリーズの第三作。アンドレ・ユヌヴェル監督。ジャン・マレー、ミレーヌ・ドモンジョ、ルイ・ド・フュネス他出演。

ート作戦』というのはブレーク・エドワーズのコメディで、『南太平洋ボロ船作戦』というのは、ジャック・レモンのコメディです。

小森　それは戦争ものじゃないんですか。

三谷　戦争ものなんですけど、戦闘シーンがほとんどないんですよ、確か。輸送船かなんかで、ジャック・レモンが艦長で、旅をするんです。

『大脱走』と『スティング』の影響

小森　子どものころテレビで観る映画って、言ってみれば、観っぱなしじゃないですか。それを改めて、意識的に観直すとか、ビデオやレーザーディスクで集めようとか、そういうふうに思うようになったのは、いつごろからですか。

三谷　僕は小学校のときに『大脱走』を観て、あれも、一種の作戦ものでしょう。あれは、なんで気に入ったかというと、ひとりひとりのいろんな技を持ったプロたちが集まって、捕虜収容所から脱走するというひとつの目的に向かって協力する。そして、脱走しちゃえば、あとはバラバラに逃げて、個人個人の話に戻っていく。そういうのに、あこがれたというのがあって、そういう、プロフェッショナルが集団でなにかをするというのが好きだったんです。必殺仕置人や仕事人のシリーズも好きだったし。芝居を創っていく舞台裏というのは、それぞれのプロたちが――まあ、いまから思うとアマチュアなんですけど――照明とか美術とか舞台監督とか、そういうスタッフたちが、一致団結して、ひとつの芝居を創っていく。それが、僕の中では『大脱走』の気分に、すごく繋がっていて、僕はたぶん、どこかから脱走することは、生涯ないだろうから、これは、それに匹敵する面白さだと思ったんですよ。大学に入って劇団を始めたのも、そういうプロたちの技を集結するみたいな……。だから、芝居をやるようになってからですよ、改めて、みんなでなにかをやりとげるんだっていう話に興味を持ち始めたのは。

小森　大学入ってから。

三谷　入ってからですね。あと、『スティング』の影響も大きい。あれも作戦じゃないですか。

小森　『スティング』は、小学生のころ？　七四年公開のはずですが。

三谷　中学ですね。大学に入って『スティング2』というのがあった。僕が高校のころに、テレビでトニー・カーチスの「マッコイと野郎ども」というのがあって、あれも詐欺師の話で、わりとクォリティが高かったんですよ。毎週やってたんですけど。アメリカでは、「刑事コロンボ」や「警部マクロード」と同じ枠で、月一本やってたらしいですね。同じころ「華麗な探偵ピート&マック」で、ロバート・ワーグナーとエディ・アルバートが詐欺師コンビをやってた。そういう詐欺師ものに一時期凝っていた。はじめて自分の劇団で芝居をやったときに、初日の朝、すごく早い時間に集合するんで、朝もやの中を電車に乗って池袋に行くんですけど、そのときにワクワクドキドキして、この気分はなにかに似てるなと思っていると、『スティング』の最後の大勝負の朝の雰囲気なんですよ。ああ、これだなと思って。だから、『スティング』と『大脱走』ですね。僕に一番影響を与えたのは。

小森　その二本はねえ。大きいですねえ。

三谷　大きいですねえ。

小森　では、背景は分かりましたので、個々の作品の話にいきましょうか。あ、その前に、作戦ものの条件というのがあげてありますね。①タイトルに「作戦」「大作戦」がつくこと（笑）。②戦争ものは除く。③作戦遂行者はできればプロフェッショナルが望ましい。

三谷　今回、作戦ものについて語らせていただくんですが、僕としては最高の作戦ものはなにかということに最後は持っていきたい。そこで、まず僕の理想とする作戦ものの条件を三つあげてみたいんです。まず、タイトルに「作戦」とついてると、無条件で観たくなるし、ほのかに漂うB級感も含めて、面白そうな感じがある。戦争ものを除くのは、戦争ものは、敵に勝つとか生き残るとか、そういう大きな目標のための作戦じゃないですか。それは個人の問題じゃなくて、もっと大きな目標のための企みだから、それは、ちょっと、僕の観たいものからはずれちゃう。僕のイメージでは、個人的なことなんですよ、作戦というのは。プロフェッショナルがいいというのは、僕が芝居をやるようになったきっかけもそうだったし、僕の書いているものにも出て来るんですけど、その道のプロとか職人が好きなんですね。だから、素人《しろうと》たちが集まってなにかやるというのは……。

小森　でも、素人のって、ありますか。

三谷　『トプカピ』がそうじゃないですか。もっと酷《きび》しいものなんですよ、作戦って（笑）。

『36時間』の場合――視点の問題

三谷　理想の作戦ものを語るにあたってですね、何本か作品をあげて、できるだけ具体的に話を進めていこうと思うんです。で、『36時間』。僕の好きな作戦ものというのは、奇想天外な計画であればあるほどいい。ものすごくお金がかかったりとか、手間がかかったりとか、時間がかかるようなものすごいトリックを駆使して、誰かを騙すとか盗むのが、僕の好みにはあってくるんです。『スティング』なんかは、あれだけ大がかりにやってるから、面白いんです。それで『36時間』というのは、ものすごく大がかりなんですね。ノルマンディ上陸作戦の前夜ごろの話で、連合軍がいつどこに上陸するかを、ドイツ軍は知りたがっている。ジェームズ・ガーナーの諜報員だか将校だかを標的にして、ノルマンディなのかカレーなのか、上陸地を聞き出そうとする。どうするかというと、彼を一回眠らせて、記憶喪失にかかったように思わせる。それで、目が醒めたら、療養所に入れられていて、六年経っていたというように錯覚させる。要は、まだ一九四四年の六月なのに、一九五〇年になってるという設定で、みんなでジェームズ・ガーナーを騙して、戦争は連合軍が勝って終わった、ヒットラーは暗殺されたと思いこませちゃう。それで、彼の知っている情報を、過去の記憶を確認するという目的で喋らせる。そういう作戦。ものすごく大勢の人間で、たったひとりを騙すというのは、とても僕の趣味にあっていて、ただ、僕の記憶では、六年間意識がなかったと思ったんですが、観直すとそうじゃなくて、意識はあったんだけど、ときどき記憶を失って、途中で結婚してたりする。そういう設定になっている。奥さんという人が現れて、エヴァ・マリー・セイントなんですけど、看護婦で世話をしている。それで、記憶を失《なく》した間に撮った写真なんかも合成で作ってある。それを仕組んだのはドイツ人の精神科医のロッド・テイラーで、彼の話では、いままでにも十八回こういうことをやってきた。

小森　（爆笑）十八回！

三谷　考えてみればたいへんな労力。それが、なぜバレちゃうかというのは、いろいろあるんですが、巧いなと思ったのは、ジェームズ・ガーナーが壜の塩をテーブルにこぼしちゃう。そこが巧いですね。ガーナーは記憶を失う前に、地図の端で指先をスッと切っちゃってるんです。その小さなキズに塩が染みて痛いと感じる。で、六年前のキズが染みるはずないんで、そこからすべて怪しみだす。これはすごい。そういう小さなところからバレていくところは、ホントによくできてる。とにかく、設定は秀逸だし、細かい部分も上手で、面白かったんだけど、実はこれは、僕の理想の作戦ものじゃないんです。

小森　それはなぜですか。

三谷　ひとつは、全体の構成なんですが、トリックがバレるのが、始まってから一時間十五分くらいのところで、けっこう早いんですよ。そこから、看護婦の奥さんと恋愛関係になって、ふたりで療養所を逃げ出す。だから、後半は作戦ものじゃなくて、ただの逃亡サスペンスになっちゃう。そこが物足りない。もうひとつは、この映画は、ジェームズ・ガーナー側の物語から始まるんですよ。彼が上陸作戦の情報を知ってることを、観てる人に分からせるエピソードから始まって、途中から、ジェームズ・ガーナーの部屋に誰かが忍び込んでる画が入る。そのへんから、少しずつ、ジェームズ・ガーナーを陥れるドイツ側の話になっていくんです。ジェームズ・ガーナーは薬で眠らされて、その間に、ドイツ側の話になって、騙す側の設定が見えてくる。だから、観てる方としては、どっち側の気分で観ていいのか、分からなくなっちゃう。これは、ジェームズ・ガーナー側からだけ描くべきだったと思います。その方が観てる人を引っ張っていける気がするんです。それでなければ、すべてをドイツ側から描く。作戦ものとしては、そちらの方が正しいかな。視点がはっきりしていない上に、ドイツ側の主役がロッド・テイラーで、当時でいうと主役級の俳優さんなんで、こっちも主役になっちゃってる。ロッド・テイラーも、精神科医で、無理やりナチスに協力させられてる感じが匂ってるし、あの人は悪い役をやらなかった人だから、ドイツ軍の良心みたいになってる。それで、余計、どっちの立場で観ていいのか分かんなくなっちゃって、映画全体の印象がぼやけたなという気がします。僕が、いま話をつくるときに、とくにテレビドラマで、いつも悩むのが、誰の視点で書くかということなんですよ。これは、すごく大事なことなんだけど、テレビのスタッフは気にならない人が多くて、僕がこだわることに、とても不思議がるんですね。なんで、そんなこと気にするんだみたいに。

小森　あ、そうなんですか。

三谷　それで大失敗したのが「総理と呼ばないで」[*1]で、僕は、突然、官房長官にさせられてしまった、家庭教師の筒井道隆《つついみちたか》くんの目線で、全部をやりたかったんですよ。でも、スタッフが出してくるアイデアというのは、ことごとく田村正和《たむらまさかず》さんの総理大臣側の目線なんですよね。それだと、話にまとまりがなくなっちゃうと主張すると、じゃあ、ここからは総理の話で、ここからは筒井くんみたいにしたらどうかと言われて、そういうことじゃないんだけどなあ。結局、あのときは僕は自分を押し通せなくて、視点の定まらない作品になっちゃった。「古畑任三郎《ふるはたにんざぶろう》」＊2は、ほとんど犯人側の視点だけど、コロンボのキャラクターを見せるための、犯人が出て来ない場面もありますよね。「古畑」は、コロンボが九十分でやってたものを、半分の四十五分でやらなきゃいけない。その条件をいい方に考えて、犯人側からだけ描いて、ほとんど古畑を描かないというふうにしようと。僕の基本精神は、できるだけ、犯人から見た古畑を描く。パート1は、わりとうまくいったんですよ。それで、小説版は、さらにそれを進めて、完璧に犯人側の視点だったじゃないですか。ところが、パート2になったあたりから、西村雅彦《にしむらまさひこ》（現・まさ彦）がやった部下の今泉《いまいずみ》が人気が出てきちゃったものだから、今泉と古畑のシーンが増えてきたんです。

小森 それはそういう要請があった？

三谷 要請です。あと、僕ものっちゃったところもあるし。それで、だんだん古畑側の話が増えてきた。

小森 パート2からは放送時間の長い回もあったのでは？

三谷　スペシャルで二時間だったりとかはありましたけど、基本は一時間です。僕の理想は、日本初の九十分の連続ドラマにしたかったんです。やっぱり無理があるんですよ。四十五分間のうち、二十五分犯人側の話で、二十分が古畑の側というのは。全体的に焦点が分散しちゃったぶん、まとまりがなくなってきた。それで、パート3のときに、僕から出した条件が、次の三つのうちひとつでいいから願いを叶えてほしいというもので、ひとつは今度こそ九十分にする、これだと犯人と古畑と両方描ける、ふたつめは今泉をはずす、三つめは僕にもう少し時間を与えてほしい、時間をかけて考えれば、他の条件がダメでも、自分の中でうまく工夫して解決できるかもしれない。結局、この条件はひとつもクリアされませんでした。

小森　（爆笑）

三谷　（笑）でも、それはもうやるしかないんで……。それまで倒叙もので来てたのを、パターンを破る形で、いろんな工夫をほどこしたのが、パート3だったんですけど、僕がずっと悩んでた、誰の視点で描くかというのは、今回もやっぱり難しかった。今度は、ほぼ、古畑と新しい部下の西園寺《さいおんじ》の視点なんです。だから、ますます、犯人側の話が見えなくなってきちゃっ

＊1　一九九七年四月〜六月フジテレビ放映のドラマ。三谷幸喜脚本。田村正和（総理）、筒井道隆（官房長官）、鈴木保奈美（総理夫人）他出演。

＊2　一九九四年四月〜六月フジテレビ放映のドラマ。以後一九九六年一月〜三月、一九九九年四月〜六月に放映、他にスペシャル版もある。三谷幸喜脚本。田村正和主演。

て。それは不本意といえば不本意だったですね。

小森　かといって犯人を隠す回もなかったしね。

三谷　なんか作戦ものと全然違う話をしてますけど、というように、誰の視点から描くかというのは、すごい大事なことなんですよ。書く方から考えると。そういう意味で『36時間』は失敗作。それで、第一の結論。僕の理想としている作戦ものというのは、作戦を遂行していく人たちの視点で描いていくものである。

小森　さっき、いい方の例で出て来た『スティング』は？

三谷　『スティング』はそうですよね。もう完璧に。ほとんどないですよね、騙されるロバート・ショウ側の話というのは。

小森　ほんとに最小限ですね、あれは。ただ、騙す側を追いかける刑事も出て来ますね。

三谷　だけど、あれは、あの刑事の視点じゃないですからね。あくまでも追いかけられてるロバート・レッドフォードの視点から見た刑事だから。支障はないです。あの映画、ポール・ニューマンより、ロバート・ショウの方が先に登場するんですよね。まず、ロバート・アール・ジョーンズがショウ一味に殺されるくだりのエピソードがあって、ロバート・レッドフォードが仇をうつと誓って、それからですもんね、ポール・ニューマンが出るのは。

小森　ロバート・ショウが殺しを指令する場面がありますね。

三谷　それは、まだ作戦が始まる前の話だから、僕の説では、ロバート・ショウ側の話があってもいいんです。でも、ロバート・レッドフォードがポール・ニューマンのところへ行って、よし、作戦開始だということになってからは、レッドフォードの視点で進まなければならない。そして『スティング』はそうなっているから面白いんです。途中ロバート・ショウ側の話が出て来ても、決して観てる人が彼の方に感情移入しないように作ってあるから、視点がぼやけない。

小森 これは中身に関わる話になるけど、厳密に言うと、途中からは、ポール・ニューマンとロバート・レッドフォードも、観客は必ずしも味方だとは思ってないでしょう。

三谷 あれは、ああいう結末だからいいんですよ。本当は、僕の好きな作戦ものの条件として、キャラクターが描かれてない方がいいというのがある。ひとりひとりの悩み、裏切るか裏切らないかで葛藤するとか、そういうのは必要ないんです、純粋な作戦ものには。『スティング』は途中ちょっとその要素が入ってるんだけど、でも、あれはあれで成立してるからいいんです。観ていない人には何のことだかさっぱりでしょうけど。

『トプカピ』の場合――脚色の問題

小森 『36時間』には、そういう不満があるんですね。じゃあ『トプカピ』は?

三谷 『トプカピ』が『36時間』より優れていると思うのは、完全に盗む側の話になっていて、宝石を盗まれる側の話なんてほとんど出て来ないし、警察は出て来るけど、役者もたいしたことないじゃないですか、記号でしかない。だから、観る方は盗む側の気持ちになれる。ただ、メリナ・メルクーリの気持ちには、なりにくい（笑）。なにせ女泥棒ですから。それだけで、ちょっと嘘くさい。でも、基本的には面白い映画だし、作戦ものとしても、非常に優れている。でも、まだまだ、僕の理想の作戦ものではないんです。理由はふたつ。タイトルに「作戦」がついてないことと、もうひとつが、ピーター・ユスチノフ。儲け役だし、彼もアカデミー助演男優賞を取っただけあって、いい味出してるんだけど、僕の理想の作戦ものからいうと、彼の話はいらないんですよ。あいつが大活躍するから、どんどん、あいつの話になっちゃって（笑）、途中、どうでもよくなってますからね、もともとの作戦遂行の話は。だから、リーダー格のマクシミリアン・シェルがあわれでしょうがない。もっと、それぞれが、目的に向かって突き進むためだけに描かれたキャラクターであってほしいんです。ユスチノフの役は無駄に描かれすぎって気がする。

小森　原作の『真昼の翳《かげ》』は読んだ？

三谷　いいえ。エリック・アンブラーですよね。

小森　原作は、ピーター・ユスチノフの視点からだけ書いてるんですよ。

三谷　えっ。

小森　だから、最初、読者は泥棒の話だと思わないんです。車を運んでくれと言われて、それで、国境で車から武器が見つかって、トルコの警察からスパイを命じられる。トルコの警察も映画でピーター・ユスチノフが演じたアーサー・シンプソンも、それから読者も、武器はクーデターかなんかに使うものだと思っちゃう。アンブラーはもともとスパイ小説で有名だし。それが、いつのまにか、宝石泥棒の話になってしまうという小説なんです。
三谷　あの女泥棒は出て来るんですか。
小森　女はいたけど、映画のマクシミリアン・シェルがリーダーで、その情婦みたいな感じじゃなかったかな。
三谷　それを聞くと、原作通りに映画もやってほしかった気がしますね。それを、ああいう女泥棒の犯罪ものにするのは、無理がありますよ。すごい不思議な感じがしたんですよ、ピーター・ユスチノフの存在が。そうだったのか。
小森　三谷説によると、『トプカピ』は中途半端に脚色したと。原作に忠実にやってたら、そのかわり、渋い地味な映画になったでしょうね。
三谷　『トプカピ』はどれくらい評価されてる映画なんでしょうね。『ミッション：インポッシブル』のCIAに潜入するシーンは、明らかに『トプカピ』ですよね。
小森　そうですね。だけど、『トプカピ』の評判というのは、あまり聞かないですね。ジュールス・ダッシン監督の代表作は『男の争い』になるのかしら。
三谷　（双葉十三郎『ぼくの採点表』の索引を取り出す）けっこう、ここでは点がついてますね。
小森　双葉十三郎が好きそうな映画ではある。
三谷　ただ、僕とこの人はあまり意見合わないんですよ。
小森　えっ、ほんと？

三谷　僕の好きな映画に限って星が少ない。あ、でも『みんなのいえ』はすごく評価してくださったから、僕はとても感謝しています。これは言っておかなくちゃ。あと、『トプカピ』で気に入らないのは、前にも言ったけど、作戦に参加する人たちが、犯罪に関してアマチュアだっていうことです。そこに、非情な雰囲気がないんですね。まあ、コメディだからいいのかもしれないけど。それに、あの力持ちの男。大事なときに手を怪我して、結局、なにもしないじゃないですか。あれはどういうことなんですか。

小森　どういうことって言われても（笑）。

三谷　どう考えても、ストーリイ的におかしいですよ。あの人を出す意味がない。

小森　原作にひっぱられたんでしょうね。

三谷　たぶん、そうですね。おそらく原作だと成り立ってるんだろうけれど、映画では視点が変わったから、変な感じになっちゃった。

小森　怪我することはありうるんだけれど、物語として怪我するって創っちゃうと、嘘くさくなる。

三谷　普通、脚本家は、絶対、あんなことしないです。

小森　（爆笑）

三谷　それから、観直して思ったのは、犯罪そのものが、そんなに奇想天外ではないですね、いま思うと。たいした仕掛けじゃないですからね。犯罪がバレるのも、鳥が出て来たところで、そのせいで非常ベルが鳴るっていうのが、予想ついちゃう。あれって、本当は鳥が入ってきたときに、そこに別の意味を持たせるミスディレクション的なものが要るんですね。ギャグでもいいと思うんですよ。鳥が誰かの頭にとまって、すごいシリアスなところで糞をしちゃうとか。そういうのがあれば、作者はそのために鳥を出したのかと観てる人は思って、うまくごまかせるんだけど、無意味に入ってきますから。

小森　あと、トルコ観光の部分が長い。

三谷　この映画、謎は多いですよ（笑）。メリナ・メルクーリもなんのためにいるか分からないし。だけど、あれは嬉しかったですね、トルコのお祭りで行進曲みたいなのが流れてて、あれは向田邦子《むこうだくにこ》さんの「阿修羅のごとく」のテーマ曲ですからね。

小森　そうなんだ？

三谷　あれは有名な曲なのかな。ホームドラマなのに、こんなエキゾチックな曲を使って、すごいなと思ったのを覚えてる。

作戦ものの爽快感

小森　作戦ものの条件ということで言うと、ラストでの作戦の成功・不成功というのは？

三谷　僕の理想は、成功しなきゃだめですね。爽快感というか達成感というか、そういうものは、作戦という言葉を聞いたときに、必ずついてくる。だから『トプカピ』みたいに失敗に終わると、なんか嫌なんですよ。（犯行が）うまくいくと、お話として成り立たないのは、分かるんですけど……。

小森　六〇年代くらいは、ハリウッドの倫理規定にもひっかかったんじゃないかな。犯罪が成功して終わるというのは。『オーシャンと十一人の仲間』も失敗に終わりますね。

三谷　『オーシャンと十一人の仲間』は、誰かが道を歩いてて心臓発作で死ぬじゃないですか。あそこがすごい印象的で憶えてる。そのあと、どうなったんだっけ。子どものときにテレビで観ただけなんで。

小森　お金を棺に入れてて、燃えるんじゃなかったっけ。確か『オーシャンと十一人の仲間』がお札が燃えて、仕方ないなって顔してメンバーが帰っていく。それで、『地下室のメロディー』が、プールに浮くんじゃなかったかな。

三谷　あれは、陽気なシナトラだから、失敗しても暗くならない。お遊び映画だから、なんでもありだし。『トプカピ』は、じゃあ、どうすればいいかっていうと、代案は浮かばないですが。犯罪もので、最後に成功して爽快感があるっていうのは、すごく難しいですよね。悪が栄えるということに、どうしてもなっちゃうから。

小森　『ホット・ロック』は、最後宝石を手に入れますねえ。

三谷　あれは、なんで爽快なんだろう。

小森　戦争ものは成功するし。

三谷　そうですね。失敗すると、それはもう反戦映画ですから（笑）。『史上最大の作戦』は面白いけど、『遠すぎた橋』は辛いんですよね。

小森　『大脱走』は、たいていの人は捕まっちゃうし、リチャード・アッテンボローとかデヴィッド・マッカラムは殺される。うまく生き延びるのは、ジェームズ・コバーンとチャールズ・ブロンソンたちかな。あれはどう思いますか。

三谷　あれはチャールズ・ブロンソンたちが助かるというのが大事なんです。あの人たちはトンネル掘りで一番がんばった人たちだから。あの人たちがいなければ、なにもできなかったわけです。だから、死んじゃダメなんです。ジェームズ・コバーンが、ほとんどなにもせずにのうのうと助かるのは、ギャグの世界だと思うんですが、やっぱり、チャールズ・ブロンソンが助かるというのが、作劇的に優れたところだと思うんですね。あれで、デヴィッド・マッカラムが助かっちゃうと、ヘンなんです。

小森　（爆笑）

三谷　ちょっと知恵出しただけですからね、砂の捨て方の。あと、スティーヴ・マックィーンとジェームズ・ガーナーが、捕まって帰ってくる代表じゃないですか。彼らに悲壮感がないのがいい。そういうところに、わりと明るい俳優さんたちを使ってる。キャスティングの勝利です。だからジメジメしてない。あとは、脱走っていうのは、収容所を脱走したってことですでに成功なんですよね。そこで勝利を得ているわけだから。結果がどうなろうと失敗じゃないんです。だから爽快なんですね。

意味の分からないシーン

小森　では、「スパイ大作戦」の話に入りましょうか。

三谷　作戦ものといって忘れてならないのが、やはり「スパイ大作戦」。テレビドラマですけど、これを語らないわけにはいかない。「スパイ大作戦」はタイトル数にして百七十一作もあるんです。玉石混交だし、その中で、いま観ることのできるものとできないものとがあって、いくつか決定版という形でビデオになっているものの中から、マニアの中で名作と言われるものを紹介すると、まず「密室の金塊」。これはビデオで観返したときに、子どものときに観たシーンを憶えてたんですよ。

小森　どこを憶えてたんですか。

三谷　金を溶かすところ。正確には、フェルプスが金属の玉を金塊の部屋に置いていくところ。あそこを憶えてました。

小森　あれで、部屋の一番低いところが分かるというところですね。

三谷　ああいうのがすごいんですよね。普通、あんなところ細かく描かないですから。ピーター・グレイブスが金塊の置いてある部屋に入ったところで、出て行くときに、なんだか分からないんだけど、金属のボールを床に置いていく。観客は一瞬それはなんなんだろうと思う。僕がすごく憶えているのは、映画とかドラマのワンシーンの中で、意味の分からないものを見たのは、生まれてはじめてだったんですよ。だから憶えてた。なんだったんだろう、いまのは、って。しかも、その解決というのが、ボールが床の一番低い部分で止まって、それを床の下から、バーニーたちが探り当てて、そこから、あの赤くなるやつは何なんですか。

小森　電熱器？（笑）

三谷　電熱器ですか（笑）。

小森　金を溶かすんだけどね。

三谷　とにかく、それを送り込んで金を溶かして、一番低いところだから、溶けた金が流れて集まってくる。嘘っぽいけど、論理的じゃないですか。その論理的な解決があったのが、僕にはすごく印象に残っていた。それで、ついでに言うと、生まれて二回目に、映像作品を観ていて意味が分からないと思ったのは、『スティング』のワンシーン。最後の大仕事に行くときに、ロバート・レッドフォードが、なにかを口に入れるんですよね。それがなにかはあとで分かるんだけど、その瞬間は分からない。それも観たときに感銘を受けたんです。意味の分からないものが映像として目に飛び込んでくるというのが新鮮で。だから、「スパイ大作戦」といえば、金属の玉を置くシーンが頭に浮かんで、それが、どのエピソードだろうと思ってたら、「密室の金塊」だったんです。話としては、確かに嘘くさいんですけどね、金を溶かすというのが。金が溶けるなら、ほかのものも無事ではすまないですよねえ（笑）。でも、細かいディテイルがあって、そこには嘘がないから、大きな嘘が納得できる。まあ、納得できない人もいるだろうけど（笑）、僕はできる。ちゃんと、作業の最後に、コンクリートの溶けたようなのを噴射して……。

小森　床を塗りなおして隠す。

三谷　あれも、普通、あそこまでやらないですよ。

小森　あそこまでやらないといえば、マーチン・ランドーも、衛兵の声を電話でまねするとき、自分は直接声を聞いたことがないから、テレコで録っておいて練習する。

三谷　あれも、最初に衛兵の声を録音するシーンが出て来るじゃないですか。あの段階では意味が分からないですよね。

小森　そう。分からない。

三谷　なにを録音してるんだろうと思って。ずっと分からなくて、もう忘れちゃったころに（笑）使われる。どうすれば、ああいうホンが書けるんだろうって思います。あと、「スパイ大作戦」のすごいのは、メンバーの役割分担ができていて、変装の名人ローランがいて、ピーター・グレイブスの役割はいまひとつはっきりしないけど、リーダーだし火中に飛び込んでいく。女性がシナモン。大事なのが、あとのふたりで、力持ちのウィリーと、メカに強いバーニー。このふたりはすごいですよ、とにかく、台詞がないですから（笑）。

小森　一番最初にメンバーが集まって、そこだけ見るとわけの分からない、伏線になるような打ち合わせをやるでしょう。ピーター・ルーパスかな、ウィリーは、あそこで台詞がないと、一言もないことがある。

三谷　申し訳程度に「ほんとにそれで大丈夫なのか」とか言う（笑）。

小森　（爆笑）
三谷　よく、彼は、あれだけで納得して何年もやってたなと思いますよ。ほかのテレビや映画で、彼を観たことがないですし。「密室の金塊」では、バーニーは最初のところで「終わらせるよ」という台詞があって、あと、地下道で二つ三つ短い台詞があって、金塊を溶かすときに温度計を見て「２２００」とか言う。
小森　マーチン・ランドーが何時間耐えられるかっていう台詞は？
三谷　それは、アタマではウィリーが言ってて、ウィリーの台詞はこのひとつだけですが、バーニーには、地下で「あと一時間半で終わらないとローランが危ないぞ」という台詞がある。あと、金を隠し終わって「さあ行こう」。それだけですからね。僕なんかは、俳優さんに申し訳ないからと思って、余計な台詞を足しちゃったりするんですけど、実はそれはいらないし、彼らは作戦を遂行してる間にべちゃべちゃ喋る必要もない。喋るということはキャラクターを表現することになるから、それは意識的に創り手が削っていったと思うんですよね。
小森　仕事中にベラベラ喋るキャラクターじゃないですからね。
三谷　仕事してるとこしか描かれてないですから。家に帰ると、けっこう喋ってるかもしれないですけど。「スパイ大作戦」の良さは、あの台詞のないふたりの活躍ですよね。ほかの映画で絶対に考えられないのは、バーニーが壁に穴を開けたりとかなにかコードを繋いだりとかエンエンとやるじゃないですか。見たこともない機械も出て来るから、それっぽく操作してるけれど、それがどういうふうに作用するのか、さっぱり分からないシーンがけっこうあって、だけど、シリアスに作ってるし、彼らも一所懸命演じている。そこがいい。バーニーは、基本的に彼の顔がそうだと思うんですけど、いつも泣きそうな目なんですよね。すごい深刻な顔をしてて、キャスティングもあのふたりは大正解。

小森　私も「スパイ大作戦」は、毎週かどうかは分からないけど、けっこう見てた憶えがあるんです。まあ、中身は忘れますよね。だけど、今度、三谷さんに言われるまで、彼が力持ちだって知らなかった。

三谷　ウィリーが？

小森　そう。彼の特技が分からなかった。雑用をする人だと思ってた。ほかは分かりますよね。シナモンはちょっと分からないところもあるけど、ローランとバーニーは分かる。でも、ウィリーが力が強いことを発揮する場面が、必ずしもあるとは限らない。

三谷　逆に難しくなっちゃいますね。彼の見せ場を作らなくちゃいけないとなると。なにか力が必要な場面を毎回考えなきゃいけなくなる。

小森　そうでしょう。確かに、力の要る仕事は彼がやっているけど、すごい力持ちだとは分からないでしょう。

三谷　「密室の金塊」でも、金塊を運ぶところをやってますけど、でも、バーニーも運んでますもんね。

小森　たまたまだけど、今回「両面陽動作戦」を観ました。慈善事業家を装った悪徳夫婦がターゲットで、シナモンが足の不自由な富豪になりすまして、そこに乗り込む。シナモンの運転手がウィリーで、ターゲットの車のバンパーをへこませて、工場に修理に出させる。その修理に見せかけて車に細工をするんだけど、シナモンの車をわざとぶつける。そのときに手で押して自動車をころがしてぶつけるんだ。それを見たときにはじめて、ああ、この人は力持ちだったんだと分かった（笑）。

三谷　（笑）確かに雑用係ですよね。力の必要ない役もやってますからね。ガードマンに変装したりとか。

小森　見ただけで力があると分かる役割というのは、あまりないものね。

三谷　バーニーなら毎回メカが出て来ますからね。（ウィリーは）見ためが力持ちだと言ってますね（笑）。

作戦かアクシデントか？

小森　私はビデオ版を今回はじめて観たんですが、完全版となっているのは、テレビ放映時にはカットがあったということですか。

三谷　そうです。

小森　まず、おはようフェルプス君があって、テープが消滅する、そのあと、ピーター・グレイブスがファイルを出して来て、そのファイルの中から人を選ぶ、あのシーンはテレビでありましたっけ。

三谷　ありましたよ。たぶん、最初のころなんですよ、第一シリーズぐらいはあったんです。だけど、ファイルから選ばれるのは、結局、毎回同じメンバーですから、さすがに途中でやめたみたいですね。

小森　そこ、見てないのか忘れてたのか、今回はじめて気づいて、フェルプスという人は、配下をたくさん持ってるんだと、逆に感心した。

三谷　なんか、プロデューサーの写真とか使ってるらしいですよ。使われないスパイの写真に。

小森　メインのメンバーの写真はカラーだけど、ほかのやつは白黒なんですね。

三谷　「スパイ大作戦」の良さは、とにかく構成がしっかりできている。まず最初にテープで指令が出て、それだけだと、声だけですから、視聴者はどういう指令かとか人間関係が分からなかったりするので、そのあとでもう一回、フェルプス君が、写真を選ぶときのナレーションで説明するんですよね。ヘタすると全員集めたところで、さらにもう一回言ったりする。それで、大前提を明確にしてから話が始まる。万全の態勢をとってる。でも、途中からなくなったんですよ、あのシーンは。あまりにしつこいからかな。

小森　どの回だか忘れたんだけど、お医者さんがひとりグルになる回があって、そのときは、彼の白黒写真も選ぶ。それで、最初に全員集まって、そこで、伏線というか、そこを観ただけではわけの分からないことや会話をしますね。

三谷　「密室の金塊」でも、空砲をピストルに入れて、三発目は実弾だという説明が最初にある。それもいい伏線になってますね。それもふたつの意味で効果的です。ひとつは、マーチン・ランドーが撃たれるところ。一発目は当たらない、次で当たって、あそこで三発撃たれてたら、ホントに死んでるんですね（笑）。そのあとに、三発目を残しておく本当の理由が出て来る。その三発目で敵のボスが部下を殺すんです。だから、マーチン・ランドーが一発目で死んだふりをしていたら、ボスは空砲で部下を撃つことになって、おかしいってことになっちゃう。

小森　しかも、部下が死なずに残る。

三谷　まあ、よく考えれば、一発目で死ぬことにしても同じなんだけど、そこを、ちょっと面白味を加味したというか（笑）。

小森　ほんとに、あそこ、大佐がいきなり三発バンバンバンと撃っちゃってたら、困ってただろうね。そう考えると、けっこう綱渡りをしてる。

三谷　命がけですね。そもそも、ピーター・グレイブスが空砲にすり替えられるかどうかは、マーチン・ランドーには分からないわけだから、信頼関係ですよね。あと、子どものときにすごく思ったのは、シナモンのバーバラ・ベイン、彼女はマーチン・ランドーの奥さんなんですが、彼女の良さが分からなかったんですよ。美女という設定で、どの回も色仕掛けみたいになって、そのわりに、僕には彼女が美人に思えなくて、納得いかなかったんです。だけど、いま観ると、確かに美女ではないですけど、クールビューティっぽいディートリッヒ系でかっこいいんですよ。今回惚れ惚れしたのは、最後にシナモンが捕まって、そこへマーチン・ランドーが助けにきて、「大佐がお呼びです」と言って強引に連れていく。そこに看守がいて、マーチン・ランドーが空手チョップで気絶させる。そのときのシナモンが、冷徹というか、クールに一瞥《いちべつ》して去っていく。その去り方がいいんです。千両役者っぽくて。
小森　この人は途中で代わらなかったっけ。
三谷　マーチン・ランドーと一緒に降りちゃうんです。そのあと、いろいろ代わったんですけど、あまりパッとしなかった。
小森　じゃあ、メンバーはそこで代わったのが大きな変化ですか。
三谷　そうですね。バーニーとウィリーだけは、最後まで同じ。女性はどんどん代わって、ピーター・グレイブスも、最初の一シーズンは別の人だし。ダン・ブリッグスとかいう人。「密室の金塊」に戻すと、シナモンが捕まるところで、観てる方は、それも作戦の一部なのか、アクシデントなのか分からない。けっこう、そういうパターンは多くて、たいていの場合、作戦なんですけど。
小森　あれ、そうなのかな。アクシデントに対処してるわけではない？
三谷　なのかな。
小森　それは観てる側からは区別つかないですよね。それに関連するかもしれないけれど、『トプカピ』でもそうだし『オーシャンと十一人の仲間』でもそうだけど、普通、最初に困難が問題として出て来るじゃないですか。ここから盗むとか、そのためにこんな障害があるとか、そういうことを明示するでしょう。でも「スパイ大作戦」は、最初になにやるか言わない。目的は分かるけど、具体的にどうするかは言わないから、どこまでが作戦で、どこからアクシデントなのかは、分からないですよね。
三谷　言わないから、逆に観られるんですよね。
小森　あらかじめ言うというのは、くどいし、ある意味ムダですもんね。

「欺瞞作戦」と「焼土作戦」

三谷　小道具とかも出て来るけど、いつ、どこで、なにに使われるかも分からないし。どういうものかも分からない。「欺瞞作戦」というのがあって、これも、ものすごくよくできてる。いま観ても素晴らしいです。一瞬たりとも気が抜けない。伏線とかも張りまくってて。
小森　どこが、とくにすごいですか。
三谷　説明しづらい話なんですが、あるスパイがいて、彼が持っている情報が、本物なのか偽物なのかを確めるために、凄腕スパイがやってくる。ターゲットは、その凄腕スパイで、彼に、情報が本当は偽物なのに、本物だと思わせなきゃいけないというのが今回のミッション。そのためにどうするか。ターゲットのスパイは物凄いやり手で、いままでにない悪役なんです。冷静で理路整然とものを考えるタイプで、憤《いきどお》ったりしないし、すごい記憶力と推理力なんですよ。どうやって、そいつの裏をかくかというと、彼が……これ説明できないな……彼の側から言うと、とにかく、いろんな出来事があって、それを総合して推理していくと、誰かが、自分をハメてるということが分かる。だから、最終的に、彼はこの勝負に勝ったと思うところで終わるんですよ。でも、それは、彼がすべてを見抜いたと思わせるように、フェルプスたちが仕掛けておいた罠で。だから、偽の小道具がいっぱい出て来て、たとえば、半分ぐらい使った紙マッチ。これは、最初、マーチン・ランドーが持っていて、それを凄腕スパイは覚えてる。同じようなマッチを、まったく別のところで会ったシナモンも持ってるんですよ。それが左利きの人間が擦ったあとのマッチで、シナモンは右利きで、マーチン・ランドーは左利き。それで、右利きのシナモンが、左利きの人間が使ったマッチを持っているということは、そこから、シナモンとマーチン・ランドーは裏で通じているに違いないと、彼は推理するんですが、それは、彼にそう思わせるために仕組んだものだった……みたいな話が、山ほどあるんです（笑）。

小森　（爆笑）

三谷　もう、分かんなくなりますよ。一回観ただけじゃ。マーチン・ランドーの芝居も、この回が僕のベストで、ある場所でAさんと会うんですが、そのときはBさんのふりをしてるんです。それで、Aさんを追い払ったあとに、Cさんがやってくると、マーチン・ランドーは今度はAさんのふりをするんです。変装とか全然しないで、そのふたりを演じ分けるのが、ものすごくうまい。ほら、ああいう感じです。『スティング』で、どこかの事務所にペンキ屋として入り込んで、ペンキ塗ってるふりをして入ってきて、その部屋の住人になりすます。ああいうの、好きなんですよね。

小森　籠脱《かごぬけ》詐欺というのかな。

三谷　それから、いつものように、バーニーが天井に穴を開けるシーンがあって、タイルかなんかの周囲を溶かすんですね。そのときに薬のスプレーを吹きかけて溶かすんだけど、彼は片手にスポンジを持って、溶けてくる液体をスポンジで吸い取るんですよ。

小森　細かい（笑）。

三谷　そんなのなくてもいいのに（笑）。しぶきが飛ぶのは嫌だから、実際は、やると思うんですよ。そういう細かさがいいです。それと、やっぱり、最後に、凄腕スパイが、自分が騙されたと気づかずに、「この欺瞞作戦を指揮した敵のリーダーには会ってみたい、たいした奴だ、だが気の毒に、善戦はしたが逆転負け、おしまいだな」と言う。そこで終わるんです。それがいいんですね。詐欺の基本で、騙された人が騙されたと思わない、というのがあるじゃないですか。これは「スパイ大作戦」とは言いつつ、『スティング』の世界、コンゲームですね。小説でも映像でも、これほどこみいったコンゲームは観たことなかったです。

小森　では、これがナンバー1ですか。

三谷　ですね。タイトルも「スパイ大作戦／欺瞞作戦」って、作戦がふたつも入ってるし。ただ、これが、果たして、視聴者に受け入れられたかどうかは疑問で、普通の人はついていけないんじゃないか。あまりにも複雑すぎる。

小森　そうかもしれないですね。私が子どものころ「スパイ大作戦」を観ていて、うちの母親が、台詞も少ないし、なにやってるか分からないと言ったことがある。それは確かに、皿洗いながら、ときどき画面見たって、分かるわけがない。

三谷　だから、（そういう人は）「焼土作戦」どまりですよね（笑）。

小森　「焼土作戦」！（爆笑）あれはねえ……。敵国の情報部員に、自分の国がアメリカに核ミサイルを撃ったと思わせて、シェルターに逃げ込んだスパイに、外から本当に核が落ちたと錯覚させる……。
三谷　あれは、どこまで真面目にやってるかが、謎なんですけど。
小森　いやあ、それは全部真面目でしょう。
三谷　ちょっとは、ふざけてたんじゃないですかね。馬鹿馬鹿しすぎる。
小森　真面目でしょう、やっぱり。
三谷　もし、ふざけてたとしたら、遊んでる感じを見せないのはすごいな……。ちょっと贔屓目かな。

『ミッション：インポッシブル』は認めない

小森　リメイクされた映画の『ミッション：インポッシブル』は認めないという意見だそうですが、その話にいきましょうか。
三谷　あれは、「スパイ大作戦」のファンは、誰も認めてないと思いますよ。それは、ミセス・コロンボを、コロンボファンが認めてない以上に、許せないことだと思うんですよね。どうひどいのか、結末に関わるので、言ってもいいのかどうか。
小森　やっぱり、腕時計見ながら「おはようフェルプス君」というのが、やりたかったからかしら。

三谷　（苦笑）たぶんね。

小森　それだけのこと？

三谷　でも、あれをするなら、多少は名前を変えるとかしてほしかったですよね。ヘルペス君とか。くだらないけど。

小森　トム・クルーズもマーチン・ランドーと同じ名前じゃないもんね。

三谷　ちょっと似てるんですけどね。イーサン。あっちはローラン。イーサン・ハントとローラン・ハント。トム・クルーズは、たぶん「スパイ大作戦」が大好きで、マーチン・ランドーの役をやりたかったんだと思うんですよ。そこから始まった企画のような気がするんだけど、だったら、なぜ、トムはこの話に納得したんだろうと疑問に思いますね。愛してないですよ、「スパイ大作戦」を。あと、基本的に、作戦ものは、連携プレイっていうか、団体戦じゃなきゃいけないのに、あれは、ほとんど個人プレイじゃないですか、トム・クルーズの。それが、違うんですよね。前半はすごく良かったんですよ。

小森　プラハのところ？

三谷　そう。

小森　失敗するミッションだ。

三谷　その前の、アヴァンタイトルも、良かった。大がかりに誰か騙してる。そこはすごく嬉しくて、これはいいぞと思って。タイトルもかっこよかったんですよ。昔のイメージをそのままグレードアップした感じのオープニングで。それで、プラハまでは許せたんだけど、後半はむちゃくちゃ。

小森 あのへんはいいの？　プラハでバタバタ死んでいくところ。

三谷 （不快そうに）いや、あのへんからですよ。だって、死ぬと思わないですもん。でも、スペシャルだから許したんですよ。これは、仇をうつために、新たに仲間を集めていくのかと思ったら、孤軍奮闘じゃないですか。「スパイ大作戦」じゃないですよ。チームワークですから、大事なのは。トム・クルーズの「スパイ大作戦」にあこがれる気持ちは、僕は好きだったんだけどなあ。

小森 トム・クルーズは、「スパイ大作戦」のファンだったんですか。

三谷 と、僕は勝手に思ってる（笑）。

小森 （爆笑）

三谷 『ミッション：インポッシブル』って、トム・クルーズのプロデュースじゃなかったでしたっけ。確か、企画に関わってるんですよ。それは、ティム・バートンが『バットマン』が大好きでやったり、『猿の惑星』をリメイクしたりするのと同じだと思うんです。リ・イマジネーションか。世代的に僕と近いですから。昔あこがれたものを、自分でやりたいと思うのは、僕も同じだし。すごく分かるんですけど。でも、これはないだろう。しかも『ミッション・インポッシブル2』になると、もっと孤軍奮闘らしいですからね。もう観てないです。ジョン・ウーが、もとの「スパイ大作戦」にまったく興味がないというか、観てもいないという噂なんで。

小森　それに二時間の映画にしようと思ったら、ミッションが三つくらいになるでしょう。

三谷　「スパイ大作戦」も前後篇になってるのは、面白くないんですよね。本来、四十五分間で見せるものなのかもしれないですね。それ以上長くなると、それぞれのスパイの思いとか気持ちを足すことになっちゃうので、それはよくないし、かといって、ターゲット側の話をふくらませると、今度は視点がズレてきちゃう。

小森　今回、私が観た前後篇のやつ、「地下100メートルの円盤」というのは、話を複雑にするために、フェルプスたちとターゲットのほかに、ソヴィエトもスパイを送り込んでいるという設定にしてた。

三谷　あんまり複雑にする必要ないんですね。

日本にはあまりない作戦もの

小森　あと、言い残したことはありませんか。

三谷　僕が理想としている作戦ものからははずれちゃうけど、『紳士泥棒／大ゴールデン作戦』はニール・サイモンの別な才能を感じたというか、僕らの知ってるニール・サイモンとは、全然違う話じゃないですか。でも、コメディとして面白い。

小森　どのあたりが、とくに、好きですか。

三谷　僕が思っているシチュエーションコメディというものに近いんですよね。偽の映画を撮るという設定が。面白いのは偽の映画クルーだと知らずに参加する映画スターですよね。ヴィクター・マチュアがやっているというのが、またいいんですけど。おバカな過去の大スターっていう、ほとんど本人の役ですから。彼のことを考えるとたまらないですね（笑）。さすがサイモン、頭使って考えたなという気がするんです。作戦自体も凝ってるし。どたばたがエンエンと続く、ブレーク・エドワーズの『地上最大の脱出作戦』より、ずっといい。

小森　撮影のための道具を本物の撮影隊から盗むでしょう。あそこの監督ってデ・シーカ本人なんでしょ？

三谷　ヴィットリオ・デ・シーカですね。リアリティがあるんですよね。本当にできそうですもんね。映画スタッフのふりをして、村人を使って、金塊を運び出すシーンを撮りますよといって、実際に運ばせてしまう。

小森　村のおばさんが、映画だと分かると掌を返す。

三谷　確かに、映画撮っていて分かるのは、どこへ行っても一般の皆さんは協力的ですからね。みんな口では嫌がるけど、（映画に）出てくれるし。

小森　ちょっと微妙だけど『テキサスの五人の仲間』というのがありますね。

三谷　あれ、いま観直すと、八割方は西部を舞台にした、ちょっといい話なんですね。コンゲームだというのは最後に分かる。でも、結末が分かってからが意外に長くて退屈なんですよ。だから、これを作戦ものというのはちょっと……。あれは、キャスティングがすべてでしょう。

ジョアン・ウッドワードは立派な女性としか見えないし、旦那さんがヘンリー・フォンダ。しかも、ポーカー仲間に、いい俳優さんたくさん使ってるから、観客は絶対にひっかかる。でも、妻と一緒にビデオで観たときに、妻はなにも知らずに観たんですけど、ものすごく後味が悪いって、観終わって怒ってた。

小森　そうですかあ……。それと、邦画代表ということで、貸してもらった『御金蔵破り』。

三谷　あれは、どうでした?

小森　こういう言い方は失礼だけど、意外と面白かった。

三谷　あれは元があるんですか、歌舞伎とか?

小森　いや、知らない。

三谷　犯罪ものとしては、ちゃんと出来てましたよね。

小森　最後は『地下室のメロディー』に似てて、『地下室のメロディー』は札だから浮かぶけど、『御金蔵破り』は小判だから沈む。でね、同じ年じゃなかったかな。

三谷　昭和三十九年となってますね。

小森　ということは一九六四年。

三谷　『地下室のメロディー』は六三年。

小森　翌年かあ。

三谷　まねしたのかな。

小森　『地下室のメロディー』は、うろ憶えなんだけど、アラン・ドロンとジャン・ギャバンですよね。こっちも、知恵蔵《ちえぞう》と大川橋蔵《おおかわはしぞう》でしょ。インスパイアされてるかもしれない。[*1] このときの片岡《かたおか》知恵蔵って、顔が「美味《おい》しんぼ」の海原雄山《かいばらゆうざん》に似てる。これも最初はテレビで観たんですか。

三谷　これはなにかで読んで、面白そうだったので、ビデオを探したんです。

小森　邦画ではほかに作戦ものというのは？　テレビでもいいですけど。

三谷　あんまりないですね……。「ルパン三世」とか、ちょっと近いですかね。あまりないですね。

小森　戦争に負けると、作戦行動を愉快にってわけにはいかないのかな。

三谷　『キスカ』は良かったですよ。爽快感のある戦争映画ですね。大量の戦艦と船員を一晩のうちに退却させなきゃいけないという指令を受けて、加山雄三《かやまゆうぞう》が中心になって、計画を練って、大作戦を決行する。資料を読むと、日本では珍しく、スポーツ感覚の明るい戦争映画となってます。もう一回観たいと思っていて、機会を失ってるんですけど。

理想の作戦もの

小森　では、最後に、三谷さんの理想の作戦ものの条件を、まとめてもらえますか。

三谷　まず、くどいようですが、タイトルに「作戦」が入る。あとは、できるかぎり奇想天外な作戦がいいこと。作戦を遂行する人たちの視点から見たい。できるだけキャラクターを掘り下げない。ラストは作戦が成功しなければならない。彼らはプロフェッショナルでなければならない。なおかつ戦争ものではない。この条件をすべて満たすとなると、やっぱり「スパイ大作戦」ということになるんです。あくまでテレビシリーズの。ということは、最初のリストには入ってないわけで……ま、いいか。キャラクターに関しては、レナード・ニモイが自伝にこんなことを書いてるんです。マーチン・ランドーが降りたあと、変装の名人の役をレナード・ニモイがやったんです。台本を三話ぐらい読んで、カストロをイメージした独裁者に変装する役だったらしいんですが、すごく面白かったから引き受けたと言ってるんです。それで、何本か作っていくと、またカストロみたいな役が出て来たって。結局、いつも同じことをやらされるんだということが分かって、嫌になったらしいんです。パリスという役には個性がないということを彼は言ってて、いつも彼は冷静で、あせったり悩んだりしないし、ピーター・グレイブスに呼ばれてやってきて、指令を聞いてやるべきことをやって、それで終わりで、彼がどんな性格でどんな人間なのかはまったく分からない。それが嫌だったそうです。僕はそれでいいと思うんだけど、やってる方としては、つまらないみたいなんですね。でも、いま観ると、レナード・ニモイより、マーチン・ランドーの方がいいんです。マーチン・ランドーは、それを分かった上で、そういう役だからこそ、自分みたいな達者な人間がやらないとつまらなくなるんだという意識で、やってたような気がするんですよ。だから、マーチン・ランドーがやるこ

＊1　のちに石上三登志さんに尋ねたところ、公開時より類似が評判だったとのことだった。

とによって、全然描けてないキャラクターも、その瞬間、なにか分からないけど悩んでるように見えるし（笑）血の通った人間に見えるんですね。作戦の遂行に、スパイたちの人間模様というのは必要ないんですね。

小森　実際、作戦の遂行を描くだけのものだし、そこが観たいんですもんね。

三谷　それは、僕の仕事でもよくあることなんですけれど、「古畑」なんかでも、正味四十五分で、犯人の人生なんて描きようがないんですよ。無理なんです。それは犯人役でしかないから。記号でしかないんですよね、犯人って、いつも。それを分かった上で喜んで演じてくれる俳優さんと、こんな薄っぺらな役はできないという俳優さんと、いるんですよ。薄っぺらいことは確かに薄っぺらいんですけど、だからこそ、上手な俳優さんがやらないと、ほんとに薄っぺらいままになっちゃうというのが、あるじゃないですか。だから、僕はむしろ巧い俳優さんにやってほしいんです。舞台でも「君となら」[*1]みたいな、シチュエーションとストーリイ展開だけで見せるようなものは、実は、あまり人間は描かれてないんだけども、そういうものの方が、上手な、人間を表現できる俳優さんがやらないと面白くないというのと同じなんですよね。でも、やりたがらない俳優さんは、確かにいて……。

小森　それは上手下手に関係なく、そういうのをやりたがらない人がいる？

三谷　人間が描けてないのは嫌だって。

小森　それで断られたことがあるとか。

三谷　あります、あります。最終的に、マーチン・ランドーは、ギャラの問題で降りちゃったんですけど、確かに巧いですよ。とくに「欺瞞作戦」のマーチン・ランドーはお薦めです。マーチン・ランドーが、変装じゃなく、メイクしないでふたりの人間を演じ分ける。これはすごいですよ。また、そういうところにやりがいを見つけるような俳優さんが、作戦ものには向いてるんですよ、きっと。

＊1　一九九五年ＰＡＲＣＯ劇場で初演。三谷幸喜作、山田和也演出。

法月《のりづき》綸太郎《りんたろう》——本格推理作家はアントニイ・バークリーに何を読みとるのか？

法月綸太郎（のりづき・りんたろう）

一九六四年島根県生まれ。京都大学法学部卒業。八八年『密閉教室』でデビュー。エラリー・クイーン作品を意識した名探偵・法月綸太郎シリーズを中心に執筆。二〇〇二年「都市伝説パズル」で第五五回日本推理作家協会賞を受賞。〇五年『生首に聞いてみろ』で第五回本格ミステリ大賞を受賞。創作と並行して評論も数多く手がけ、その業績は『謎解きが終ったら』〈法月綸太郎ミステリー塾〉などにまとめられている。『頼子のために』『一の悲劇』『ふたたび赤い悪夢』『法月綸太郎の冒険』『キングを探せ』『ノックス・マシン』など著作多数。

アントニイ・バークリーは長篇『毒入りチョコレート事件』と短篇「偶然の審判」[*1]で知られ、一方、フランシス・アイルズ名義で『殺意』『レディに捧げる殺人物語』（ヒッチコックの『断崖』の原作）を書いた、犯罪小説の先駆者でもある。ただし、バークリーの全貌が日本に紹介されるようになったのは、最近のことだ。法月綸太郎さんは、いわずと知れた、新本格ムーヴメントの中、デビューした推理小説家で、京大ミステリ研出身の論客《ろんかく》でもある。クイーン、クリスティに代表される黄金期の謎解きミステリと、戦後から現在に到るミステリの中間に位置する、三〇年代、四〇年代のミステリ作家の中で、法月さんがとくに気にかけていたアントニ

＊1　アントニイ・バークリーの一九二五年の短篇で、実在の毒殺事件をモデルにした殺人事件を、ロジャー・シェリンガムが解決する。邦訳は創元推理文庫の『世界推理短編傑作集3』に収められている。『毒入りチョコレート事件』は、同一シチュエーションの事件を、シェリンガム以下の犯罪研究会の面々がさまざまに解決を競うという設定で、シェリンガムが解決する部分は、「偶然の審判」をはめ込んだ形になっている。

イ・バークリーについて話をうかがうというのは、私にとっては、ごく当然の選択にすぎない。

（なお、このインタビューでは『第二の銃声』『殺意』『ジャンピング・ジェニイ』について、内容に深く立ち入っています）

『第二の銃声』序文の謎

小森　アントニイ・バークリーについて、法月綸太郎さんにお話をうかがうんですが、ここ十年くらいでしょうか、周辺の文章も含めて、翻訳されることが多い。それは、黄金期の謎解きミステリと現代をつなぐミッシングリンクという意味もあるでしょう。良きにつけ悪しきにつけ、注目されることも多い。それで、法月さんの場合、なぜバークリーを読まれるのか、興味を持たれるのか。そのあたりからお願いできますか。

法月　昔、『毒入りチョコレート事件』とか『試行錯誤』を読んで、面白かったんですけど、そのときは、いまひとつ、ハマりきれなかったところがある。単純に、紹介された本数が少なかったというのはあるんですが。

小森　当時は、そのふたつくらい？

法月　あと、アイルズ名義の二作。『ピカデリーの殺人』が出て、それを当時読んだときは、あまり釈然としなかった。それで、バークリーという名前は頭の中にひっかかってはいたんだけど、長篇ということでは、よく分からない、ピンとこないところの多い作家だった。当時は、僕にとって、バークリーというのは「偶然の審判」の作者でした。
小森　それは、いつごろの話ですか。
法月　高校生から大学生にかけてぐらいかな。だから、ずっと、バークリーのベストは「偶然の審判」で、『毒入りチョコレート事件』は、試みとして面白いのは分かるけど、「偶然の審判」という、ミステリの短篇としてはほぼ完璧なものに、屋上屋を架したような感じで、逆に理論倒れみたいな気がしてたんです。その後、自分がプロになってからですけど、『第二の銃声』の戦前の抄訳版（人見秀夫訳、黒白書房）を、たまたま古本市で見つけて、大喜びして読んだんですが、それはエピローグが三ページぐらいしかないんですよ。
小森　エピローグって、どこからでしたっけ。
法月　要は、三年後のところ。あそこが三ページしかないんです。
小森　うわあ（笑）。
法月　それを読んだせいで、前半面白いのに、後半腰砕けになって、なんじゃこれは、と。それで、改訳版が出たときも、ちゃんと読んでなくて、そのあと、いくつか翻訳が出て、解説や研究を見ていると、この人は、もうちょっと考えているような気がして（笑）。
小森　それは、具体的には、どういうところから。[*1]『第二の銃声』の序文とか？
法月　『第二の銃声』の序文でいつも引用されるところは、前から、情報としては知ってましたから。むしろ、実際に序文を読んでいくと、オースチン・フリーマンの『歌う白骨』とＡ・Ｅ・Ｗ・メースンの『薔薇荘にて』を、具体的に名前をあげて、持ち上げてるんです。犯人の正体を明かしても、技巧さえ巧妙ならば充分読ませることができるということを言ってるんですよ。『薔薇荘にて』というのが、またヘンな本で、探偵小説が黄金時代にちゃんとした本格としての形が定まる以前の古い形をひきずっていて、構成として収まりが悪い。ドイルの長篇と黄金期の中間みたいなそこのところが、いま見ると、かえって新鮮だったりして（笑）。単純な話、普通、本格では、半分のところで真犯人が指摘されることはないわけですよね。ところが、『薔薇荘にて』というのは、途中でいきなり犯人の指摘が行われて、そのあとは、倒叙ではないけど、ヒロインの視点から犯行の過程が細かく書かれていく。要するに、中盤でいきなり意外な真相が指摘されると、読んでて驚くわけです。そのあとの犯行過程の再現というのも、捜査側からのロジックで詰めていくと拾えない伏線、探偵の推理では絶対拾えない伏線を緊密につなげて作っているんで、こういう手もありなんだなと（笑）思った憶えがある。バークリーは、そういうのも面白いという言い方をしてるので、『第二の銃声』の序文に関しては、心理の謎、性格の謎みたいな論点とは別に、もっと構成上の工夫をしろっていうニュアンスにとれるんですよ。だから、そこでは、犯人の心理なり動機なりを、もっと突っ込んで書く道があるはずだっていうことと同時に、長い問題篇があってその後の解決篇で意外な真相が明かされて終わるという本格の形に対して、バークリーは不満があった、全部同じ形じゃないか、もっと違う形もありうるはずだというふうに、僕はむしろ受け取ったんですね。

小森　ここは大事だと思うので確認しますが、『第二の銃声』の序文についての従来の説では、探偵小説にはふたつの道、プロットに趣向を凝らすものと心理に深くアプローチするものというのがあって、そして、このふたつの道は互いに相対立するものと思われていた。だけど、それが対立するとは書かれていないし、そのふたつが相反するものではないと、そういうことですか。

法月　だと、僕は思いますね。実際に、その後のバークリーを読んでいくと、それにアイルズもと言いたい気持ちなんですが、まともな問題—解決の話って、ほとんどないんですね。もちろん、僕は原書が読めないんで、訳されてないものは読めなくて、『毒入りチョコレート事件』より前は、よく分からないんですが、そもそも『毒入りチョコレート事件』というのが、前ふりをしておいて、あとは、ひたすら解決篇が続くという、ものすごくイレギュラーな構成の長

＊1　この序文で、もっとも頻繁に言及されるのは、以下の部分だろう。「探偵小説の書き手である我々が真剣に耳を傾けるべき唯一の批評家〈私がそう言うのは、かの人物だけが我々を真剣に取り扱ってくれるからだが〉の言葉を借りよう。『技巧に関して言えば、知性的な作家は現在二つの方向を模索している……彼はプロットを作る際に、さまざまな実験を試みることだろう。逆行させ、脇道にそれさせ、断片に切り刻む。あるいは、彼は性格描写や作品の雰囲気について思案を凝らすことだろう』。思うに、この言葉は正鵠を射ているようである。そして、この見解に納得し、前者の選択肢をすでに試し終わった実験家の私は、今度は後者の実験を試みようというわけである」。なお、真田啓介氏がウェッブ上（風読人〔フーダニット〕の伝言板二〇〇二年一月二十一日）で、この批評家がマーガレット・コールであると指摘している。

篇ですよね。読み返すと、すごくヘンな小説のような気がするんです。この段階で、問題があって解決があるというバランスが、すでに崩れていると思います。

『殺意』は『第二の銃声』のリメイク？

法月　それで、『第二の銃声』というのが……これは、よく分からない本ですね。

小森　えー……どこが？

法月　すでにこの段階からもう倒叙だったという言い方が、できなくもないところがあるし。

小森　これは倒叙ですかね。

法月　そうとは言い切れないんですけど。ただ、アガサ・クリスティの『アクロイド殺し』とは、明らかに関心が違うというのは、間違いがない。

小森　どういうところが。

法月　ほかの本でもそうだと思うんですが、バークリーで一番力点が置かれているのは、限りなくクロに近い人物がいて、それが果たして本当にやっているのかいないのかを、まわりが詮索するという部分だと思うんですよ。たとえば、有名な犯罪実話があったとして、捕まった奴が有罪になったかどうかとは別に、本当にあいつはやったのかというようなところ。

小森　三浦和義《みうらかずよし》さん[*1]への関心みたいな感じ。

法月　そういうところに力点があって、真犯人は誰かというのは、添え物のサービスにすぎない。

小森　たとえば『第二の銃声』でいうと、それはどこになるんですか。ピンカートン氏は疑われたので、草稿を書き始めたんですよね。

法月　『アクロイド殺し』の手記がなぜ書かれたか分からないという批判に対して、バークリーはある程度なにか考えて、こういうもってまわった構成にしてるということはあるんでしょうけど……。

小森　私は、シェパード医師があれを書いた理由というのは、分からないではないんですよ。だけど、ピンカートン氏が手記を書いた理由は、実はよく分からない。

法月　そうですか。作品の狙いとして言うと、つまり、ピンカートン氏が手記を書いた理由ではなくて、バークリーの狙いとしては、エピローグをどけてしまうと、犯罪をやってもいないのに、まわりのみんなからは、あんたはやっただろう、だけど、あんたはいいことをしたんだから警察には売らないよと思われて、それで困っている男の喜劇ですよね。ある種、そういう

＊1　週刊文春が一九八四年一月二十六日号から始めた一連の「疑惑の銃弾」報道の中心人物。それまで、ロサンゼルスで銃撃され、妻を亡くした悲劇の主人公と認識されていた三浦和義さんが、保険金目当てに自ら仕組んだ殺人の疑いがあると、週刊文春が報じた（のち最高裁で無罪確定）。これを受けて、テレビ（ワイドショー）、雑誌、スポーツ紙などで、連日、三浦さんを犯人視する報道が過熱する一方で、一般紙には記事がまったく出ないという奇妙な状態が、翌年秋の突然の逮捕まで続いた。

色気もあったんじゃないかと思うんですよ。純粋に、手記を書いている一人称の犯人の犯罪心理というのとは別に、やってもいない犯罪をやったことにされて、かつ、まわりのみんなからは感謝され、おまけに良き伴侶まで手に入れてしまう。そこだけ取り出すと、典型的なバークリー調。

小森　そこは面白いんですよ、私も。

法月　ただ、そこが必ずしも活きていないというのが、『第二の銃声』に関して評価がしにくいところなんですね。たとえばニコラス・ブレイクの『野獣死すべし』を持ってくると、『第二の銃声』の不満なところが分かるんですよ。『第二の銃声』だと、ピンカートンは警察に読ませるために、わざと手記を隠します。警察はそれを全部読んでる。ところが、警察がそれを読んだからますます怪しむかというと、最初の報告書ではちらっと出て来るんですけれども、それ以外はあまり捜査の焦点になっていない。それは、やっぱり手落ちだと思うんです。『野獣死すべし』の場合は、最初は罪悪感の捌け口として個人的に書いているものが、途中で、殺意を確定するための道具に変わる瞬間があって、それが、あの作品の一番いいところだと思うんです。それに相当するものが、『第二の銃声』では、うまくいっていないから、さっき言った面白さが相殺されているところがなきにしもあらず。

小森　その意見には与《くみ》したい気がしますね。

法月　ただ、バークリーというのは、裏の裏、裏の裏の裏というのを、やらずにはいられない性分だから。そもそも、その前に殺人芝居をやって、語り手はその段階で、犯人役をやっているわけですよね。犯人役を演じている無実の男を演じている犯人というようなことを際限なくやっている。だから……もう、どっちでもいいじゃないか（笑）というようなところに落ち着いちゃう。ただ、一点救うところがあるとすれば、奥さんになる女の動きが、犯人からは分からなかった、それが最後で明らかになるという点。むしろ、犯人の意外性よりも、彼女についての事実が明らかになることの方が、意外というか、話としてはそこが面白い。というのは、完訳で読んではじめて分かったわけですが（笑）、その点からも、あの犯人でないと収まりがつかない。

小森　これ、犯人を隠さなかったら、どうなるんでしょうね。

法月　いや、だから……これのすぐあとですよね、『殺意』は。

小森　そうですね。

法月　『第二の銃声』は、中途半端で、うまくいかなかったという感じがあったんじゃないかと思うんですよ、やっぱり。技巧さえ巧妙ならば犯人を明かしても大丈夫、面白さは保たれるとは言いつつ、一気にそこまでジャンプする勇気はなかったのか（笑）。フーダニットだということが、商業的にも売りになるし。序文というのは、あとから書いているでしょう、おそらく。だから、必ずしも、うまく書ききれなかったということが、あの序文を書かせたのかもしれない。もちろん、バークリーは自信家ですから、最初に着手したときには、犯人は伏せつつ、殺人者の内面を赤裸々《せきらら》に解剖するというのを、本当は同時にやりたかったんだけれども、そんな神業のようなことはできないっていう反省が、序文になったんじゃないか。

小森　いま、法月さんが言ったことは、謎解きミステリにさえしなければ、のちに、たとえば、パトリシア・ハイスミスが、すごく面白く、それをやってるじゃないですか。殺してもいないのに、殺したとしか思えないような挙動をする人たちとか。あれは、謎解きミステリになってないから、あれだけ面白くなってると思うんですよ。それから、バークリーより前でいうと、ジョゼフ・コンラッドの『西欧人の眼に』にも、そういうところはある。主人公のノンポリのロシア人は、直接人を手にかけるわけではなくて、要人暗殺者を当局に売るんだけど、いたたまれなくなって逃げてきたジュネーヴでは、自分が売った男とふたりして、祖国で圧政に対して爆弾テロを果たした男だと思われてしまう。面白い小説ですよ。これを『第二の銃声』ふうに描くなら、ロシアでの出来事は伏せて、裏切り者は誰かという謎を設えるんでしょう。そういう例を考えると、『第二の銃声』は失敗するべくして失敗したという気がしますが。

法月　そうだと、僕も思います。面白いところはあるけれども、やっぱり、根本的に成り立たないことをやろうとしたという気がしますね。『第二の銃声』のリメイクというとヘンですけども、『殺意』の主人公の性格というか、それは単に、バークリーの癖かもしれないんですが、最初に脇役の女にちょっかいを出して、痛い目にあって、一方、本命の方には、はじめ反感を抱いている。こんな新しいタイプの女なんて、どうのこうのと言いながら、そっちの方にハマっていく。そういう感じが、『第二の銃声』と『殺意』はそっくりですよ。

小森　ああ、なるほど。

法月　『第二の銃声』でも、女主人から、あの娘を面倒みてくれと言われて、別にそんな気はないけれど、言われたからしょうがないなんて言っていたら、陰で笑い者にされる。それで、被害者の妹については、いまどきの新しい女は許しがたいとか言ってるくせに、今度はそっちにハマっていっちゃう。そういうところも、リメイクっぽいんですね。それと、話が少し飛んですが、『毒入りチョコレート事件』以前もやっているかどうか、分からないんですけど、バークリーは、フィニッシング・ストローク[*1]（最後の一撃）を多用するんです。『試行錯誤』は最後の一行ではじめて犯人の名前が分かるし。

小森　あれも、いきなりな結末ですね。

法月　再読したら、こいつが犯人であるという伏線が、わりと丁寧に張ってあるんですけど……。

小森　どういう伏線ですか。

法月　犯人が、なにかといっては、トッドハンター氏のところに来て、お願いだから止めてくださいと言うと、彼は、もう会いたくないとか、話をするとこじれるので会わないことにしたとか言う。最初は気づかなかったんですけど、改めて読み返すと、不自然なんですよね。あと、犯人と母親とのやりとりとかを見ていると、一応、伏線は張ってある。というより、伏線だけ張ってあって、あとは書いてないです。『ジャンピング・ジェニイ』も、最後の一行ものなん

＊1　ミステリにおいて、結末の最後の一行まで意外性の暴露を持ちこたえるテクニック。もっとも有名なのは『フランス白粉の謎』。エラリー・クイーンに同名の長篇小説もある。

ですけど、分かるんですよ、ある時点で。これは、こういうところにしか結末が行かないだろうと。それから「偶然の審判」が、最後に一番キレのいいところを持ってきてますね。これは忘れてたんですけど、『毒入りチョコレート事件』も、犯人は誰それとは書かずに、会員のひとりがいなくなっちゃう。僕は、これ、エラリー・クイーンがパクったと思うんです。『Yの悲劇』のラストで「レーンさんはひどくお疲れのようだ」と検事と警部が言って、いきなり立ち去っちゃうあのエンディングというのは『毒入りチョコレート事件』の応用なんじゃないかと。『Yの悲劇』というのは、ある種、最後の一撃の究極ですよね。犯人は誰それですと書かずに、犯人を指名する。ずっとクイーンの独創だと思ってたんです（笑）。『毒入りチョコレート事件』は、あそこまで劇的ではなくて、トホホな感じに書いてますけど。だから、バークリーは、最後の一行で犯人が分かるというのは、技法上の紋切り型としてあって、その裏をかいてという発想は、おそらくあったと思う。その後の作品で、さらになにか新しいことをやろうとしたら、最後の一行ではなくて、書き出しの一行でびっくりさせようというのは、当然浮かぶんですね。だから『殺意』の書き出しっていうのは、ミステリ史の中で一番ショッキングな書き出しだった。いまだったら当たり前ですけど、ミステリ史で考える、あるいは当時の読者の反響を考えると、最初の一行で驚かせるという意味では、あれに勝るものはない。若島正《わかしまただし》さんが「創元推理」に書いたアイルズ論によると、『殺意』は倒叙ということになってるけれど、あれは普通小説では普通の書き方であると。実際、そうなんですけど、普通小説では、あの最初の一行は来ないと思うんですよ。

小森　そうかな。
法月　そうだと都合がいい（笑）。
小森　いつの普通小説かにもよるのかな。
法月　昔の小説だと、「誰それ殺人を思い立つ」なんて章題が入ってたりしますしね。ただ、バークリーは、あの一行に相当なものを込めていたはずだし、あの書き出しがあるからこそ、かろうじて、ミステリじゃないところには飛んでいかなかったと思うんです。

読みでがある『レディに捧げる殺人物語』

小森　その場合のミステリというのは、謎解き小説ということですか。
法月　謎解き小説とも、ちょっと言い難い。要するに、趣向小説としてのミステリ。『レディに捧げる殺人物語』は「世の中には殺人者を産む女もあれば、殺人者とベッドをともにする女もある……」という書き出しで、最終的には、殺人者の子どもを産むことを拒絶するから殺されるわけですよね。自分が妊娠していて、ジョニーは許せるけど、明らかにジョニーは血筋の生来犯罪者という描き方になってますから、もうひとり、ジョニーの子どもを産んだら……。
小森　そこが、私は、よく分からない。
法月　書き出しの一行で、「殺人者を産む女もあれば」と入れてるのは、結末の伏線だと思いますが。

小森　ジョニーってそうなのかしら。

法月　僕はわりと素直に受け取ったんですよ。アルフレッド・ヒッチコックの『断崖』を観たときに、最後にジョニーは犯罪者ではありませんでしたとなる。

小森　ボーンキラーというものがあるのかということなんですよ。

法月　『断崖』を観ると、実は、夫が殺意を持ってやってたんじゃないんだということが、いきなり最後で明らかになる。ほんとに、すごく取ってつけたようなハッピーエンドで、気持ち悪かったんですよ。もっとも『レディに捧げる殺人物語』という話自体は、そういうエンディングを許容するところがないわけでもないんですが。

小森　いや、私が言いたいのは、ジョニーは犯罪者だし、殺人者だ、それはいいんですよ。だけど、ボーンキラーだとは、とても思えない。アイルズの小説は長いじゃないですか。あの手厚さが、そういう見方を拒否しているとしか思えない。ジョニーの側に立てば、彼女と結婚しなければ、人殺しにならなかったかもしれない。まして、その子どもを生まれる前から殺人者と言えるのかということなんです。

法月　ああ。

小森　たとえば、一番簡単に言うと、ジョニーの浪費に耐える財力と鷹揚《おうよう》さを持っている嫁さんだったら、殺す必要ないでしょう。で、おあつらえむきに死んでくれる彼女と結婚したから、あるいは、おあつらえむきに死んでくれる友人とパブリックスクールで出会ったから（あれもきっと殺してるんでしょうけどね）、殺したのだろうということであって、あの長い物語に描かれたように、殺人者になる道を歩んでいった人間だとは思うけど、殺人者と結婚したという書き方は、必ずしも正確ではないんじゃないかな。確かに、法月さんの言うように、照応するんですけどね。

法月　僕はそれを見込んだ書き出しだと。

小森　バークリーの考え方としては、そうかもしれないですね。

法月　バークリーの作品というよりは、今回、ついでに、リチャード・ハルの『伯母殺人事件』を読んだせいかもしれないですね。具体的には描かれてないけど、あれも、犯人の両親が犯罪性のあるろくでもない死に方をして、その息子を伯母さんが引き取って育てていて、一族の血筋の悪い子にならないようにしたいんだけど、彼はその伯母さんを殺そうとする。バークリーより、もっとストレイトに、悪い血の遺伝で生まれた犯罪者ということになってる。

小森　私は『Yの悲劇』も『伯母殺人事件』も否定はしないんですよ。現に殺人者になったんだから。あるいは、まさに殺人者にならんとした人間だから。でも『レディに捧げる殺人物語』は、単にろくでもない奴の子ども、人殺しが父親の子どもと言ってもいいけど、そういうのにすぎないわけでしょう。それを殺人者を身ごもると言うんでしょうか。私は、リナが彼に殺される、これはよく分かるんですよ。ヒロインがそれに対してなんにもしない。これ、よく分かる。ヒロインがなにもしないことを批判するのは、おかしいと思うんですね。彼女は、あのとき、なんにもできない人間でしょう。でも、それは、そういう組み合わせのカップルとして描かれているんだから。

法月　それこそ、いまのドメスティック・バイオレンスなんか見てると、ものすごく腑《ふ》に落ちる話ではあります。

小森　あれ、なんにもできないのが信じられないっていうのは、その人の想像力を疑うところがあって、ただし、若島正さんは、それが信じられるのは、リナの視点で見ているからと書かれていたけど、私はそんなことはないと思うな。

法月　むしろ、なにもしないのが納得できないというのは、最終的に殺されることを選ぶ引き金になるものとして、子どもの話を持ち出してきたところが、やはり弱かった。それがない方が良かったということじゃないですか。だから、そこらへん、技巧と言っちゃっていいのかどうか、バークリーも自信のないところだったのでは。もうひとつ、そういうところでカヴァーしようとしたのが、ちょっと裏目に出ちゃったのかな。あれは確かになくても……。

小森　確かに、冒頭と照応していて、きれいなんですけどね。という問題もありますね。バークリーがそう考えるのは分かるような気もするけど。そんなふうに考えるのかな、女の人は。私はそうは思えないんだな。どんなにろくでなしの人殺しでも、人を愛せる女の人が、その人を好きでその人の子どもを身ごもったら、男は死んでもいいから子どもは生かしたいと思わないですかね。

法月　この年代でどうかというのは分からないですけど、セックスに関する描写も、もってまわってて、よく分からないところが多々あるじゃないですか。そこらへんも含めて、それで、あのオチなのかな、という。

小森　というのは？

法月　そもそも夫婦生活がうまくいってるのかどうかが、よく分からない。かつ、だいぶ高齢で妊娠してますよね。それが、すごく唐突な感じがするし、更年期障害でおかしくなりましたというようなことだったら（いまはそういうこと言うと良くないらしいけど）、そんなもんかで済むんでしょうけど。妊娠するっていうのは、すごく唐突なんですね。

小森　でも、妊娠したというのは、殺人者を身ごもるという最初の読み筋では、当然の展開ですよね。

法月　妊娠したこと自体が罪悪だという話にはならない。

小森　妊娠は事実なんでしょうね。

法月　あ、それは、ちょっと。

小森　私も、いま思いついたから、ハッキリしないけど。要検討ですか。

法月　だって、妊娠したとしか書いていないから。医者に行ってどうこうってなかったですもん。

小森　想像妊娠？　単に生理が来てないとか。更年期。ありますか、その可能性。

法月　いやあ、だから、バークリーというのは、そういうところを考えさせずにはおかないところがある。そこで終わってるけど、まだ裏があるみたいな。

バークリーはパズラー作家か？

小森　さっきインタビューに入る前の雑談で、クイーンとの関連という話が出て、そこは、ちょっと興味深いので、話していただけますか。

法月　とにかく、僕は最初、クイーンマニアでしたから、この証拠は嘘の証拠か本当の証拠かというのが、『ギリシア棺の謎』のころから問題になってきて、そこらへんから、証拠を偽造するあやつり犯人みたいなものが出て来て、戦後のわけの分からないような小説に繋がっていったという経緯を、ずっと考えていたんです。それは、問題篇があって解決篇があるという形から派生した議論で、そういう形式は、どうしても、どこかに埋めきれない穴が残ってきちゃう。どんなに論理的なものでも、ここに関しては目をつぶらなきゃいけないというところが、どうしても残る。そういうのは、謎解き挑戦小説の宿命みたいなものだろうかというようなことを、考えてたんです。それで、そういう状況というのを、クイーンはすごく悲壮なものとしてとらえていたと思うんですが、バークリーが、そのパズラーの宿命みたいなものをどうとらえていたかというと、基本的に物証とか証言というものは、まったくなにひとつ信頼できないものであるというのが、バークリーの感性ですね。僕は、『毒入りチョコレート事件』では、やはり「偶然の審判」のところが一番いいと思うんですが、シェリンガムは、僕の友人がここでタイプライターを買って、あれは良かったと薦められたので来たんだがみたいな言い方をして、確かにその方が買いに来られましたと証言を得るわけです。すると、そのあとの解決で、シェリンガムが聞き込みで得た証言をひっくり返すときに、そういう聞き方をしたら、商売人というのは、買ってほしいから平気で嘘をつくんだ、まったく悪意はなくても嘘の証言をするんだと否定するところがあって、そこらへんが、すごくキレがいい。そういうのは、いいところなんですが、証明は結局できない。こういう見方もできるし、まったく相反する見方もできるということを示すだけで。そのときに、バークリーがどのくらい意識的にそのことをやってたかというのは、たとえば、クイーンがやってたような方法のように意識的だったかどうかは、分かりません。だけど、似たようなところに直面していたことは確かで、クイーンの場合は、それをシリアスに突き詰めちゃうわけですが、バークリーの場合は、そういう、相矛盾することが並存してしまうこと自体を楽しんでいる。そして、じゃあ真実は？　というときに、バークリーは、ひょっと横っちょから出してくる。

小森　だけど、そういう人って、謎解きミステリを書くのは無理がありませんか。

法月　うーん、どうなんだろう。ただ、「偶然の審判」を書ける人なんですから。おそらく、性格の謎ということを言い出したのは、基本的に、証拠なり証言なりを基にロジックで論証することは無理であると、それができないことを私は証明した、と。そうすると、そうじゃない要素で、犯人を絞っていくしかない。そういう意味にも取れますね、『第二の銃声』の序文は。

小森　しかし、くり返しになるけれど、そういう人には、やっぱり、謎解きミステリは書けないでしょう。

法月　パズラーのアイデアとしては短篇作家だったと思うんですよ、発想というのが。裏の裏で引っ張っていって落とすんだけれども、長篇としては収まりが悪い。
小森　それは『毒入りチョコレート事件』のこと？
法月　ほかの作品も。
小森　ほかの作品というと……。『地下室の殺人』は、今日、まだ言及されてませんが。
法月　あ、これは、またヘンな話で。これも、全体としては、やっぱり、首尾一貫した長篇という感じはあまりしない。
小森　これも、解決は取ってつけたような感じがしますね。
法月　そうですね。ただ、これは、明らかに、取ってつけたように出て来る犯人より、犯人のフリをして出て来る人物の方が興味深い。ただ、そこに主眼を置くと、パズラーでもなんでもない話になってしまう（笑）。
小森　あと、これ、私はインチキだと思うんだけど。ロジャー・シェリンガムの草稿が入るでしょう。で、あれは、小説だと本人が言ってて、つまり、どこまでが本当のことだか分からないんでしょ？
法月　そういう意味では、さっきの性格の謎じゃないけど、ロジャー・シェリンガムが草稿を書くときに、こいつは弱い性格で、状況によっては殺人でも犯しかねないような人物として、設定されている（笑）。
小森　ロジャー・シェリンガムがそう書くのはいいとして、じゃあ、その自分で設定したことを根拠にして、自分で解決してどうするのよ（笑）と、思いますわね。

法月　というところはありますね。アイルズのあとに書いたバークリー名義の小説は、どれも構成がバタバタしていて、取ってつけたようなオチがあって、ふたつ読んだかぎりでは『試行錯誤』も……。

小森　それと何を読んだんですか。

法月　『ジャンピング・ジェニイ』です。『ジャンピング・ジェニイ』というのもヘンな話で、『第二の銃声』の裏返しというか……『試行錯誤』のプロトタイプと言った方がいいのかな、とにかく、シェリンガムは間違った人物を犯人だと思って、彼を庇うために証拠を捏造する。だけど、警察もバカじゃないから、だんだん都合が悪くなっていく。

小森　私はまだ途中までしか読んでないんですが、その前にシェリンガムも疑われますね。

法月　あそこは結構いいんですよ。死体をみんなであっちやったりこっちやったりするパターンってありますよね。『ジャンピング・ジェニイ』は、ひとり有力な容疑者をみんなで庇おうという前提があって、アリバイ調べみたいなことをして、この段階で犯行が行われたんじゃないかという時間帯を絞っていって、その間に、こんなことが起こったことにしよう、あんなことが起こったことにしようと、死体のかわりに、証拠や証言をみんなであっちもっていったりこっちもっていったりするような話なんです。で、最後に取ってつけたようなオチがくるんですけど、明らかにパズラーではないんです。

小森　被害者が死ぬところの描写があるでしょう。あそこは、解決では結局……？

法月　いえ……。『ピカデリーの殺人』なんかもそうでしたが、犯行の決定的瞬間を描いたようなふりをして、真相をどんどん先送りにしていくようなところはありますね。ただ、あの真相は読者が推理することは不可能なんじゃないかな。

小森　私がなぜ気になったかというと、『試行錯誤』のときは、読んでるときに、これは撃ってない可能性があるぞと思ったんです。

法月　あ、そうですか。僕は全然思わなかった、最初読んだときは。

小森　直接そうは書いてないから。ただ、しばらく読んでるうちに、そう考えたことを忘れちゃうんですが。だけど『ジャンピング・ジェニイ』は、そういう可能性はありえないと思ったから。

法月　僕は、もうちょっと先の方で、ロープが太くてどうのこうのというくだりがあって、あそこで、あれっと思って、それで解決を見たら、こういうところかと。僕はもっと手の込んだことをしてるかと思ったし、だいたい、ディクスン・カーが誉めてたらしいんですよ。

小森　『ジャンピング・ジェニイ』を？

法月　ええ。話の筋立てもそうですし、犯行のトリックというほどのものでもないんですが、それがカーが喜びそうだなというものではあるので。もう、すでに『地下室の殺人』にしても『ジャンピング・ジェニイ』にしても、フーダニットではないし、『地下室の殺人』は一応そういう体裁だけど、論理的なパズラーでは一切ないわけですよ。しかも、構成なり、普通のミステリの問題篇―解決篇じゃない構成を、いろいろ試行錯誤してた。

小森　ということは、これは、私の興味のありようなので、法月さんのそれと一致するかどうかは分かりませんが、私の考え方は、だったら、謎解きミステリとして見なくていいじゃないかということになるんですよ。もちろん、アイルズのものは、パズルストーリイとして見る人は、誰もいないだろうし、かえって、だから、アイルズをパズルストーリイとして読みましょうとか、倒叙ミステリとして読みましょうと法月さんが言うのは、それはそれで、そういう意見にちょっとつきあってみたい気はするんですね。

バークリー＝アイルズの長短

法月　ちょっと見つけたものがあったんで、持ってきたんですが、ドロシー・セイヤーズがアンソロジーの序文で書いたもので、『殺意』に関して、倒叙というか新傾向というところで触れているんです。[*1] セイヤーズは「実際、『殺意』は犯行に到る動機と同時に、犯行を暴露していく方法にも面白味や好奇心が集中しているわけで、すでにある程度まで探偵ものという見方もできる。実はこの作品は、R・オースチン・フリーマンが、『第一部』では犯行の過程を、『第二部』では犯人捜査の過程を描くという、四篇のパイオニア的短篇で敷いたレールにそっ

＊1　ここで話題になっている文章は、「犯罪オムニバス第二集・第三集　序」で、翻訳は『推理小説の詩学』に収録されている。

て構想したものである」というふうに書いています。

小森　ホントですかね。

法月　セイヤーズはそうしたかったんでしょうね。乱歩《らんぽ》が「三大倒叙」といって、『殺意』を持ち上げたのも、その流れでしょう。ところが、現在、『殺意』は、モダンな犯罪小説の嚆矢《こうし》であって、オースチン・フリーマン、つまりソーンダイク博士の倒叙とは別物だという意見が支配的なようで、森英俊《もりひでとし》さんなんかも、発表当時、そういうふうなとらえ方はされてなかったという趣旨の文章を書いているんですが。

小森　そういうふうなとらえ方じゃないというのは？

法月　ソーンダイクが引き合いに出されてはいなかったということです。森さんは『世界ミステリ作家事典［本格派篇］』のバークリーの項で、「同書をフリーマンの倒叙探偵小説やクロフツの『クロイドン発十二時三十分』（一九三四）につらなるものと位置づけるのは、誤りで、事実、当時の書評をながめわたしても、その斬新性と衝撃的な内容を賞賛するものこそあれ、フリーマンとの接点を言及しているものはない」と言い切ってますね。ただ、セイヤーズは探偵小説の歴史を整理しているわけですから、これは『殺意』と同じ一九三一年に書かれた序文なんですが、ある程度、ソーンダイクものの構想のレール上に『殺意』を取り込みたかったであろうし、「そのうちにこのふたつのタイプをうまく結びつける公式を誰かが発見するのではあるまいか」なんてことも書いている。『殺意』には、たとえば、村の噂話であの人が怪しいというのが出て来るところとか、主人公の愛人だった女と結婚した、あとで毒を盛られる弁護士が、妻に、おまえはあいつと関係があっただろうと言って、あいつが殺したに違いないという場面が入ってきますよね。つまり、主人公のあずかり知らない場面が。そこで、一瞬、フリーマンのような倒叙になりそうな瞬間があるんですよ。ひょっとしたら、この男が探偵役にまわるんではないかと。それも、すごく悪意のある探偵になる可能性がある。しかも、弁護士の奥さんが探偵の動きのスパイになったりして、そこらへんで、本来言われる意味での倒叙になりそうな瞬間もあるんです。ただ、そこは切り捨てちゃって、むしろ、警察の捜査の方が主眼になってきちゃうんですが……最後に、別のやってない犯罪で有罪になって死刑になるわけですが、それは単純に運命のいたずらみたいなふうに思ってたんですが、警察は分かってて冤罪で捕まえたということはないですかね。そういう描写自体はないので、なんとも言いかねるのですが。

小森　どうでしょう……。

法月　最後に、無罪になった直後に別件で逮捕されるでしょう。こっちでダメならあっちで、と。これが、アイルズ名義じゃなくて、バークリーの名前で出してたら、最後にロジャー・シェリンガムが出て来て「もちろん彼はデニス殺しに関しては無罪だよ、やってはいないけど、妻殺しに関しては有罪だからね」とか言って、罠にかけて、してやったり、みたいなオチがついても全然不思議じゃない。

小森　それは面白い見方だし、同時にバークリーらしいですね。『ジャンピング・ジェニイ』の若島さんの解説にもあるけど、つまり、被害者が悪い奴として出て来るでしょう。それは、さっきのボーンキラーの話題とも通じるものがありますが、被害者にしろ犯人にしろ、つまり、悪い奴は悪い。それは論証抜きでしょう。法月さんは、それは論証できないとバークリーは考えているだろうとおっしゃって、それはそうなんでしょう。ということは、バークリーの犯人というのは論証できない悪い奴ということですか。

法月　論証できない悪い奴という関心とは別に、それこそ『レディに捧げる殺人物語』みたいに、本人はまったく悪意はないけれども、結果的に犯行を行っている人物と、『試行錯誤』で言えば、殺意もあるし犯行の手前までも行った、でも犯行はやっていなくて、犯人のフリをすることに血道をあげる人物。だから、動機と犯行というものが、必ずしも合致しない人物というものに対する関心もあったと思うんですよ。故意と犯行が合致しないというか。たとえば、未必の故意とか殺人未遂とか、そういうところに来ると、論証抜きで悪い奴ということにはならないですよね。

小森　若島さんは殺意は論証できないと書いてましたね。

法月　そういう言い方もできますが、むしろ、殺意はなくて犯行だけして平気な奴と、その裏返しで、やってないのに犯人のフリをする奴というのが対になってる。それは論証抜きで悪であるというより、バークリーの関心は違うところにいってるんじゃないかなと。

小森　私もバークリーの関心が論証抜きの悪にあるとは思わない。ただ、手癖として出て来る。

法月　手癖という話で言うと、『ジャンピング・ジェニイ』で、最初にドクターが殺しますよね。その前に、あのドクターはクリッペンにそっくりだねえと、みんなが言うわけじゃないですか。それで、僕は、その時点、ドクターがなにもしていない時点で、あ、こいつが犯人だと思った。

小森　（爆笑）

法月　バークリーってのは、そういう奴だ（笑）と。そしたら、いきなり、そいつが首吊りに手を貸すので、あれれと思った。一般的な犯罪者論ではなくて、むしろ、バークリーというのは、顔を見てしばらく話をすれば、やったかやらないかは分かるという、根拠のない信仰みたいなものがある。

小森　それはテレビで三浦さんを見て、「これはやってるよ」というのと同じ?

法月　わりと、そういう類のものじゃないかと思う。

小森　さっき、私が言った手癖というのは、『ジャンピング・ジェニイ』の被害者を指してるんですが。

法月　それは、もう、全部一緒だと言ってもいい（笑）。

小森　『試行錯誤』では、そういう被害者を探すわけだけど。

法月　『第二の銃声』もそうですね。『第二の銃声』はフーダニットだから、みんなが動機を持ってる方が、怪しいし、最後に二転三転も自在にできるという要請はあるんですけど……。

小森　私は、そこが古めかしいと思う。そういうもんではないでしょうと思うんですよ、人間は。

法月　いや、それは、だから、これは探偵小説だからというつもりでやっていたのか……。

小森　それは探偵小説だからというつもりでやっていたんではなくて、そう思ってるんじゃないのかなあ。『レディに捧げる殺人物語』は、あれは殺意がどの程度のものか分からないように書いてると思うんですけど、とにかく、悪い奴ですよね。たぶん、アイルズは、悪い奴に生まれついた人間、あるいは悪い家系に生まれついた悪い人間として、彼を描こうとしたと思うんだけど、でも、あの長さの小説を書ききったことで、結果的に、自分の意図を裏切ったのではないかしら。だけど、あれは例外で、ほかの小説を見てると、悪い奴は最初から悪いと決められてるだけで、それで終わっちゃってる。さっき問題になった、プロットないしは謎解きと心理とは、ふたつに分かれるものじゃなくて、相矛盾するものでもないというときに、一番肝心なのは、そこじゃないかと思うんです。人間の心理に謎を設えるとしたら、悪い奴は悪いとか、そういう単純なことではなくなるんじゃないでしょうか。

法月　バークリーで古めかしいと思うのは、そこかもしれないですね。ただ、どうなんだろう。『殺意』で、奥さんが、とにかく旦那を虐《しいた》げるじゃないですか。ずーっと読んでいくと、それは殺されてもしかたがない（笑）というか、旦那の方に肩入れするように書いているから、そう思うのは当然なんですけど、ほかの女に惚れて熱をあげてると、奥さんがすごく冷静に、あの女はあばずれだよと言うところで、殺されてもしかたのない人じゃなくなるんですよね。

小森　なるほど。なるほど。

法月　僕は、そこが、すごく小説として読み応えがあった。ただ、バークリーの狙いとしてはどういうつもりなのか。そのあとに殺そうとする相手というのが、必ずしも殺さなくてもいいような人間で、その段階では、明らかに、ひとり殺したあとで、おかしくなっちゃってるんで、奥さんを殺す手前くらいで、彼は常軌を逸していたんだという布石なのかもしれない。ただ、あそこでは奥さんに肩入れしたくなるんです。

小森 大人の対応をするところ。

法月 そうなんです。

小森 私は、あの奥さんを、殺されて当然だとは思わなかったんですよ。だけど、あの主人公は、それは、奥さんを殺したくなりますよ。

法月 そういう意味で言うと、『ジャンピング・ジェニイ』で、医者が手をかけますよね、あそこは具体的な背景はあまり書いてないんですよ。単に一夜のパーティのあの女の言動を見ているだけでも、説得力がありますよね。

小森 巧いですね。

法月 まわりが、あんな奴は勝手に死ねよって、やりかねないようにもっていくのが。

小森 シェリンガムとふたりでなんてことない会話をして、パーティの輪にもどるなり、言い寄られて困ったたって言う。

バークリーは女のパターンが少ない

法月 一方で、これは昔から言われているから、バークリーも言われたと思うんですけど、実際に殺人を犯したわけでもないのに、なんで人殺しの小説が書けるんだという言い回しがありますね。バークリーの小説には、自分がやってもいないくせに犯人のフリをしたがる奴がよく出て来る。それは、バークリーにとっては、自分が人殺しの小説を書いていることの、一種の自己言及みたいなところがあって、犯人のフリをしたがる奴を説得力を持って書くということと、『殺意』でも『ジャンピング・ジェニイ』でも、犯行に到るまでを読者に感情移入させるように書くということは、同じことなんじゃないか。やってもいないのにやったフリをする犯人と、殺してもいないのに人殺しの小説を書くこととは、パラレルなんじゃないかという気がして。そういう意味でいうと、犯罪実話とかに興味があったりというのは……。

小森　『毒入りチョコレート事件』もモデルになった事件があるんですって?

法月　ええ、だから、生まれつきの殺人者云々ということよりも、自分が殺人者になることもありうるだろうという前提で、すごく通俗的な言い方ですが、読んでいる人たちを犯人になった気にさせるっていうことを、やりたかったんじゃないか。一方で、生まれつき犯罪者傾向があるとか言いたがるわりには、普通の人が犯行に到るまでを、いかに説得力を持たせるかというところに、一番力を入れて書いている気はします。だからこそ、性格の弱さみたいなところが、興味の中心になるんでしょうね。

小森　『殺意』で奥さんをなぜ殺したか。それは、自由になりたいわけですね。だけど、じゃあ、奥さんが、ああいう横柄な人じゃなくて、とてもいい人で、しかし、愛もなく自由になりたいときに、殺すんでしょうかね。

法月　それで思い出したのは、瀬戸《せと》川猛資《がわたけし》さんが『夜明けの睡魔』で『殺意』を取り上げた回があって、どうも、その回を読むと、アイルズ＝バークリーというのは扱いかねたという感じがするんです。わりと当たり前のことが書いてあって、一番のミソはなにかというと、この小説はジェイムズ・サーバーの「虹をつかむ男」に影響を与えてるということなんです。『殺意』の主人公の寝る前の空想癖は「虹をつかむ男」に影響を与えているに違いないと書いている。「虹をつかむ男」というのは、つまり、冒険もののパロディじゃないですか。パロディというか、冒険小説はいかに生まれるかというところ。『殺意』というのも、ある面では、郊外の中流階級の冴えない中年男が、まあ、けっこう浮気とか、いっぱいしてますけど……。

小森　モテるんだよね。

法月　そう、そこが、けっこう不思議なんですが、結果としては、奥さんを殺すという話になるわけで、退屈な日常から踏み出すための、もうちょっと違う時代の男だったら、冒険に出ていた人が、この時代では、奥さんを殺すのが、一番の冒険でしたよという、なんか情けないんですが、そういうところが前段にはけっこうある。だから、奥さんに落ち度がなくても、この人はスリルのために、なんかやってたのかもしれない。

小森　でね、そういうふうな方が、小説として面白そうに感じるじゃないですか。私が『レディに捧げる殺人物語』の方が好きというのは、そういうことなんですよ。奥さんが、なす術もなく殺されるじゃないですか。旦那の方は、この奥さんを殺すのか、奥さんの方は、この旦那に殺されるのか。読者は疑いを持ちながらもそう感じつつ読むんだけど、あの一冊を読むと、彼は殺すし、彼女は殺されるということが納得できるわけじゃないですか。だから面白い。

法月　僕は、『レディに捧げる殺人物語』というのは、こういう小説であるということを、事前に知ってて読んだわけです。あれは、まったく事前の情報なしに読んだときに、結末というのは、最初から見えるものなんですか。

小森　私は正確には結末は知らなかったんですよ。だけど、読んでて、どんな結末になるかという予想はしなかったですね。助かるだろうかとかは考えなかった。倒叙と言われているのは知っていたから、死んで、その後どうなるかというのが、暗黙の前提みたいになっていたのかな。

法月　さっきの「創元推理」の若島さんのアイルズ論が、犯行の前で終わったら探偵ものにならないから、被害者が探偵を兼ねていて、未来の自分が殺される事件の、動機から犯行方法からなにから推理しているわけで、なおかつ、自分が事件の事前の従犯になるとかいうことを言って、もちろん、過去にやってる事件の探偵役も兼ねてるんですが、若島さんは、このような読み方は探偵小説ではごく普通のものである、とりたてて、どうこう言うようなものではないが、というひねくれた書き方をしていて……。

小森　(笑)

法月　そう言われたら、確かにそうなんですけど(笑)、僕は新鮮な感じがして。それもあるんで、アイルズが必ずしも探偵小説的なものを、一切捨てたとは言えないんじゃないかと思ったんです。たとえば、セバスチアン・ジャプリゾの『シンデレラの罠』みたいなコピーをつけようと思えば、つけられるのになあと。「私はこの事件の被害者で探偵で目撃者で共犯者です」と。[*1] ただ、つけちゃうと面白くないかもしれないですね。だから、そういう意味で、技巧的には、いろんなものを取り入れている作品だとは思うんですね。ただ、すごく仕上がりがいいんで、そういうところは後ろに引いて見えちゃうんですけど。

小森　それは技巧倒れになっていないということなんじゃないかしら。

法月　技巧倒れになっていないという点では、僕は『レディに捧げる殺人物語』と、『試行錯誤』はOKなんです。ほんとにうまくいってるのは、この二冊なんじゃないかという気がします。

小森　それは、そうかもしれませんね。私は『試行錯誤』は真犯人さえ分からなければ面白かったのにな。

法月　（笑）僕は、文字通りの話と思ってましたから。

小森　いや、私もそうなんですよ。彼がやっていないというのは、OKなんですよ。ただ、そのあとで、あの人が犯人というのが嫌というか、犯人を決めるのなら、もうちょっと根拠を持ったというか、カッコいい決め方をしてほしかったということです。大事なのは、彼じゃないということなんだから、だったら、誰だか分からなくてもいいじゃないかと思ったんですよ。

＊1　『シンデレラの罠』はショッキングな惹句「私がこれから物語るのは巧妙にしくまれた殺人事件です　私はその事件の探偵です　また証人です　また被害者です　そのうえ犯人なのです　私は四人全部なのです　いったい私は何者でしょう」で有名になった。

法月　そこの真犯人の出し方は、取ってつけたようなバークリー調（笑）。ところが『試行錯誤』というのは、最後に刑務所に入ってからの章が、バークリーにしては珍しく感動巨篇じゃないですか。あの意地の悪い人とは思えない、ほのぼのとしていて、あそこだけは不思議ですね。ほかのは、わりと斜に構えたユーモアだけど、あそこの刑務所に入って以降は、もちろん、話全体を考えれば、底意地の悪い状況ではあるんですけれど、ちょっと抜け方が、ほかのものと違う。すごく素直に書いているなと。それは、エピローグの布石なのかもしれませんけど……。

小森　それは、死刑にさせなかったこととか？

法月　いや、あの章全体に漂っている空気です。ちょっと話がずれちゃうんですけど、基本的にバークリーの本では、女はたいがい嫌な女で、すごく刺々《とげとげ》しい雰囲気になるじゃないですか。ところが『試行錯誤』というのは、女が重要な登場人物として出て来るんですけども、女の人たちは、話の中盤以降は引いちゃって、男たちが集まって話をしてるっていう感じですよね。で、最後に刑務所に入っちゃうと、完全に男たちのクラブみたいになって、女性が排除されてる雰囲気っていうことなのかなあ。最後の看守を殴り倒すところなんか、すごく爽快な感じがして……。

小森　そもそも、被害者も女ばっかりですね。『第二の銃声』くらいですか。そういう意味で、どんどん、邪魔な女がいなくなってるというところはありますね。

法月　バークリーの女性のパターンって、あまり種類がないでしょう。バークリーは女性の描写が巧かったのかヘタだったのかは、判断つかないところがある。『ジャンピング・ジェニイ』

の被害者の女性の描き方なんかは、すごく迫真性があるけど、あとは、おきゃんなおてんば娘、突っ張ってるけど実は乙女ですっていうタイプ、それと、性別を越えた「おばさん」。

小森　若島さんが書いていた「古いタイプの新しい女」という言い方はドンピシャリだったな。

法月　それを書くのはすごく達者なところがある。ただ、逆に言うと、それしかいない。ほかのタイプというのは、あまり得手《えて》ではなかったのかな。

小森　独身でしょ、バークリーは。

法月　いや、結婚してます。

小森　あれ、じゃ離婚してた？

法月　『殺意』が出た年に離婚して、翌年別の女性と再婚しているそうです。夫婦の話がいっぱい出て来るわりには、子どもが全然出て来ないんですよね。

小森　あ、そうですね。

法月　イギリスの、ああいう暮らしをしていると、単に子どもが目に入らなくて、わりと普通のことなのか、それとも、バークリーの盲点のようなところなのかは、分からないですけど。

小森　子どもは、ある程度早い段階で家から出しちゃう場合もありますね。

バークリー＝アイルズの位置

法月　全然関係ないことを思い出したんですけど、『殺意』で文学談義をするところがありますね。僕は創元推理文庫で読んだんですが、グレアム・グリーンがいい作家だというのが出て来て、『殺意』が出たころって、グレアム・グリーンが売れる前ですよね。[*1]

小森　売れない作家って書かれてましたね。

法月　作品リストでは、『スタンブール特急』の前には『内なる私』があって、あと二冊かな、不出来を恥じて絶版というのがあって、そうすると、これ、あとから書き加えたんじゃないか（笑）。ただ、グレアム・グリーンを出たてのころから、それも若書きのころから注目してたとすると……。

小森　あの中で、グレアム・グリーンを誉めたのは誰でしたっけ。確か、ジョージ・オーウェルをくさしてましたね。

法月　『ブライトン・ロック』なんて、アイルズが好きそうですよね。

小森　『ブライトン・ロック』はいつでしたっけ？

法月　もう少しあとですね。『レディに捧げる殺人物語』の最後で、私は死ぬのねとか言って終わる感じと、『ブライトン・ロック』でピンキーが、恋人にプレゼントするレコードにバカな娘だと吹き込んで死んで、彼女がそれをかけようとして終わるところなんて、感じが似てる。あと、これは完全に余談になっちゃうんですが、『第二の銃声』に関して言うと、ひとつ面白いエピソードがあるんです。坂口安吾《さかぐちあんご》が戦時中に犯人当てゲームをしてますよね。で、大井廣介《おおいひろすけ》が回想エッセイに書いてて、[*2]安吾というのは、内部犯行を示す証拠があれば、犯人は外部の奴だとか、女性の犯行を示す証拠があれば、犯人は男だとか、推理というよりも一種の創作で、はずしてばかりいた。ところが、一回だけ当てたことがある。それが『第二の銃声』だったというんです。ちょっと、それは面白いなと思って。

小森 じゃあ、法月さんが古本で手に入れた版で、当ててるのかな。

法月 もし、それで当ててるんだとしたら、どこまで当てたのか、よく分かんないですね。解決篇が三ページぐらいしかないですから（笑）。

小森 男女の共犯だから当てたとか（笑）。

法月 坂口安吾も人間性ということを言うじゃないですか。ただ、そこで言う人間性というのは、やっぱり、こんなしちめんどくさいアリバイトリックは人間性を歪めてるとかいうような類で、安吾が人間性と言うときの人間というのは、よく分からないところがあるんですけど、『第二の銃声』を当てたというのは、もしかしたら、案外似通ったところがあったのかもしれないと。『不連続殺人事件』の共犯の雰囲気は、『第二の銃声』に感じが近いですし。ただ、安吾も消去法みたいなものはあてにならないと、トリックというのは、消去法で消された人物が犯人であることを成立させるためのものだということを言ってますから。それは『不連続殺人

＊1 法月綸太郎がロス・マクドナルドの読者なのは有名だが、グレアム・グリーン好きなのは、あまり知られていない。

＊2 ここで話題になっているのは「犯人あてと坂口安吾」という文章で、創元推理文庫版日本探偵小説全集第十巻『坂口安吾集』に収録されている。

事件』の解答のところで。そこらへんの本格観というのは、バークリーっぽいところがあります。

小森　消去法では犯人は分からないということですか。

法月　要するに、内部の者の犯行を示す証拠があれば、これは真相は外部の犯行だとか、アリバイがあるから犯人だとか、飛躍があるんですけど決めつけちゃう。そこらへんロジックじゃないと思うんですよ、その飛躍というのは。

小森　内部の犯行というのは、たとえば、どういう根拠のときなんですか。

法月　たとえば、誰も出入りしていないとか。昔ですから、証拠とかもプリミティブだから。とにかく、大井廣介のエッセイを読むかぎりでは、全部裏の裏を読む、そして、そうでないとダメだという考え方で……。

小森　逆に、どういう本の犯人をはずしたんでしょうね。

法月　クイーンに対しては、誉めつつも、物証で詰めていくのは創意がないみたいなことを書いていた。『Yの悲劇』で、手を伸ばして触れて、身長がいくらだとかいうようなところはつまらないみたいな言い方をしてたんで、『Yの悲劇』は当たらなくて、くやしかったんじゃないでしょうか（笑）。クイーンふうの解決篇は、あまり得意じゃなかったんだろうなと思います。

小森　安吾はクリスティを誉めているけれど、実はクリスティのどこを誉めてるのか、分からないんですよね。

法月　『シタフォードの謎』を誉めてるはずです。

小森　でも、あれも、スキーでなら早く行けることを読者に知らせてないのはアンフェアだとは書いてる。

法月　ちまちました手がかりがいっぱいあるのは、あんまり得意じゃなさそうな気がします。

小森　最後にうかがっておきたいのですが、黄金期のミステリがあって、バークリーがいて、現代の本格がある。ま、本格かどうかは分からないけど、ミステリがある。それらが一直線なのかどうかも分からないけれど、時代的には、そういう流れになってますね。そう考えたときに、バークリーはどういう位置を占めるとお考えですか。

法月　やっぱり、パズラーとして手放しに持ち上げるのは難しい。僕なんかは、前から思ってますけど、構成に凝るとか、クライム・クラブ[*1]のような作風に行っちゃう流れに置いた方がいいと思います。アイルズだけじゃなくて、バークリーも。

小森　具体的に、クライム・クラブとかそういうあたりで、バークリーに近い匂いを感じるものというのはありますか。

法月　ウィリアム・モールの『ハマースミスのうじ虫』ですね。あれは、構成自体はシンプルなんですけど、法の手を逃れた悪を素人探偵が追い詰めていく話で、バークリーみたいな感じ

＊1　一九五八年から翌年にかけて、東京創元社から刊行された、当時最先端のミステリを集めた叢書。全二十九巻。戦後のミステリの多様性を体現したようなシリーズ。

じゃないですかね。あとは、クライム・クラブじゃないけど、ミッシェル・ルブランの『殺人四重奏』は、いろんな人を踏み台にしてのし上がった女優がいて、彼女がいきなり殺される。それで、その女優の関係者が全員彼女を憎んでいて、みんな自分がやったと言い出す。それこそ『試行錯誤』を、裁判の話を抜いて、横から書いたらこうなるみたいな。典型的な五〇年代フランスサスペンスです。あとは、C・ロバートスンの『殺人の朝』というのを読んで、だいぶ趣《おもむき》は違ったんですが、大富豪がいて、これがやはりみんなに嫌われていて（笑）、その大富豪自身、不治の病の残り少ない命で、なにか企んでいる。ある日、奥さんが愛人とデキているところを押さえて、富豪が拳銃を取り出して、愛人ともみあっているうちに、はずみで撃っちゃう。撃ったんだけど、弾丸は当たらずに、富豪はショックで死んじゃう。それで、心臓発作に見せかけようと、みんなでバタバタ偽装工作をするんですが、そこで第一部が終わる。第二部で警察が来て、調べていくと、そこにテープレコーダーが仕掛けてあって、富豪は妻と愛人の犯行だという証拠を逐一残して、警察につきだそうとしていて、警部がそれを見つける。そうして、ふたりが犯人であることが分かるんだけど、テープが録音してあること自体がおかしいと。それは大富豪がわざとやったことだから、自分たちふたりは無罪ですよと言うと、警察が、違います、被害者は毒を飲まされていましたと言って、第二部が終わる。で、第三部で、誰が毒を盛ったかという話になる。面白いんですけど……その、なぜ、犯人が毒を盛ったのと、大富豪が罠を仕掛けたのが同じ日なのかという説明がないので……。

小森　うひゃー。

法月　そこらへんが、ちょっと。ただ、前半が倒叙、後半がフーダニットというのが、傾向は違いますけど、クリストファー・ランドンの『日時計』の、前半謎解き、後半冒険ものみたいな、組み合わせの洗練を狙っているところが。『試行錯誤』がそうですよね。現代ミステリとの関係でいうと、とくにいまの日本の本格というのは、デウス・エクス・マキナ的なふるまいをする名探偵が、たくさん出て来ているわけでしょう。ジャンルミックスが進んだわりに、パズラーとしては、プレ黄金期に先祖返りしたような雰囲気になっている。そういう中で、シェリンガムという探偵には、あらためていろいろ学ぶべきところが多いんじゃないか。今日はあんまり、そういう話にはなりませんでしたが、たとえば、「名探偵の失敗」というテーマにしても、クイーンみたいなワンパターンでなくて、いろんなバリエーションがありうるんだということを、バークリーは教えてくれますよね。要するに、パズラーの盲点をひとつひとつ洗い出してくれるような、風通しのいい感覚がある。どうしても古めかしいところはあるし、同じ材料を手を変え、品を変えながら、使い回してるって印象も拭い去れないんですが、やっぱり、「なにを書くか」ということより、「いかに書くか」というところで、勝負している作家だったと思うんです。本格、パズラーという形にこだわらないで、探偵小説には、ほかにこういう形もありうるんじゃないかという選択肢を、そのつど発見していくような。そういう可能性の芽だけあって、十分に洗練されてない領域が、バークリーの小説には、まだいっぱい残ってるような気がして。そういうところをシニカルに流さないで、いちいち素朴にオドロキながらつきあっていくと、そこから逆に、現代ミステリの盲点みたいなものも見えてくるんじゃないでしようか。

文庫版への付記

小森氏が「あとがき」に記しているように、このインタビューは『最上階の殺人』の邦訳刊行前に収録されました（読むのが間に合っていたら、同書とスクリューボール・コメディの関係について熱く語っていたはずです）。アイルズ名義の最終作『被告の女性に関しては』とバークリーの探偵小説デビュー作『レイトン・コートの謎』が相次いで訳されたのは、さらにその翌年（二〇〇二年）のことですから、今の目で見るとこのインタビューの内容はいささか物足りなく感じられるかもしれません。

せめて事後報告をしておきましょう。二〇一六年に書いた「晩年のバークリー」（『法月綸太郎ミステリー塾　怒濤編　フェアプレイの向こう側』に収録）、二〇二三年の「ロジャー・シェリンガムは何故おしゃべりなのか？」（創元推理文庫版『レイトン・コートの謎』解説）という二つのエッセイで、あらためてバークリーを論じています。

特に前者では、アイルズ名義の書評とクライム・クラブの関係を再確認してから、都筑道夫の冷淡な態度が戦後のバークリー評価の遅れを招いたのではないか、という仮説を披露しているので、興味のある方はご一読ください。（法月）

石上三登志《いしがみみつとし》——札つきファンのミステリの接し方

石上三登志（いしがみ・みつとし）

一九三九年東京生まれ。明治大学文学部卒業。広告会社でＣＭ製作に携わりながら、映画を中心に、ミステリ、ＳＦ、マンガ、広告など、幅広い分野で評論家として活躍する。雑誌『映画宝庫』『ＦＬＩＸ』の責任編集、翻訳、映画脚本等も手がける。著作に『定本 手塚治虫の世界』『名探偵たちのユートピア』『私の映画史―石上三登志映画論集成』（町田暁雄編）ほか、〈刑事コロンボ〉のノヴェライズもこなした。二〇一二年逝去。

私が「ミステリマガジン」を読み始めたとき、都筑道夫《つづきみちお》さんの『黄色い部屋はいかに改装されたか?』は、連載の終了にさしかかっていた。そして、ほとんど入れ替わるようにして、石上三登志さんの『男たちのための寓話』[*1]が始まった。このふたつの評論が、私のミステリ観に与えた影響は計りしれない。同時に、三十年が経ったいまでも、このふたつの評論は、あまりにユニークであるがゆえに、はなはだしく孤立し、どこにも知己を見出せずにいるように思えてならない。小説家と違い、評論をする人に、さらにその手の内を問うというのは、つまらない行為かもしれないが、石上三登志さんだけには、その発想の根源を直に訊ねるという誘惑に抗することができなかった。(なお、このインタビューでは島田荘司『暗闇坂の人喰いの木』の趣向に触れる部分があります)

*1 「ミステリマガジン」一九七一年十一月号から翌年十月号まで連載されたものに、二本の文章をつけ加えて、一九七五年すばる書房盛光社より刊行。

始まりは映画のノート

小森　私は、七〇年代の初めに、石上さんが「ミステリマガジン」に連載なさってた『男たちのための寓話』や、その前の「紙上封切館」[*1]を愛読していました。ミステリについて論じる、それは石上さんの場合、小説だけではなくて、映画も含まれますが、そういうものを論じる際に、その眼のつけどころというか、書き方も含めて、他の推理小説や映画の評論とは異質な印象を私は持っていました。今日は、そのことを頭の片隅に置きながら、石上さんのミステリに対するつきあい方接し方をおうかがいしたいと思うわけです。それで、一番最初に文章をお書きになったころのことからうかがいたいのですが。

石上　文章を書くのは嫌いじゃない方で、高校時代に新聞部をやってました。同学年で、美術部長が、山野《やまの》辺進《べすすむ》くん。高校は磐城《いわき》高校といって福島県です。疎開先だったんです。そのころに日本語版ＥＱＭＭが出て、もう熱中して、ショートショートなんてのも、そこで知識を得て、新聞部長だったから、勝手にショートショート載っけちゃったり。だけど、そんなものは短いしね。長い文章は、それこそ、大学の卒業論文ぐらいしか書いたことがなかった。うちに残ってる私のノートによると、いろんな小説を書こうとしたり翻訳やろうとしたりしてるけど、みんな中途半端なんです。

小森　そのノートは小さいころから？

石上　ノートというのは、基本は映画なんです。それまで農村のど真ん中にいたのが、小学校の六年のときに町に転校して、映画館というものを見つけて、だんだん映画にのめりこんでいくうちに、記録を取っとかなきゃいけないと思って、大学ノートに書き始めたのが、中学の二年かな。前に観たのまで、全部遡《さかのぼ》って書いて、以来、まったく同じ形式で、いまも書いてます。

小森　そのときは、もう戦争は終わってるんですね。

石上　昭和二十五年くらいかな。だから一九五〇年。一九五〇年という数字は、そのノートに

＊1　「ミステリマガジン」一九七〇年九月号から翌年十月号まで連載。とりあげられた映画は以下の通り。『かわいい女』（ポール・ボガート監督）『マロニエの別れ道』（エリック・ティル監督）『マジック・クリスチャン』（ジョゼフ・マックグラス監督）『続・夜の大捜査線』（ゴードン・ダグラス監督）『Z』（コスタ・ガヴラス監督）『ロールスロイスに銀の銃』（オシー・デイヴィス監督）『シャーロック・ホームズの冒険』（ビリー・ワイルダー監督）『メイド・イン・USA』（ジャン＝リュック・ゴダール監督）『夜の訪問者』（テレンス・ヤング監督）『地球爆破作戦』（ジョゼフ・サージェント監督）『ドッグショー殺人事件』（ロバート・フローリイ監督）『密林の王者』（ブルース・ハンバーストン＆マックス・マーシン監督）『ガラスの墓標』（ピエール・コラルニック監督）『007／ゴールドフィンガー』（ガイ・ハミルトン監督）『ドラキュラ血の味』（ピーター・サスディ監督）。ほぼ毎回、大量の註がつけられていた。

書いてあるから。
小森　以後、半世紀！
石上　しかも、笑っちゃうのは、データしか書いてないんですよ。感想なんか、ひとつも書いてない。
小森　ほう。データというのは、作品名があって、監督名があって……。
石上　そう。中学校の一、二年から、ずーっと、そういう興味でやってるんで、だから、固有名詞に強いんです。とくに、原作者の項にいろんな名前が出て来るわけですよ。すると、もちろん、全然翻訳なんかされてない時代でもあるし、それに、さまざまなジャンルがありますでしょ。だから、中学生のくせに、ハモンド・イネスとか、当時はきちっと訳されてなかったエドガー・ライス・バローズとか、海洋文学のニコラス・モンサラットとかね、みんな知ってた。
小森　原作者として。
石上　そう。だから、それでもって、面白いものというのは、こういう人が書いてるんだなという、自分なりの知識を、相当豊富に手に入れることができていた。その中に翻訳されているものがあれば、すぐに読むし、長じて大学入るときに英文を選んだのは、原書を読めるようになりたかっただけなんですよ。読書ということでは、漫画を卒業して、推理小説のむちゃくちゃなマニアだったんだけど、それ以外のものにも広がっちゃったのは、映画のせいなんです。

エンタテインメントとの出会いのころ

小森　推理小説をお読みになるようになったのは、いつごろからなんですか。
石上　小学校の初期ですね。少年探偵ものというのが、たくさんあるでしょう。
小森　江戸川乱歩《えどがわらんぽ》のもの？
石上　も、ひっくるめて。江戸川乱歩の少年探偵団ものは好きじゃなかったんですよ。むしろ、横溝正史《よこみぞせいし》さんの少年ものとか久米元一《くめげんいち》さんの少年ものとか、わりにハードなきちっとした推理ものが好きだった。
小森　久米元一さんの少年ものというのは？
石上　あのね、いまでも持ってるんですけどね、『古城の怪宝』。きちっとした謎解きミステリで、外国が舞台なんです。
小森　登場人物も外国人なんですか。
石上　英国人。だから、もしかすると翻案ものなのかなという気もするんだけど、久米さんのお書きになる少年ものは、みんなそのタイプでね。
小森　それも戦後ですね。
石上　戦後です。自分の好みみたいなものが小学校のころに分かってきたんで、たまに東京に帰ってきたときには、親戚の家で戦前のハードカヴァーの少年ものなんてのを手に入れて、それが、山中峯太郎《やまなかみねたろう》とかだった。戦争が終わってから、日本の軍事冒険小説を読むというのは、まことに変な話なんだけど。

小森　（笑）石上さんの年齢で、リアルタイムで山中峯太郎を読むということは、ないわけですね。

石上　ありません。だって昭和十四年生まれですから。戦争が終わったときに五歳で、疎開先で学校にあがったわけです。しかも、農村のど真ん中でしょう。本なんか、あるわけがない。それで、小学校六年のときに、小名浜《おなはま》という町中に移って、映画館と本屋への、自分なりの接触が始まるわけです。

小森　小名浜市というところになるんですか。

石上　いまは平《たいら》市までひっくるめて、いわき市になっちゃったんですよ。当時は、福島県石城《いわき》郡小名浜町。この町というのは、漁港で有名なんですけど、気象観測の定点としても知られてます。だから、〝小名浜の東海上何海里に何ミリバールの台風〟なんて言うんです。それで、当時、進駐軍が気象観測も手がけてて、そこに何人かの気象観測兵が駐留してたんです。その中のひとりがノーマン・メイラー。

小森　あら。

石上　確かに数人アメリカ兵がいたのは憶えてるんでね。その中のひとりがノーマン・メイラーだったらしい。メイラーは小名浜での体験は良かったと書いてます。ちょうど『裸者と死者』の推敲中だった。

小森　へえ。それは映画の一場面にでもなりそうな。

石上　ですからね、「奇想天外」[*1]にメチャクチャなフィクションを書いちゃってね。小名浜の映画館で、少年の私とノーマン・メイラーが知りあって、映画の話をするという（笑）。

小森　大人向けの推理小説を読むようになったのは、いつごろからなんでしょうか。

石上　シャーロック・ホームズは、小学生時代にもう読んでいるんだけれども、それは海野十三《うんのじゅうざ》が少年向きに訳した三つなんですね。「まだらの紐」と、あとはなんだっけ、三つあるはずなんですけどね。それを読んで、すごく好きになったんだけど、コナン・ドイルの名が書いてないもんだから、海野十三の書いたものだと思ってた。

小森　（爆笑）

石上　中学になってからかな。新潮文庫にはじめて入ったんですね、延原謙《のぶはらけん》訳のシャーロック・ホームズが。当時、新潮文庫には、まだ推理小説は入ってなかったから、飛びついて読んだのが、大人ものの文章に接した最初じゃないかな。

小森　そこから、最初は欧米のミステリをお読みになるようになったということですか。

＊1　第一期は一九七四年一月号から十月号まで、発行は盛光社（途中から、すばる書房盛光社）。第二期は一九七六年四月号から八一年十月号まで、発行は奇想天外社。第三期は「小説奇想天外」として一九八七年十二月号から一九九〇年五月号まで、発行は大陸書房。話題となっている文章は一九七八年六月号掲載の「ヨミスギ氏の奇怪な冒険④ノーマンとぼく」。

石上　そうです。あとは、「アメージング・ストーリーズ」の日本語版。これは、当時、きちっと買って読んでたから、大人のSFの方の私の入り口です。

小森　それは、どこから出ていたんですか。

石上　誠文堂新光社。ポケットブック型。

小森　それは、本国の「アメージング・ストーリーズ」に載ったものが載るんですか。

石上　そうです。雑誌一冊ぐらいの分量だったのかなあ。これが、また、セレクトが、なんだかよく分からない。ウィリアム・P・マッギヴァーン[*1]の習作があったり、T・S・ストリブリング[*2]のSFが載ってたり。そういうことは、のちに気づくんだけどね。マッギヴァーンのは「星団の侵入者」というタイトルで、鉄腕アトムの中の「火星隊長の巻」と同じストーリイなんですよ。鉄腕アトムの方が先に出てたんだけど。で、しめた！と思って、手塚治虫《てづかおさむ》さんに手紙を書いた。こういうのは盗作になんないのかって（笑）。ご返事をいただきたいばっかりにね（笑）。いまも持ってますよ、返事を。

小森　ちゃんと、いただけた。

石上　「この場合はならないと思います」と書いてあって、でも、「ご指摘ありがとう」とね。自分の原稿のヒゲオヤジのキャラクターを切り取って、ベタッと貼ってある。それと、同じ会社から、「アメージング・ストーリーズ」のほかに、もうひとつ、「マンモスウエスタン」というのが出てたんです。これも買って読んだんだけど、これは、ついていけなかった。西部劇は大好きだったんだけど、感触が違うんですよね、小説と映画とは。

小森　それは、どういうふうに違うんでしょう。私は西部小説は読んだことがないので。
石上　生活描写が基本になってると言ったらいいのかな。
小森　それは、西部の開拓者たちの？
石上　ええ。その辺が、映画を観てるだけじゃ、分からない。しかも、短篇に圧縮しているから、ストーリイ的には面白いと思えない。最近読んでみても、そういう感じがしますよ。
小森　そういう雑誌があったんですね。
石上　いまでも一冊持ってますよ。「アメージング・ストーリーズ」は全部持ってます。
小森　全部というのは、何冊になるんですか。
石上　七冊かな。探偵小説の方は「宝石」がありましたからね。ある程度のガイドを私たちにしてくれたんだけど、それ以外は、まるっきりこういう状態ですから。それで、本屋の店頭に、いきなりこんなものが並んでいたりする。ですから、かろうじて映画の原作として知っているので、ある程度私は分かったけど、普通の人は分からないでしょうね。
小森　映画の原作者として、いろんなことをご存じだったということは、石上さんについて考えるとき、のちのちまで重要なことのような気がしますが。

＊1　アメリカのミステリ作家。『殺人のためのバッジ』『明日に賭ける』などの社会性のある警察小説や犯罪小説で有名。
＊2　アメリカの作家。ポジオリ教授を探偵とする短篇集『カリブ諸島の手がかり』が翻訳されている。

石上　そうでしょうね。結局、私はCMを始めとして、映像の創り手の方になっちゃうんだけど、映画の創り手が、ひとつの本から、どういうエンタテインメントを創るか、つまり、年がら年じゅう原作を探しているわけじゃないですか。そういう発想、立場に、自然と近くなったんじゃないかな。

評論家への足どり

小森　東京にいらしたのは、大学に入ったときなんですか。
石上　そうです。親父は田舎町で化学工場の専属歯科医になってたんですが、私が大学に入学するのと同じ年に定年になって、それで東京に帰ってきちゃおうと。結局、福島には五歳から高校卒業までいたわけですから、半分故郷みたいな気持ちですね。
小森　では、単身東京にいらしたわけではない？
石上　ないです。
小森　東京で大学に入られて、大学時代にミステリクラブにいらしたとかではないんですね。
石上　大学の三年ぐらいのときかな、ワセダミステリクラブができたのを知って、それから慶應のができて、さらに（東京創元社の）戸川安宣《とがわやすのぶ》さんがいた、立教のミステリクラブができた。私は明治ですが、明治にも作りたいと思って、動き回ったことだけは憶えてます。でも、呼べど叫べど、誰も加わってくれない。考えてみれば、明治というのは体育会系、よくて漫研、落研ですからね。明治系のミステリ関係者は中田耕治《なかたこうじ》さんぐらいでね。早稲田は乱歩さんであり、慶應は木々高太郎《きぎたかたろう》さんでありですからね（笑）。それを考えると、やっぱり違うなあと思った。こっちはワンマン・アーミーみたいなもんでしたね。だから「ヒッチコック・マガジン」が創刊されたときに、創刊号に、「ヒッチコック・マガジン」のモニター会を開くから参加してくださいという記事が載って――言ってみればファンクラブなんですけどね――「それ！」というようなもんで、一回目から参加してる。そこに一回目から来てたのが、ワセダミステリクラブの創設者の大塚勘治《おおつかかんじ》さん、のちの仁賀克雄《じんかかつお》さん。それで、気が合っちゃって、映画好きということでも気が合って、じゃあ、俺たちの仲間に入んないかということで、ひきずりこまれちゃった。

小森　仁賀さんは、当時、早稲田の学生さんだったんですか。

石上　学生だったかなあ。学生かOBかぎりぎりのところじゃないかな。私よりちょっと年上ですから。

小森　それで、仁賀さんに誘われる形で、ワセダミステリクラブのOB会に入るわけですか。

石上　そうです。島崎博《しまざきひろし》さん*1を中心としたダベり会ですよね。ワセダミステリクラブの延長線

＊1　一九七五年から七九年にかけて、その膨大なコレクションを駆使して雑誌「幻影城」を世に送り出した。その後、消息を絶っていたが、八〇年代に台湾の「推理雑誌」の編集顧問となり、日本の推理小説を紹介していた。

上で。だから、ワセダミステリクラブの現役も全部そこに来てる。
小森　そのころ、島崎さんは学生だったんですか。
石上　いえ、違います。なんだったかな、職業は。うらやましいぐらい蔵書が豊かで、それを開放してくださいますしね。
小森　それで、この「みすてり」という同人誌にお書きになったのが、奥付で見ると昭和三十七（一九六二）年ですから……。
石上　大学を卒業した翌年です。
小森　この同人誌に書かれたものが、最初の文章ということですね。
石上　そういうことです。デビュー作ですね、早い話が。
小森　これ以前にノートはつけてらしたけど、データであったと。
石上　ただね、未邦訳をペイパーバックで読んだヤツは、もう一度読むのは大変だから、あらすじとか感想を書いてました。読み返すの大変だし、調べるのも大変ですよね。横文字だと。
小森　これをお書きになってから、次に評論を書かれたというのは……。
石上　やはり「みすてり」用のライオネル・ホワイト論で、これ島崎さんになくされちゃった。そのころ、この推理小説研究会[*1]、「みすてり」という雑誌の同人が、乱歩さんの編集した「宝石」で、「ある作家の周囲」という作家論のシリーズを、次から次へと手がけたんです。仁賀さんは、確か横溝正史じゃなかったかな。それから、間羊太郎《はざまようたろう》さんは香山滋《かやましげる》だったかな。それで、あなたもなにかやれって言われたけど、やれったって、（やりたい人については）みんな誰かがやっちゃったじゃない。そんなにたくさん、現役の作家の人たちがいるわけじゃなかったしね。ですから、当時、江戸川乱歩賞を取ったばかりの新章文子《しんしょうふみこ》さんなんかいいんじゃないと言われて、全然、好きも嫌いもへったくれもなく、私は「新章文子論」を書いて、これは島崎さんに「です」調で書いたのを「である」調に変えられたんじゃないかな。とにかく、それが一般誌で活字になった最初です。本名（今村昭《いまむらあきら》）の方です。

小森　あ、そうですか。それでは、石上三登志の名前は、いつから使うようになったんですか。

石上　それとは別に、曾根忠穂《そねただほ》くん、のちの「奇想天外」の編集長ですが、彼と、当時まだ学生だった宮田雪《みやたきよし》という男と、漫画とか映画の話ばっかりしてたんですよ、その同人会で。それ

＊1　「宝石」一九六一年六月号から終刊号まで続いた作家紹介のシリーズ。作家論とインタビューとコラムから成るのが基本パターンだった。取り上げられた作家と作家論の執筆者は以下の通り。六一年六月号水上勉（佐藤俊）、七月号星新一（ヨシダ・ヨシエ）、八月号黒岩重吾（権田萬治）、九月号多岐川恭（ヨシダ・ヨシエ）、十月号佐野洋（河上雄三）、十一月号土屋隆夫（権田萬治）、十二月号鮎川哲也（河田陸村）、六二年一月号江戸川乱歩（中島河太郎）、二月号高木彬光（倉持功）、三月号横溝正史（仁賀克雄）、四月号木々高太郎（権田萬治）、五月号大下宇陀児（大内茂男）、六月号笹沢左保（佐野洋）、七月号島田一男（権田萬治）、八月号山田風太郎（ヨシダ・ヨシエ）、九月号香山滋（間羊太郎）、十月号仁木悦子（須永誠一）、十一月号戸板康二（小村寿）、十二月号樹下太郎（仁賀克雄）、六三年一月号渡辺啓助（権田萬治）、二月号新章文子（今村昭）、三月号結城昌治（島崎博）。

で、おまえら邪魔っけだと、ミステリの話しろと言われた。しろったって、してるじゃないか。広い意味では、私、こういうものも好きだから。つまりサブカルチュアはみんな好きなんだと。それで、私が中心になって、分家を作っちゃって、映画とか漫画を語る「ＯＦＦ」[*1]という同人雑誌を作った。これは家内雑誌みたいなもので、それでもって、人が書かないような映画論を書いているうちに、どうしても投稿したくなった作品があったんで、投稿用に考え出した名前が石上三登志なんです。

小森　その投稿というのは「映画評論」にですか。

石上　「映画評論」です。こんないい映画をなんで認めないのかっていうのがあって、それが、レン・デイトンの『イプクレス・ファイル』です。映画の邦題は『国際諜報局』。そしたら、なんと、一発目で載っかっちゃった。で、二発目（特殊効果論）が載らなくて、三発目（リチャード・レスター論）が載って、四発目（加藤泰《かとうたい》論）が載らなくて、五発目（鈴木清順《すずきせいじゅん》論）が載って、編集部に呼び出された。それで、「映画評論」に書き始めた。だから、ミステリの方の人にとって、私は今村さんなんです。

小森　では、「映画評論」に載るようになってから、映画の仕事が増えたわけですよね。

石上　当然。

小森　ミステリ評論は、しばらくお休みの形になるんですか。

石上　そうですね。

小森　実際、「映画評論」にお書きになるようになってからは、鈴木清順さんのことや……。

石上　ＳＦ映画のことや。

小森　そういうことをお書きになるわけですね。

石上　要するに、まだ市民権を得ていない、しかしすごい可能性のあるものというのを、エンタテインメント映画の中で見つけては、書くのが好きだったから。ただ、ミステリというのは、付かず離れずというか、自分の中では本流みたいにあったことは事実なんです。

小森　それで、一番最初にも言いましたように、私が石上さんのお名前をはじめて拝見するのは、「ミステリマガジン」なんですけれども、「ミステリマガジン」にお書きになったのは、最初は「紙上封切館」ですか。

石上　そうです。

小森　あれはミステリ映画の映画評ということで、始まったんですか。

石上　そうです。ミステリもしくはその近辺ですね。毎月一本ミステリ映画というのは、きついですからね。ＳＦも含めてとか。だから、なんか私の嗜好のようなものをどこかで知った太《おお》

＊1　小林信彦は「ＯＦＦ」についてこう書いている。「『ＯＦＦ』という映画同人誌があって、ときどき送られてくるのだが、ベスト10をやると、そのうち三本が鈴木清順という愉快なリトル・マガジンである。私が『野獣の青春』を、本誌と、もう一つ或る週刊誌でホメた時は、孤立無援もいいところで、さすがのおれも眼力が狂ったかと思ったものだが、意外なところの知己がいるものだ」（岡本喜八の「殺人狂時代」はなぜ上映されないか）

田《た》（博《ひろし》）さんに頼まれたんだと思いますが。

小森　このインタビューシリーズの第一回目で、太田さん、つまり各務三郎《かがみさぶろう》さんに、そのころ二十代の書き手をどうやって見つけたのかうかがったんですが、全然、憶えてらっしゃらなくて（笑）。

石上　（笑）憶えてない？　こっちも、あんまり憶えてない。ただ、そのころ、ようやく、「映画評論」だけでなく、「キネマ旬報」に書くようになってたんです。「映画評論」というのは、いい雑誌なんだけど、まちがいなくマイナーで、「映画の友」とか、業界誌的な「キネマ旬報」の方が、当時は一般的には認知されていた。ちょうどそういう若手というのが二、三人おりましてね。それが山田宏一《やまだこういち》、渡辺武信《わたなべたけのぶ》、小野耕世《おのこうせい》。このあたりが積極的に書き始めたんで、「キネマ旬報」だと白井佳夫《しらいよしお》さんが編集長の時代なんだけど、ものすごく変わっていったんです。ですから、ほぼ同じころ、「ミステリマガジン」でも、そういう時代が来てたんじゃないですか。それを太田さんが、白井さんと同じような感覚で、触手を伸ばしたんじゃないかな。

小森　「キネマ旬報」に最初にお書きになったのは、いつなんですか。

石上　正確には憶えてない。

小森　なにをお書きになったかは……。

石上　テレビの怪談シリーズ。[*1]日本怪談劇場というのがあって、そのシリーズの評を二回ぐらい一ページで書いて、それから……なんだったかな。「映画評論」の方で最初に頼まれたもの、つまり試写を観て書いてくれと頼まれたのは、ハッキリ憶えてるんです。それは『ミクロの決死圏』[*2]。モロに「私」的であって……。

小森　ということは、「キネ旬」の方は、必ずしも石上さん的な題材ではなかった？

石上　そういうことはないです。だいたいは、私、自分の好きなものじゃないと書かなくて、それは、本業がある人間の特権でね。自分の職業を持ってるから、効率悪くてもできるんですよね。だから、テレビでやってる未公開の映画やＴＶムービーを論じるとか、そういうことは、さんざっぱらやってきました。あんなもの、効率悪いもいいところでね。

小森　フルタイムの評論家になろうとお考えになったことはないんですか。

石上　ないですね。幸いなことに、仕事がクリエイティヴな仕事で、言ってみれば、スケールは違うけど、ヒット作を作るような仕事ですよね、コマーシャルの仕事というのは。だから、外部の知識とか人脈を取り入れながら、こっち側がそっちの方にも参加していくという往復運動が好きだったんですよ。どっちか一方じゃなくて。それで、さまざまな意味で得をしたということは言えると思う。

小森　ＣＭの方でも、創作意欲が満足させられたということですか。

石上　結局、紆余曲折《うよきょくせつ》あって、電通に入ったあたりが、ちょうど、そのころなんですね。一九

＊1　「怪談牡丹燈籠」評を「キネマ旬報」一九七〇年八月下旬号に、「怪談皿屋敷」評を同十月下旬号に、それぞれ書いている。ともに東京12チャンネル（現在のテレビ東京）で放映されたもの。

＊2　「映画評論」一九六六年十一月号。ただし十月号に「吸血鬼と現代」を発表している。

六七、八年。自分の本業の方も面白いし、そこで私なりにできる部分も見つけられた。

小森　私は石上さんのお名前を記憶した前後に、本業ではレナウンのCMを作った人だというふうに知ったのですが、レナウンのCMは電通に入ってからですか。

石上　そうです。電通です。それまでは、なにやったらいいのか分からないまま、CMプロダクションでかけずりまわってたというところで、いまにして思うとですね、そのときの絶好の逃避郷がミステリだったんです。時代的に言うと007が翻訳されだしたころ。

小森　そのころから、翻訳ものが多かったわけですね。

石上　圧倒的に多いですね。それは、いまでもそうじゃないですかね。

小森　映画もそうだったんですか。

石上　映画もそうですけども、日本映画ものすごく好きで……。ただ、ほかのみなさんの言うような、あるいは、ほかの批評観にあるような意味での日本の名作映画というのは、重くてちっとも面白くなくて、私なりに楽しんで観ている部分に、もっと宝庫があるのになと。それは、どっちかと言うと、知識人にはバカにされているような通俗エンタテインメントです。そっちの方に興味を持っていて、結果としては、わりと先駆的に清順さんとか三隅研次《みすみけんじ》とかについて書けた。

小森　そういう、日本のプログラムピクチュアと言うんでしょうか、そういうのは、小さなころからずっとご覧になってたんですか。

石上　そうです。当時は、小名浜のような小さな町の映画館、それでも五つか六つあったんですが、そういうところでは、洋画と邦画で二本立てもやるんですよ。それに短篇漫画を一本とかね。だから、いやでも観ざるをえない。そうすると、みんながいいと言うのより、こっちの方が面白いんじゃないかというのがいっぱいありましてね。大映のホラー系の映画とか。双葉《ふたば》十三郎《じゅうざぶろう》先生に言わせると、大映のやってることは、ユニヴァーサルと同じだって。怪奇とか恐怖とかミステリとか。しかし、それが一番、私には面白くて。『七つの顔』などの多羅尾《たらお》伴内《ばんない》シリーズとか、『鉄の爪』『幽霊列車』なんていうミステリ系。あるいは怪奇系。いまでも好きですけどね。そりゃ、荒唐無稽なところはあるけれど。

小森　そういうのは、いまは観られないんですか。

石上　いや、パイオニアから全部ＬＤで出ましたよ。怪獣もののオマケみたいにして、そういう先駆的なミステリやＳＦＸものを、出したことは出したんですよ。私が絶対出せと言ったのは『幽霊列車』と『鉄の爪』で、あとは『ブルーバ』という和製ターザンものとかね。

小森　それは、ターザンを日本人がやってるんですか。

石上　南洋一郎《みなみよういちろう》さんの原作が、ちゃんとあるんですよ。ただ、映画はワイズミュラーものの模倣だから、役者も模倣してて、当時、日本の水泳界のエースで古橋《ふるはし》、橋爪《はしづめ》、浜口《はまぐち》といて、その浜口喜博《よしひろ》さんがブルーバをやってる。

石上ヒーロー論の背景

小森　「ミステリマガジン」のころの話に戻るんですけど、「紙上封切館」を、今回まとめて読んだんですが、『男たちのための寓話』がそのあとにすぐ続いていて、『男たちのための寓話』の助走というか、ものの見方のベースは同じだと感じたのですが。

石上　行き当たりばったりに書いてた気がするんですがね。とくに、私は註をつけるのが好きだから、そっちに凝って（笑）。

小森　「紙上封切館」でも、映画をヒーロー論として見るというのが多かったと思うんです。

石上　それは、最初からの、私の興味の基本みたいなもので、カッコ良く言うと、私自身の生き方の手本こそが、エンタテインメントのヒーローと思い込んでいたから。

小森　そこのところが、今日おうかがいしたいことのひとつでもあるんですが、そういうふうに、エンタテインメントをお読みになってたんですか。

石上　知らず知らずに、そうなってきつつあったのが、高校ぐらい。

小森　なるほど。もちろん、『男たちのための寓話』をお書きになることで、改めて気づくというようなことがあったとは思うのですが……。

石上　それはありましたね。……誰でもそうだと思いますけれども、子どものころというのは、ヒーローを求めるものですよね。架空でもいいから、そういうヒーロー体験をして、大人になるための助走みたいなことをしていたはずなんだけれども、決定的にこれだということにぶつかる瞬間というのがあるんですね。それが私の場合には、ジョン・フォードの『駅馬車』だった。こういうヒーローにこそ自分はなりたいんだなというのが、すごくハッキリ分かっちゃった。そこからあと、なんでそうなんだろうということを考えながら、何度も何度も観てきた。このことに関しては、「キネマ旬報」に連載して、まだ本になってないんですが、「僕は駅馬車にのった」[*1]という連載ものを書いていて、これは、子どものときからの体験を年に一作ずつ抽出して、どういうものに自分はのめりこんでいたかということを、順番に論じていったんです。西部劇群から始まって、『駅馬車』のヒーロー、最後の方は『2001年宇宙の旅』のヒーロー論となってしまう。それと「ミステリマガジン」のと、どっちが先かはちょっと憶えてないですけど、そういう自分のたどってきた耽溺史みたいなものを、自分なりに解釈するシリーズと、それが具体的に単品の作業になっている「紙上封切館」とが呼応するんじゃないですかね。それで『男たちのための寓話』になっていく。

小森　さっきのお話では、大学をお出になって仕事を始めたころは、ミステリが恰好の逃避の場になっていたということですが、『男たちのための寓話』にも、何度も逃避という言葉が出て来ます。ミステリはやはり逃避でしたか。

石上　いまにして思うと、映画もそうですね。ところが、当時そんなふうに思っているかとい

＊1　「キネマ旬報」一九七三年四月下旬号より七五年二月下旬号まで連載。

うと、全然そんなことはないんですね。ただ、のちのち考えてみると、やはり逃避。現実の方が家庭環境という意味で良くなかったから。私の家庭環境というのは、分かりやすく言ってしまえば、自分がヒーローになる、つまり大人になるその指針を、ちっとも作ってくれないようなそんな家庭だったから。

小森 そこは、もうちょっとうかがってもよろしいですか。

石上 要するに、いまだに私は自分の実の母親というのを知らないんですよ。六十過ぎても。そのころは、こっちも幼かったせいもあるけど、分からないなりに、なんか、この家は変だなと、この家庭にはあまりいたくないと。しかも、男の子にとって、父親というのは、それなりに道標になりますよね。それが、どうにも道標になってくれないような親父なんで。

小森 道標になってくれないというと？

石上 生活的にヤワで、男らしさみたいなものの全然ない人でね。

小森 あまり、子どもに接する方ではなかった？

石上 私に対してはないですね。趣味といえば、俳句作るぐらいしかなくて。たとえば、私の読んだものについての会話ができるような人でもないし、どっちかって言うと、文壇系にあこがれているようなタイプの、まあ、インテリではあったんですけどね。で、子どもとして、大人を知りたい教わりたい、自分の生き方の指針が欲しいというときに、もう、外にはいっぱいあるじゃないかとね。映画に行けば行くほど、そこにある。小説読むのもそうなんですよね。つまり、教師なんです。

小森　非常にカッコいいお手本がある。

石上　だから、家にいるよりは映画館、貸し本屋駈けずりまわって本を借りる。それについての会話は誰ともできない。だから、結果としては、完全に逃避してたんだと思うんだけど、逃避先が良かったんでしょうね、きっと。

小森　(笑)

石上　先生がたくさんいたという意味でね。

小森　それを逃避だったと気づいたのは、『男たちのための寓話』を書いたことでですか。

石上　いや、その前からです。なぜかと言うと、たとえば五〇年代あたりまでは、逃避先の学校の先生ども、つまりヒーローたちは、みんな毅然としてたんですよ。戦争負けたくせに。あるいは勝ったから。ところが六〇年代あたりになってから、(エンタテインメントの中で)あんまりいい先生がいなくなった。とくにアメリカあたりでね。なんか、ひねくれたものが多くなっちゃって。いったい、これはどうしたんだろうねというのがあって、これが一番最初なんです、自分があこがれていたヒーローの弱体化というのが気になった。これは、ほかに書くところがなかったので、「コマーシャル・フォト」という業界誌に連載したんですよ、アメリカ論を。[*1]私の基本のひとつが西部劇ですから、広い意味でのアメリカ型のヒーローにあこがれて

＊1　「コマーシャル・フォト」一九七〇年六月号から七二年二月号まで連載された「くずひろいアメリカ文化論」。大部分は『キング・コングは死んだ』に収録された。

た。それが、あこがれの対象ではなくなってきちゃったんで、面白くねえぞってんで、勝手に自己分析して、アメリカをクソミソに書き始めた。ところが、それを書いてるうちに、こっちがガタガタになりましてね。自分の方がよっぽどガタガタじゃねえかということに気がついたんで。それを、じゃあヒーローとしてはどうなんだということで、その次に『男たちのための寓話』を書いた。

小森　『男たちのための寓話』で斬新だったのは、チャップリンのコメディやホラーもヒーローの物語として読む、あるいはSFですね。それと、いま出て来た六〇年代のヒーローの延長で言うと、『わらの犬』などのアンチヒーローのところ。そういう考えというのは、いつごろから、形づくられたものなんですか。

石上　私の個人的な生き方です。カッコ良く言えば、家庭環境からの脱却を試みる。こんな環境にいれば、身も心もズタズタになる。具体的に言えば、その被害者というのは下の弟なんです。下の弟と私とは、本当を言えば、母親が違っているらしいけど、そのときは知らなかった。だから当時は、彼女はすげえ女だけど、母親っていうのにはいろんなタイプがあるんだなと思ってた。でも、この女と対決して、ひとりだちなんて、とてもできないんじゃないか、弟みたいになるんじゃないかと思ってた。それで、なんでこういうことになっちゃうのという疑問から、フロイトを読み始めた。

小森　それはいつごろお読みになったんですか。

石上　……えーっと……「キネマ旬報」にデビューする直前。「映画評論」の時代です。

小森　お母様がすごいというのは、どういう意味ですごかったんですか。
石上　怖い。
小森　怖い？
石上　当時、時々夢の中に出て来て、天井の隙間からジーッとこっちを見ているの。怖いですよ。で、親父さんがヤワなもんですからね、そんなお袋の方がすべて仕切っちゃったりする。そういう関係って、ありますからね、現実には。だけど、それにしちゃ変だなっていう気持ちがだんだん強くなってきた。私はそんなことを自覚する普通の人間なんだけれども、向こうはどうも私にとってはそうじゃないみたいだ。それが証拠に、下の弟をぐちゃぐちゃにしちゃった。もうちょっとハッキリ言うと精神分裂にしちゃった。それで、同じ血族にいる私も、ちょっとでも弱いと、同じようになるんじゃないかと思いだした。それに対する理論武装というか、そのための手立てがほかにあるんじゃないかと思いながら、フロイトを読んでいると、ビンビン分かるものがある。だから、あのころはフロイティズムを、やたら使ってたはずです。いまは、ほとんどやりませんけど。とくに、ロス・マクドナルドは、知らなくても読めるかもしれないけど、フロイトを知ってた方が、よっぽど面白いんですね。
小森　フロイトをお読みになったのが、「映画評論」の時代ということなんですけれど、大学のころ英文科で、向こうの文芸評論なんかをお読みになったということはなかったんですか。
石上　ないです。ペイパーバックの小説が山のように転がってた時代ですからね。それを買ってきちゃあ、分かりもしないのに、次から次に読んでた。

小森　評論のお手本というのはなかった？　内外を問わず。

石上　ないですね。小林秀雄《こばやしひでお》さんかな。批評というのは、他人の作品を通して己を語ると言ったという、そのことを知ったくらいですかね。

小森　（笑）実際、まさに、そのとおりだったわけですね。

石上　自分の弱点を知る、ほかの身近な人間の弱みとか強みとか、その長所短所の関係の基本というのはなんなのか。そういうことを知りたいがために（フロイトを）読んでいた。いろんな人間がいて、みんな違うんだけど、なにか共通したものがないと、人とうまく波長が合わない、合わせられないという気持ちになっていたからです。その前提として、私の家庭環境があったから。

小森　フロイトを読んだのは、石上さんにとって良かったことですか。

石上　良かったですね。あれがなかったら、どうなっていたかという部分が、たくさんありますもの。

小森　それはご家庭のことで？

石上　そうです。自分の家庭を作るときにね。

小森　それは良かったですね。

石上　会社に勤めててもね、お前どこか悪いのかってよく言われたことがありましたもんね。大事なときになると、相手とのコミュニケイションの取り方が分からなくなっちゃってたんですよ。そういうことが、自分なりに分かってきたのが、学校と称した逃避郷の中で学んだこと、それは要するに、こうありたいという「私」像であって、現実の中では、でもダメな私であって、それとこれとを現実で折り合いをつけるときに、一体どうすればいいかということですね。同時に、私は少しでも理想に近づいていきたいわけで。フロイトはその役にたってくれたとしか言いようがない。それと、ひとつ忘れてたことがあって、子どものときから、私は謎というのが大好きだったんですね。謎を解くというのが大好きなんです。これも、よくよく考えてみれば、私の生い立ちないしは家庭環境というのが謎で、それはいくら解こうとしても分からないものだから、西部劇みたいな単純明快なものではなくて、複雑な状況の中で謎を解いていくことで、代償体験をして楽しがってた。だから、乱歩の少年探偵団ものみたいに、謎解きとは無縁で子どもが騒いでるのは嫌いだった。論理の小説が子どものころから好きだった。その部分が少ないから、日本の推理小説はかなり読んだんですけど、あまり役にはたってくれなかった。そういう意味で、ヒーロー論的に、ものすごく好きで、勉強させてもらったのは、横溝正史先生のもの。なぜかというと、日本的な家庭のドロドロしたものを、論理でもって破っていく話だからね。

石上的「横溝正史の世界」

小森　ちょうど、そこのお話をうかがおうと思っていました。「幻影城」にお書きになった評論「家にはなぜ顔があるか」[*1]です。そこで、横溝正史とロス・マクドナルドが並んでいるのが、ほかでは読めないぞと、私は思ったのですが……。石上さんがおっしゃるタテ型の動機。殺人に到るまでに過去がある。何代もの過去がある。何代も降り積もってきたものがあって事件が起こり、それを論理で解明する。その点で、そこにロス・マクドナルドが並ぶというのは、いま読んでも斬新だと思うのですが、欧米の作家でも、そういう人は珍しいということなんでしょうか。

石上 ないんじゃないでしょうか。あるとすれば、ロバート・ブロックのように病症の方から描いていくのはあるでしょうけどね。つまり、ヒーローのいない小説には、たくさんあるような気がしますけれどね。それと、そのドロドロした関係の謎にヒーローがぶつかって、ヒーローの勝利で終わるという形でこっちにうったえかけてくるようなものは、ないと思いますね。

小森 最近の作家では、ロバート・ゴダードも、ヒーローのいない形で、リュウ・アーチャーがいてくれたら、どこかでなんとかなっただろうにと思うことがあります。

石上 そんなによく読んでるわけじゃないですが、でも、あれば読んでますよ、きっと。カトリーヌ・アルレーみたいに、主人公の負けみたいな形はあってもね。

それに、確か、ロス・マクが自分でも言ってましたよね。フロイトが解明したものを神話の世界に戻すんだと。まさに、そうだと思う。その行為がなかったら、単にフロイトの解説を書いてるみたいなもんだから。とくに、ロス・マクの場合、自分自身もそもそもは精神的にヤバいタイプだったでしょ？

小森 そうみたいですね。

石上　奥さんのマーガレット・ミラーが犯罪小説の方に行って、ロス・マクがヒーローものに行ったというのは、すごくよく分かる。夫婦関係としてね。

小森　（笑）やっぱり、アーチャーの存在というのが大きいですね。

石上　そうですね。だけど、そういうアーチャーが嫌いというハードボイルドファンは、結構いる。ハードボイルドファンにかぎってそういう人がいる。それは分かるんだけど。

小森　そういう点では、ここ三十年、受容の仕方はあまり変わっていない。

石上　それから、横溝正史を嫌いなミステリファンというのもいますね。ああいうドロドロしたのが嫌いだという。瀬戸川《せとがわ》（猛資《たけし》）がそうだったから。

小森　そうなんですか！

石上　だから、それは素晴らしいことだと言った。あなたの場合には、自分自身の環境にドロドロとかがないからと。……そうしたらムッとしてた。

小森　（笑）それはしますよ。

石上　だから、逆に、瀬戸川が面白がってたコリン・デクスターなんてのは、私はちっとも面白くなくてね。ちなみに、瀬戸川君が学生のころ、やたら私の家に来て、こういう話をしてたんです。横溝正史云々の話は、そのころのことですよ。

小森　横溝正史は結局なにを一番買われますか。

＊1　「別冊幻影城」一九七六年十一月号

石上　『獄門島』です。
小森　やっぱりそうですか。
石上　時が経つにしたがって、あれが一番だという気になりますね。「日本」論になってるんじゃないかな。
小森　横溝正史はいつごろお読みになったんですか。
石上　遅いんです。これには理由がありまして。中学のころにやたら映画を観にいってて、とくに、マイナーな通俗的な映画ばかり観ていたと言いましたけど、当時、〝多羅尾伴内〟のシリーズと同時に（片岡《かたおか》）千恵蔵《ちえぞう》さんが金田一もので『本陣殺人事件』の映画化『三本指の男』をやった。怖いんですよ。予告篇だけでも。
小森　（笑）
石上　怪奇映画、怪談だけは、当時私はパスだったんです。
小森　へえ。
石上　全部パス。怖いから。たまたま観たのが『白鷺』（泉鏡花《いずみきようか》もの）という日本映画と『フランケンシュタインの幽霊』で、こういうものには二度と行かないと。そういう雰囲気が、予告篇にもあるんですよ、『三本指の男』には。『獄門島』は前後篇なんで、それを一本にしたやつを当時観て、これはちょっと活劇調なんですが、でも雰囲気的には怖い映画だと。
小森　その映画は嘉衛門《かえもん》さんが生きてるんですって？
石上　そうそう。あれはあれで、すごいヴィジュアル・スペクタクルでね。

小森　そうなんですか。

石上　天井裏で生活してたんだもの。それが隠し階段とともに降りてくるんだもの。またそれで、ほかのも観ようかなという気はあったんだけど、『三つ首塔』の予告篇かなんかが、また怖くて。どうも、横溝正史のは怖いようだ。子どものころに読んだものは怖くなかったけど、大人向けのは、どうも怖いようだ。子ども向けのには『幽霊鉄仮面』なんてあったんだけど、幽霊とか鉄仮面てのは怖くないんですね、子どもは。ところが、三本指とか三つ首というのは怖いんですよ。肉体的に影響するんじゃないかという怖さだと思うんですけどね。切られちゃうんじゃないかというね。

小森　そういう幼児体験があって、それを克服して（笑）、横溝正史を読むようになったのは、いつごろなんですか。

石上　遅いです。ポケミス以前のブラック選書とかで、向こうの探偵小説を次々に読んで、こういうものを探偵小説というんだ、怖くないんだと分かって、じゃあもしかしたら横溝さんのも、映画ではああやってるけれど、小説は怖くないんじゃないかという気持ちで読み始めたのが、高校の初期ぐらいですか。でも、外国ものに比べると、やっぱり怖いんですよね（笑）。

小森　それは戦後のものですよね。

石上　（うなずいて）順番はめちゃくちゃですけど。でも、『悪魔の手毬唄』のときは完全なファンになっていて、私、連載というのは、絶対そのときには読まないんですが、完結したあかつきに、それまでの「宝石」を積み上げて、一気に読んだという記憶がすごく鮮やかですね。

楽しかった。

小森　『悪魔の手毬唄』はリアルタイムになるわけですか。

石上　やっと。『獄門島』はね、講談社のロマンブックスという新書版で読んだから、ずいぶんあとですね。

小森　そのころ、当然、高木《たかぎ》彬光《あきみつ》、坂口安吾《さかぐちあんご》は出ていたわけですよね、そういうのは……。

石上　もちろん読みました、同じころに全部。やっぱり欧米のものと比べて、胴体だけの死体がころがってるなんて、怖いことは怖いなという。日本的なるものというのは、こうなんだなと。

小森　横溝正史に限らず？

石上　死体に関する、ないしは被害者に関する描写というのは、生々しいですよ、日本のものというのは。欧米のものというのは、ディクスン・カーですら、そんなにはないですからね。そういう描写は。クイーンの『エジプト十字架の謎』だって、そんな生々しい描写じゃないですね。これは風土的な雰囲気づくりに関係するんでしょうかね。

小森　それに、日本で謎解きものを書く人は、多かれ少なかれ、横溝さんを手本にしてますもんね。

石上　そうでしょうね。

小森　横溝さんの場合は体質だと思うんですけど。で、横溝作品を見るときに、殺人に到るまでに長い時間と紆余曲折がある。そこに着目されたのは、たいへん重要なことのように思うんです。たとえば、松本清張《まつもとせいちょう》が出て、社会派が現れたときに、殺人や事件の動機を重視すると、ご本人もおっしゃったし、読む人たちもそういうふうにとらえたと思うんですね。それで、いま現在、日本で謎解きものを書こうという人たちの多くは、公言するしないは別にして、社会派を目の仇《かたき》にしている。社会派が日本の推理小説をつまらなくしたと。少なくとも、心の底ではそう考えていると思います。ところが、石上さんが横溝正史論で指摘したのは、殺人に到るまでの紆余曲折を一番書いたのは横溝正史だということだった。そこが、私には興味深かったんですね。殺人や事件には必ず動機があって、その動機を重視するときに、横溝正史が出て来て、社会派が出て来ない。欧米でいうと、謎解きものが出て来なくて、ロス・マクドナルドが出て来る。そういうふうに、発想されることは、あまりないことのように思うんです。

石上　そうでしょうね。私は松本清張は嫌いじゃないんです。だけど、松本清張と横溝正史のなにが違うかというと、松本さんの小説にはヒーローがいないし、興味も持っていないということですね。その結果、どういう反応が読者側に起こるかというと、とにかくスッキリしないんですね。少なくとも、私みたいな読者は。ただし、現実はこうなんだよということを、家庭から国家に到るまでああいう風に書かれると、うん、そうなんだよねと、分かっちゃう快感というのはあるんじゃないかな。ただ、その家庭や国家の欠点を打破しようとするときに困って、おおむね、自分には関係のないままに、結局、この国はこうなんだよねで、終わってしまう。黒澤《くろさわ》（明《あきら》）さんが『悪い奴ほどよく眠る』で、あれだけのヒーローを作っときながら殺させちゃった。ああいうことですよね。だから、社会派に功罪の罪があるとしたら、そのへんにすぎないんじゃないかな。

小森 いまの文脈で言うと、社会派の問題で大きいのは、動機を重視云々よりも、ヒーローを作らなかったということだと。それが大きな問題だということですね。

石上 それは大きな問題じゃないですかね。

小森 ちょっと観念的というか仮定の議論になりますが、社会派が社会派らしい名探偵を持てなかった。それは、なぜなんでしょうね。

石上 ひとつには国と日本的な家庭のありよう。村八分しちゃうような、単位としての家庭。それの集積としての組織。会社もひっくるめてね。あるいは国家。その一番の根っこのところに、天皇がいる。結局、そこが誰も打ち破ることのできない聖域ですよね。そういうものがベースになっていると、理性的な意味でのたとえば企業の物語なんか書けないと思う。だから、謎解きものは、ある種ファンタジーになってしまう。あるいは古い世界と新しい世界の相克中心になってくる。それが横溝さんじゃないのかなという気はします。

ボガートの作ったイメージ

小森 それから、石上さんは共著の『大衆小説の世界』[*1]で、ミステリの部分をお書きになってます。それは、まずポーがいる。そして、ポーのあと、ドイルが出て、黄金期の謎解きものが出て、パズル化していったときに、ポーだけを別扱いにしてらした。それは、ポーが自身の中に非合理的なものを持っていて、それを解決する欲求が、ポーの中にあったから、非合理的な謎を解くという小説形式を創れたと書かれています。そういう、自分の中に解くべき謎を持っている。その点でポーを別格に置いていた……。

石上　別格というよりも、原点だと考えていて……。あの文章は、従来、探偵もしくはヒーローの変遷史としてしか書かれないミステリの歴史を、犯人側から整理したらどうなるかということをやってみたんです。その視点は、従来なかったと思います。でも、犯罪というものが、作者にとってある種身近な興味でないかぎり、ミステリが書けるわけがないですからね。少なくとも、読者に説得力を持たせるような犯罪世界をね。そんな心理を弱点として作家当人がある程度持っているから書けるんじゃないか。だから、それを打破する主人公よりも、もっともっと重要な内的な問題がそこにあるんじゃないか。と同時に、そのことは、あまり書いちゃいけないというルールがあるから、書けないままになっている。でも、それではよくよく考えると、ちゃんと小説として読んでないんじゃないかという気もする。今回の久しぶりの連載[*2]は、まさに、そちらに入っていこうというものなんです。

小森　では、「創元推理21」の連載は、あそこでやり残したことをやろうということなんですか。

＊1　一九七八年九藝出版刊。荒俣宏、小隅黎、谷口高夫との共著。
＊2　私の「探偵小説一〇〇年」。「創元推理21」二〇〇一年夏号より連載開始。

石上　そうです。書いちゃいけないというルールは分かるし、当然なんだけど、いくらなんでも、書いてしまわないと伝わらないという部分がありすぎますよね。
小森　それは確かにそうなんですね。では、「創元推理21」の連載についてもおうかがいしたいのですが、一回目のドイル論では、『緋色の研究』がウエスタンの先駆ではないかという指摘がありました。私が分からなかったのは、ドイルのアメリカに対する興味というものなんです。
石上　それはあったんじゃないでしょうか。よく行ってたようだし、アメリカに。
小森　そうなんですか。
石上　改めて読むと、露骨なくらいにアメリカというものが出て来るんですね。ドイルにかぎらず、当時のヨーロッパのひとつの流行みたいなものでもあったのかな。
小森　もちろん、イギリスだから、たくさん植民地を抱えているわけですよね。私は黄金期までも含めて、あのあたりのイギリスのミステリには、植民地に行くとか、そこから帰ってくるとか、何代か過ごして帰ってくるとか、そういう人が出て来ますね。それで、金持ちになっていたり、身分が変わっていたり、そういう、過去を一回チャラにできる装置として、植民地というものがあったような気がするんですが。
石上　とくにアメリカは新大陸ですからね。インドあたりよりも、やりようによっては拓ける、可能性の大地ですから。（ウィルキー・）コリンズのあたりだとインドになってしまう。ドイルは、もちろんインドもアフリカも描いているけれど、やっぱりアメリカを描くというのは、当時の当然の興味だったように思う。
小森　『恐怖の谷』なんですけれど、つまり、ピンカートン探偵社の探偵ですよね、エドワーズは。この本はご存じですか。久田《ひさだ》俊夫《としお》著『モリー・マガイアズ　実録・恐怖の谷』。もともと大学の先生で、労働運動のことを研究してらっしゃる方です。
石上　いや、知りません。（本を手にして）ほう、面白そうですね。
小森　井家上《いけがみ》隆幸《たかゆき》さんが、これ以前の著書をハメットに関連させて書評してらっしゃいました。実際、探偵の仕事の中で、スト破りというのは大きな仕事だったわけですよね。これは、かねがね疑問に思ってたんですが、ハードボイルドの探偵がいますね。たいていは自分で事務所を持った一匹狼の探偵ですけど、そういう人種が、日本で受け入れられるときに、最初から恰好よくとられすぎているんじゃないでしょうか。基本的に、金持ちが私的にだか社用にだかで、あるいはそれらをいっしょくたにして雇うイヌだという前提が、理解されてないように思うんです。そういう輩《やから》の中に、ひとりモラリスティックな人間が混じったらどうなるかというのが、チャンドラーのやったことだと思うのですが、そのための前提が理解されているとは思えない。
石上　それは私に言わせると、サム・スペイドとフィリップ・マーロウを、こともあろうに、両方とも映画でボガートが演っちゃった。そこからの、エンエンと続くハードボイルド・ヒーローの神格化みたいなものがあって、だったら、ついでにリュウ・アーチャーも演っとけば、アーチャーもそうなっちゃったかもしれないけど（笑）。
小森　確かに映画の与えたイメージというのは大きいですね。

石上　大きいですよ。これは昔から言われてるけど、ミステリのファンは映画のファンが多いですよね。

小森　ボガートが、サム・スペイドを『マルタの鷹』でやらなかったら、ハメットは日本でどうなってたか分からないというか、もしかしたら、もうちょっと、ちゃんと理解されていたかもしれない（笑）。

石上　そうかもしれない。やっぱりボガートの存在、つまり私立探偵像、とくに、ソフトにトレンチコート。あれは、よくよく考えると、年じゅうそんな恰好してるわけないんだけど、みんな、ああいうイメージになってしまう。亡くなった稲見《いなみ》一良《いつら》さんが、ほんとにボガートが好きで、自分であの恰好してポートレートを撮ったっていう逸話がある。この人がロス・マクはダメでしたね。もう、ハメット、ハメット。私が『男たちのための寓話』を書いたときに贈ったら、読んで腹をたててブン投げたんだって、あのハードボイルドのくだりで。それはともかく、ハードボイルドが好きな人こそ、ロス・マクドナルドが嫌いであったり、ハードボイルド・ミステリが好きだけど、本格ものなんてひとつも知らないとか、そういうことはおかしいというのが、私の出発点みたいなものですから。

小森　そのおかしいというのを、もうちょっと具体的に言っていただくと……。

石上　ハードボイルドが突如として、この世に生まれたわけではないことは、誰でも知ってる。本当に好きだったら、その原点みたいなものをたどってみたいというのが、普通ファンの心理でしょう。極端に言うと、全部読まなきゃ気がすまないというところさえありますよね。どうして嫌いということですましているのかな。で、よくよく聞いてみると、いまの恰好いいというあたりに行きつくようにも思う。

小森　それと、ハンフリー・ボガートが演るにしても、サム・スペイドだったから良かったわけで、コンチネンタル・オプは演れないですよね。

石上　演れないでしょうねえ。あれは、なんか、半分セールスマンみたいなタイプの仕事ですしね。……うん、演れないでしょうね。

ミステリを読み直す

小森　今度の「創元推理21」の連載は、直接的には、どういうきっかけで始めることになったんですか。

石上　もともとが、六、七年前かな、長いから敬遠してたコリンズの『白衣《びやくえ》の女』をたまたま読んで、こんなに面白いのかと思ってね。ほぼ同じ時期に、ヴィリエ・ド・リラダンの『未来のイヴ』を読んで、これまた、こんなに面白かったのかと。そのころ、なにか面白いミステリない？　って聞かれると『白衣の女』、なにか面白いSFない？　って聞かれると『未来のイヴ』と答えていて、真面目にとってもらえなかった（笑）。同時に、国書刊行会の世界探偵小説全集を当然ながら読んで、これがハッキリ言って、面白くないんです。私がかろうじて面白かったのはクリスピンくらいでね。それだって、そんなに面白いわけじゃない。確かに（世界探偵小説全集の）未訳のものというのは、いろんな意味で有名な作品だってことは知っていたけど、未訳には未訳だった理由があるだろう。それは、パズラー的にどうのというんではなくて、小説としてということに意味があるんじゃないか。つまり、小説として面白くないから訳されなかったという意味がね。そこでハッと気づいて、名作として訳されていまも残ってるものには残ってるなりの、そんな小説としての良さとか、そういう意味があるんじゃないのかということを喋っていたら、高橋良平《たかはしりようへい》君を通して東京創元社の戸川さんに伝わっちゃって、それを書いてくれと言われた。読みかえしてみると分かるけど、これは本当にそうなんですよ。だからジョエル・タウンズリー・ロジャーズの『赤い右手』というのに、激怒しましてね。都筑道夫さんにすぐ電話して、名前は知ってるけど読んだことはないって言うんで、全部喋っていかって聞いて、いいって言うからみんな話した。こんな話はありえないって。

小森　その、ありえないというのは、どこをさして？

石上　すべてですね。

小森　すべて！

石上　いや、細かいことは忘れましたがね、あんなに偶然ばっかりっていうことを、それが新しいとか言うのはおかしいと思う。それで、唯一考えられるのは、私、あれはね、『アクロイド殺し』をやろうとして……。

小森　あれは、あいつが犯人じゃないとおかしい型なんですよね。

石上　そう。で、『アクロイド』をやろうとして、やっぱり、やっちゃいけないと気がついて、途中で変えたんじゃないかという可能性は考えられる。

小森　私も結末は書きながら途中で考えたもののような気がしました。

石上　そうだとしたら、こうなってしまった理由は分かるんですよ。しかし、でなきゃ、あの落とし込み方はないし、しかも、解説を読むと、そこがいいんだって書いてある。これは、長年このジャンルを読んできた人間にとっては、半分は噴飯《ふんぱん》もの、半分は怒りですね。

小森　そういう経緯で、昔の作品を改めて読もうと。

石上　X、Y、Zなんて、若いころに、少なくとも二回か三回は読んでるんだけれども、いま読むとどうだろうかということですね。それが基本スタンスで、つまり「小説」として読んでみないと分からない。そもそも、いまの時点でたとえば『Xの悲劇』について、なにを憶えているかということですね。すると、トリックや犯人以外はロクに憶えていないことに気づいて愕然とする。

小森　それで、イーデン・フィルポッツが面白かったんですって？

石上　次はフィルポッツをやろうと思ってます。

小森　では、あまり立ち入ってはうかがいませんが、私は『溺死人』は読んだんです。

石上　あれはすごいでしょう。あれも怒った人がいっぱいいて。

小森　え？　どこに怒ったんですか。

石上　だって、あの犯人は何の関係もないわけですからね。しかも、素人《しろうと》と玄人《くろうと》のふたりの探偵が、ああでもないこうでもないと、さんざっぱらやったあげくに、全部あたらなくて……。

これを読んで、フィルポッツというのはこういう人だったのかと。要するに、正道のパズラーを書こうなんて、ひとつも思っていないんだ。だけど、おかしいぞ、乱歩さん以来『赤毛のレドメーン』は、黄金期の本格派の代表として、正道のパズラー的に面白がられてる。読みかえすと違うんじゃないかと思ってね。

小森　私は『赤毛』の中身をほとんど憶えてませんが、パズルストーリイでしたっけ。

石上　ついでのことに、私は乱歩さんの翻案した『緑衣の鬼』の方も読みましたけどね。乱歩さんのとらえ方は、完全にそうですね。ところが、改めて読むと印象が違うんですよ。むしろ××（二字伏字）ものの先駆なんです。見事な××。そうすると、ほかの作品もみんな違うんじゃないか、『闇からの声』にしても。

小森　でも『闇からの声』は創元で猫のマークでしたよ。

石上　いや、そういうことじゃなくて、『闇からの声』の中身は猫のマークでもないんですよ。そこのところが面白い。

小森　え。『闇からの声』は猫じゃなかったですか。

石上　そのような印象でもって、いままではとらえられてるんです。要するに、基本的に私たちは、シャーロック・ホームズに始まって黄金期に到る、名探偵ものあるいは謎解きものというのをベースにして、あらゆる意味で、そのまわりまでを読んでいた。この国だけで、本格と変格なんて分け方もしてきた。ところが、本格とそれ以外のミステリの関係というのは、そんなに簡単なものじゃないということです。本格謎解きものというのは、それなりにひとつの大きなレールではあるんだけれど、その近辺には、それも意識しながら、別なことをやろうとしている作品群が、かなりあるわけです。そのことは小説としての面白さというところに、全部つながっていく。でも、『赤毛のレドメーン』は、とんでもなく素敵な××ものの先駆だと今回は思ったんだけど、それを言ってしまうと、謎解き好きの人から反発くらいますよね。犯人言ってるんだから。

小森　（笑）

石上　だから、読んだのは『溺死人』『闇からの声』『怪物』『誰が駒鳥を殺したか』『医者よ自分を癒せ』。みんな違う。

小森　あの人は、そもそも、いろんなものを書いているんですよね。

石上　そうです。かなり高齢で探偵小説を手がけるまでには、恋愛小説ふうの普通小説をたくさん書いてたらしいですね。まあ、この連載は雑誌が雑誌だから、こういったあたりを一回も読んでない人が読むはずもないし、だから全部バラしちゃう。こっちだってトシだから、怖くないやって（笑）。

小森　そうかあ。『溺死人』は怒った人がいたんですか。

石上　ハードボイルドならハードボイルド、本格なら本格で、固まっちゃってるタイプ。

小森　ああ、そういう人いますね。

石上　こっちも謎解きものは大好きなんだけど、幸いなことに、映画をベースにしたから、いろんなジャンルのエンタテインメントが好きだし、『男たちのための寓話』を通過して、本家に帰ってきたような書き方ができるのはいいなと思ってます。一回目を書いたときに、こんな簡単なこと、世界は広いから誰かが書いてるんじゃないかと、私なりに調べたんですが……。誰も真ん中に西部小説というものを置かないんです。ハードボイルドと西部小説の好きな小鷹《こだか》(信光《のぶみつ》)さんですら、真ん中にそれを置いてはいない。ハードボイルドの人にしてもそう、謎解きの人にしてもそう。とくに謎解きの人は、ウエスタンなんか何の関係もないですからね。

小森 謎解きの人には、ドイルを軽く見る風潮もありますからね。

札つきファンのミステリの接し方

小森 さきほど、新しいものがピンとこないという言葉が出て来たんですが、それはいつごろのことですか。

石上 新本格からです。厳密に言えば。

小森 新本格というと、誰にあたるものですか。

石上 島田《しまだ》荘司《そうじ》さんの次あたりからです。なぜかというと、最初の二、三ページでネタが分かってしまう。

小森 私は新本格というのを読んでなくて、会話についていけなくて困る人間なんですが、そうなんですか。なぜ、分かるんですか。なぜ、分かるのかって聞き方もないですが。

石上 札つきのファンだからじゃないですか。

小森　それは、過去にその手とは出会っているということですか。
石上　そうです。ヴァリエーションであろうとなんであろうと、書き方で分かってしまうということです。うんと悪い言い方をすると、小説としての問題なんじゃないかな。パズルとしては良いかもしれないけど、小説としてどうなのかなという、私の一番の疑問点。
小森　島田荘司さんは、そんなことはなかった？
石上　最初のころはね。ただ、あの方の場合は、ひとつには、やたら人体を斬り刻むということと、それから、後半になってくると偶然に頼りすぎるというのがある。謎は偶然の出来事だった。だけど、そういうこともありうると。そういう偶然の出来事が巨大な謎を作っていると。『赤い右手』と同じようなことなんですよね。でも、謎は謎なんだからと、あの方は語ってはいるけれども、もしも、そうだとしたら、私はそういうものは、ミステリとしてはさっぱり……。奇談とでもいうならね。
小森　謎の提出の仕方が謎解きものなわけですね。
石上　そう。なんかすごいのがあったな。男が屋根の上にまたがって死んでいるという発端。なぜか？　すごいんだ、これが。細部はもう忘れちゃいましたけどね。
小森　（笑）
石上　なんかね、ロープかなんかにぶらさがって、ターザンみたいにこっちから向こう側へ行くときに、途中で落っこっちゃって、そのまま死んじゃったという。犯罪でもなんでもない。そんな解決だったような気がするけど、それが、こんな（指で示して）厚い本。とても、とても、ついていけない。

小森 その後の新本格の人は、三ページで分かりますか（笑）。

石上 探偵小説読んでる人間にとって、すぐ分かっちゃうことほど、むなしいものはないですね。止めるわけにいかないし。

小森 さっき、コリン・デクスターもお嫌いだと……。

石上 あんまり、ついていけない。瀬戸川くんは探偵の論法がほかの人と違うと書いていたけど、そういうふうに、私はとれないんで。すっきりいかない。

小森 すごい行き当たりばったりで、疲れるんですよね。モース警部につきあうのは。

石上 うちの家内も、私と同じくらいミステリが大好きなんだけど、瀬戸川が誉めてるからって読んで、途中で止めちゃった。今度の連載に関しては、書きたいものと、書かなくていいものと、だから二通りありますね。

小森 と言いますと？

石上 おそらく、ヴァン・ダインとか、最初に読んだ印象と大して変わらないものもあるからです。そういうものも、いっぱいあると思う。ガードナーなんてのも、そうだと思いますけどね、きっと。

小森 （笑）ガードナーは、そんな感じがしますね、いかにも。

石上 ウールリッチ＝アイリッシュは、いま読むとどうなのかという気はします。なぜかというと、あの人は、とりあえず探偵小説として全部括られちゃったところがあるでしょう。『暗闇へのワルツ』ってありますね。代理花嫁の話で、映画になったやつ。
小森　読んでないのかな。映画はなんという？
石上　トリュフォーがカトリーヌ・ドヌーヴで撮った、『暗くなるまでこの恋を』。今度、再映画化されたそうですが、『ポワゾン』ね。あれなんか、ミステリというジャンルに入れてもいいんだけど、少し違うんですよね。アメリカには、女の主人公がいろんなことに巻き込まれて翻弄されるという、大長篇の大衆小説が、いっぱいあるんです。これはあのタイプの小説なんです。
小森　ありますね。読者も多くが女の人で。
石上　その、〈ハーレクイン・ロマンス〉の原型です。それから『夜は千の目を持つ』も、ミステリに入れられてるけど、あれはモダンホラーの原点みたいなもんでしょ。
小森　ホラーだから、ミステリに入れてもいいかって感じでやってますね。
石上　あのころはね。でも、いまは、角川のホラー文庫あたりにポンと入れた方が、納まりがいいはずなんです。でも、あのころは、しょうがなかったからね。とくに、この国みたいに、叢書で出すとね。英米にはあまりないですよね、そういう形は。フランスでいうなら、セリノワール。あれは、もう、引っかかればなんでも入れちゃう。しかも、日本の引っかかり方と全然違うから、なんかヘンなんですよね。
小森　あれも不思議ですね。フランス人の英米のミステリに対する趣味というのは。ホレス・マッコイなんかも好きですね。

石上　不思議です。デビッド・グーディスとかジョン・D・マクドナルドとかチャールズ・ウィリアムズがいいとかね。

小森　私は、石上さんが、ジム・トンプスンやライオネル・ホワイトがお好きとうかがったのが、ちょっと意外な気がしたんですが。

石上　映画との関係です。基本は。これは（昔の同人誌のページを開いて）同人誌の次号予告ですが、私がライオネル・ホワイト論を書くという予告が出てますよね。これ書いたんですが、さっき言ったように、原稿をなくしちゃったの。島崎さんが。つまらなかったのかしら。

小森　ライオネル・ホワイトで面白かったのには、どんなのがあるんですか。

石上　『悪党のための棺』というのが良かったですね。

小森　それは犯罪小説ですか。

石上　犯罪小説というか、ハードボイルド調のスリラーと言えばいいのか。キー・アロヨというフロリダの避暑地的な小島があって、そこに住んでいるのは、揃いも揃って金持ちばかりだけど、本土の方から脛《すね》になんらかの傷を持って逃げてきた連中ばかり。そのことは、だんだんに分かってくるんだけど、その島にある日、小型機をチャーターして、ふたりのサングラス姿の男が現れる。そこから始まる。で、あいつらは何者だと。それが分からないまま、島の住民のさまざまな過去がホワイト得意の多元描写で描かれていって、そこに台風が来る。

小森　ああ、なるほど（笑）。

石上　それがクライマックスで。だから映画にしたいなという実感ね。

小森　やっぱり、ライオネル・ホワイトは多元描写が多いんですか。

石上　ほとんど全部そうです。ただ、改めて読むと、やはりペイパーバックだなという薄っぺらさはあるんだけど、映画の素材としてはいいですよね。

小森　コリンズについては、私も『白衣の女』は面白かったんですが、『月長石』は昔子ども向けで読んだきりだったので、こちらも読むと、面白かったですね。

石上　これは逆で、昔読んで面白かったけど、改めて読むと昔ほどではなかった。『白衣の女』の方がはるかに面白い。なぜかと言うと、あの膨大な厚さは〝月長石〟盗難というあの事件ではもたない。冒頭の事件の謎がね、モチヴェーションとして小さすぎる。ただ、なにが面白いかと言うと、これも多元描写というか、さまざまな人が語り手になっているところ。

小森　私が面白かったのも、もっぱら、そこですね。

石上　あれは新しいと思う、当時としては。ただ、謎が小さすぎる。事件の出発点が小さすぎる。そこへもってきて、さまざまな人間が勝手なこと言ってるから、ミステリとしての楽しみは、どこかに飛んでしまってる。

小森　ミステリとしてというのとは、ちょっと違いますね。『白衣の女』の方が、はるかに読みやすい。

石上　だからって、なんでも読み直せばいいとは思わないし、ロジャー・スカーレットの『エンジェル家の殺人』なんて、ガキのころは面白かったけど、いま読むと全然面白くない。あれはタイプとしては国書刊行会ですよ（笑）。そうだ。最近ポケミスもそんなこと始めて、ジョセフィン・テイが出たんですよね。『ロウソクのために一シリングを』。今日買って帰ろうと思うんだけど。あれは、ペイパーバックで原書は持ってたんだけど、なくしちゃってね。宮部《みやべ》みゆきさんが解説を書いているってことの方を広告が大きくあつかっていたから（笑）……どうかなあ。

小森　ポケミスは、私は100番200番台あたりよりも、500番600番台あたりの面白そうなのに、むしろ興味があるんです。

石上　どのへんですか。

小森　五〇年代六〇年代の新作が訳されていたあたりです。

石上　ああ。箱に入っていたころ。ビニールカヴァーじゃなくて。

小森　そうですね。エド・レイシイの『さらばその歩むところに心せよ』とか。このあいだトマス・スターリングの『一日の悪』を読み直して、渋かったですね。石上さんは、創元社のクライム・クラブとか現代推理小説全集といったあたりは、いかがですか。

石上　いいものもあるし、それほどじゃないものもありましたけど、当時の読者側から簡単に言わせてもらえれば、いろいろと早過ぎてますよ、ああいうことやるのは。私は、クライム・クラブで言えば、もちろんB・S・バリンジャーの『歯と爪』は好きだし、フレドリック・ブラウンの『彼の名は死』とか好きです。面白いものもたくさんありましたよ。クリストファー・ランドンの『日時計』とかね。ただ、『日時計』は、どちらかと言うと冒険小説ですからね。ランドンは、映画好きの間ではよく語るんですが、『恐怖の砂』[*1]という映画になった戦争冒険ものがあるんです。あれの方を出していただきたい。
小森　冒険小説と謎解き小説の接点というのは、私自身、個人的には興味のあるところなんですが。マクリーンなんて謎解きが好きな人ですよね。
石上　『北海の墓場』はもろ謎解きですね。極地版のアガサ・クリスティをやろうとしてるんじゃないかというくらい（笑）。
小森　アガサ・クリスティも冒険小説好きですしね。
石上　好きですね。くだらないですけどね。
小森　（苦笑）
石上　エリック・アンブラーだって、初期の『あるスパイの墓碑銘』なんて、謎解きですよ。犯人探しの。小森さんがアンソロジー[*2]に入れてた評論で各務さんが書いた『真昼の翳《かげ》』。あれは、読んだ当時から、私もそう思ってたからね。スパイ小説のような顔をして、実は全然違うことをやってるってね。でも、やっぱり、ああいうものには、引っかかって怒る人がいる。
小森　らしいですね。
石上　だから、私にはそれが分からないんでね。ああ、やられたな、というのは、ミステリのとっても大きな基本じゃないですか。それを面白がれないというのが、不思議なんだなあ。

＊1　一九五八年のイギリス映画。J・リー・トンプスン監督。
＊2　『ミステリよりおもしろいベスト・ミステリ論18』略称『ミステリ＝18』

松岡和子《まつおかかずこ》——戯曲を翻訳する幸せ

松岡和子（まつおか・かずこ）

一九四二年、旧満州新京（長春）生まれ。東京女子大学英文科卒業。東京大学大学院修士課程修了。九六年よりちくま文庫から刊行されたシェイクスピア戯曲の個人全訳で第一九回坪内逍遙大賞、第七五回毎日出版文化賞、第六九回菊池寛賞、第五八回日本翻訳文化賞、二〇二一年度朝日賞、第一四回小田島雄志・翻訳戯曲賞特別賞を受賞する。著書に『すべての季節のシェイクスピア』『「もの」で読む入門シェイクスピア』『深読みシェイクスピア』など。訳書に『クラウド9』『ローゼンクランツとギルデンスターンは死んだ』などがある。

松岡和子さんがシェイクスピアの翻訳を始めたころ、ご当人に面と向かって、松岡さんも結局、英文学のメインストリームの仕事に転んだ、といった意味の憎まれ口をきいたことがある。まことに失礼な、かつ、燕雀《えんじゃく》いずくんぞの類の暴言だが、シェイクスピアの全訳は坪内逍遙《つぼうちしょうよう》や小田島雄志《おだしまゆうし》でもできるが、同時代の劇作家の紹介・翻訳ができるのは、松岡和子だけじゃないかという、これまた乱暴な考えが私にはあった。しかし、今回お話をうかがって（あんな失礼なことを言って、よく断られなかったものだ）、そういうチマチマしたことを超えて、松岡さんが、戯曲を翻訳する至福を堪能していらしたことが、私にはもっとも喜ばしくうらやましかった。

註の多い松岡シェイクスピア

小森　シェイクスピアで一番最初に訳されたのは、なんでしたっけ。

松岡　『間違いの喜劇』ですね。それから『夏の夜の夢』『ロミオとジュリエット』で『ハムレット』『マクベス』。

小森　それらは、ちくま文庫で出版されてますが、読んでまず驚いたのは、註が多いということです。あれは必要ですね。

松岡　私は、自分がシェイクスピアを翻訳するなんて夢にも思わなくて、翻訳の話が来たとき、いまさらなんで私が……小田島雄志訳があるじゃないと思ったわけです。それで、話を聞いてみると、新しい訳がほしいという上演現場の要請もあって、じゃあ、一本だけならバチもあたるまいと思ってやったのが、どんどん、次から次へと話が来て、（全部）やることになった。その過程で、本にもしましょうという話になったんです。それまで、舞台を観たり、原文読んだり、翻訳読んだり――だいたいは小田島さんのですけど――していて、それで、どういう原文がこうなるのかしらっていうのが、純粋に興味としてあったんですね。だったら、そういうことを脚註に書いたら、読者も面白がってくれるんじゃないかということで、始めたんです。そもそも、訳してる当人が、小田島訳もある福田恆存《ふくだつねあり》訳もあるのに、なぜ私が新しい訳をと思うんだから、世の中の読者はもっともっとそう思うに違いなくて、それだったら、註をつけることで、お買い得感をつけなきゃマズいんじゃないか（笑）と。

小森　正確に数えたわけではないんですけど、確かに一番目立つのは、洒落《しゃれ》や言葉遊びの類の、原文ではこうなっていて、それを日本語にはこう移したといった解説ですよね。それで、大量な註を読んでいて考えたんですが、いままで上演されたときに、演じる人たちというのは、そういうことを遡《さかのぼ》って考えてたんですかね。

松岡　……分かんない。……分かんないけど、でもね、実際、私は稽古場にしょっちゅう顔を出す翻訳者だと思うんですけど、そうすると、役者さんたちは、知りたがるんですよね。

小森　なるほど、松岡さんが稽古場にいれば、質問できるわけだ。

松岡　そう。それで、こうこうこうだということを知ると、じゃあ、そうじゃなくて、こう遊んでもいいですか[*1]という質問が来て、それが分かることで、縛りがとれるっていうのかな。たとえば『テンペスト』[*2]のときに、キャリバンとトリンキュローとステファノーというおどけた三人組の場面で、私、lineという言葉の洒落を「き」という言葉を使って「木にかかってりゃ気がかりで、木からはずせば気恥ずかしい。おい、上着、下《した》で腰にかかれば下《しも》がかる。悪い病気にかかって毛が抜けるぞ」なんて訳したんですね。そしたら、たかお鷹《たか》さんと沢竜二《さわりゅうじ》さんがトリンキュローとステファノーなんだけど、稽古場で、どういう意味だって聞いてきたわけ。だから、これこれこういうわけで、原文がこうだから、こういうふうに変換したと言うと、あ、そうか、じゃあ、あんまり深く考えなくてもいいんですねって（笑）。

小森　（爆笑）

＊1　役者が演技する、あるいは、演技を工夫するという意味で、演劇関係者が「遊ぶ」という言葉を使うことがある。役者の自主性を尊重する、あるいは解釈を自由にするというニュアンスで用いられることが多い。

＊2　二〇〇〇年五月彩の国さいたま芸術劇場にて上演。演出・蜷川幸雄。

松岡　いいの、いいの、深く考えなくて（笑）。やっぱり、役者さんたちは、台詞が自分の言葉になる、つまり、そこで役の自分が思ってる言葉にしなきゃいけないわけだから、脚註的な説明があると、かえって自由になるのね。もともと、駄洒落っていうのは、面白くてなんぼのものだから、いくら原文に忠実だって面白くなきゃなんにもならない。シェイクスピアというのは、彼自身が現場の人だったから、役者がもっと面白いことを思いつけば、あ、それ、いただきって、やったんじゃないかと思うんですね。私の訳は、駄洒落に関しては寒いのがけっこう多くて、もっといいのがあったら、現場でどんどん作っていってほしいと思ってるんですよ。

小森　では、註の言葉遊びの部分は、すべてそれに該当すると。

松岡　そう。それから、この先々、十年後だか十五年後だかに、ほぼ必然的に、新しいシェイクスピアの訳は出て来ると思うんですね。そのときに、ここは松岡訳からいただいちゃえというのが、もしあれば、それは望外の幸せ。自分で訳すときには、坪内逍遙から小田島訳まで全部見るんですよ。一行訳しちゃざーっと見る、また一行訳しちゃざーっと見る。それで時間かかっちゃうんだけど。告白するとね、私が考えだしたのより、よっぽどいい言葉を使っている先達がいるんです。そういう先例を読んで、もちろん新しい言葉を考える努力はするんですよ。でも、それが出ないときは、いただく。

小森　具体的には、どういうところですか。

松岡　福田さんから小田島さんまで、みんないただいてる、有名なのがあるんですよ。私もなんですけど。『マクベス』の tomorrow speech という第五幕第五場の「明日も、明日も、また明日も、とぼとぼと小刻みにその日その日の歩みを進め……」というところ。あそこに、Out, out, brief candle! という句がある。そこは、もうすでに、坪内逍遙訳の「消えろ、消えろ、束の間の灯火《ともしび》！」というのがあって、これ以上の訳は、いまのところ、私は思いつかない。原文がOut, out, brief candle! で、「消えろ、消えろ、束の間の灯火！」。なんの説明もなく、音もリズム的にも完璧だし、短くコンパクトな訳になってるでしょ。そうするとねえ……ありがたく頂戴する。いまのは、ワンセンテンス全部ですけれども、そうじゃなくて、ひとつのフレーズやひとつの単語のこともある。演劇に関しては、いったん訳されたあと何年かして改訳されることが、けっこうあるんですね。小田島さんが、なんかのときに「それが文化だよね」と、おっしゃったの。そういうことが積み重なっていって、自分よりもすぐれたものがあれば、それをもらって、いいものを作るっていうのが文化だって。それから、戯曲というのは、古典の場合でも、現代語に訳されて舞台で演じられたとたんに、現代劇になるんです。現代劇ってのは言いすぎかもしれないけど、現代の作品になる。だから、よりシビアだと思うのね。いまの言葉にしなきゃいけない。かといって、ハムレットに、ら抜き言葉は喋らせたくない。そのジレンマもあります。いまの言葉にしたいんだけれども、なんの縛りもなく、日常的な言葉をシェイクスピアの戯曲の中に流し込みたくはない。もしかしたら、二十年後には、ハムレットが、ら抜き言葉で喋るかもしれないけど。原文が、書き言葉だったら、（翻訳する）その人の言語感覚でもって訳していればいいんだけど、芝居っていうのは……。

小森　（役者に）喋ってもらわなければいけませんもんねえ。

松岡　そう。脚註をつけているのも、どうやって、いまの私たちに、この作品を引き寄せてくるかということの、ひとつの現れだと思う。

小森　実際、知識として分かっていないと、理解できないことというのはありますからね。それは、戯曲に限らないのでしょうけど。ただ、戯曲は、読者の前に、俳優さんがいますから。

松岡　そうなんです。役者ってすごいんですよね。誤訳が分かっちゃう。原文を読まないのに、誤訳を指摘されたことは、私もずいぶんあります。それは誤訳を指摘するというんじゃないの。「この言葉から次の言葉にかけて、なにか、こう、気持ちが流れていかないんだけど、これは、どういうことなんでしょう」というふうに、説明を求めてくるわけ。それで、ちょっと待ってくださいって言って、原文を読んでみると、私が間違ってた。私は、戯曲を翻訳するときはとくに、原文を日本語で演じると思ってるんですね。ですから、訳すときというのは、その人物人物になってるつもりで訳してるわけです。たとえば『ヴェニスの商人』なら、ランスロットになり、ゴボーさんになり、バサーニオさんになりというふうに、ひとりで何役もやってる。ところが、役者さんはひとりで一役やるわけでしょう。その読み込みの深さったらない。私、これだけいろいろそういう経験してくるとね、いまや、一回役者の身体を通らないうちに活字にするのは怖いです。

小森　稽古場には、ほとんど毎日行ってるんですか。

松岡　たとえば『ウィンザーの陽気な女房たち』[*1]は、最初に二日読み合わせをやって、その後は、立ちながらやってったんだけど、（稽古が）一通り第五幕の幕切れにいくまでは毎日通いましたね。役者さんから単独で私のところに来た質問でも、みんなが知ってた方がいいことってあるでしょう。『ウィンザー』は、演出の鴻上尚史《こうかみしょうじ》さんもシェイクスピアがはじめてだったこともあって、みんなからの質問を受ける時間をまる一日作ってもらったんですよ。ウィンザーという町は、イングランドのだいたいどのへんにあって、ロンドンから何キロくらいで、シャローさんがグロスターに住んでいて、そこからやってくるというのは、このくらいの距離を来るわけですとか。鴻上さんの『ウィンザー』は現代の衣裳にしてあるから、実際には、そういうことは全然必要ないわけね。でも、そこが役者さんのメンタリティなのかな。どのくらいの距離を来て、そこに一日二日泊まるというのが、どういうことなのかを、知ってるのと知らないのとでは違うって言うわけ。それだったら、そういう説明もした方がいいんじゃないかって、地図描いてレクチュアしたんです。

作品の持つ文体と登場人物の持つ文体

小森　これは単に私が無知なので教えていただきたいんですが、シェイクスピアの場合、台詞の中に韻文《いんぶん》と散文があるんですか。

松岡　あります。

＊1　二〇〇一年五月彩の国さいたま芸術劇場にて上演。演出・鴻上尚史。

小森　それは見た目で分かるんですか。
松岡　分かります。原文では分かるんです。
小森　韻を踏んでるんですか。
松岡　韻は踏んでないんです。だから、正確に言うと、韻文っていうと違うんです。詩。詩の部分と散文。便宜《べんぎ》上、韻文と言ってますけどね。ブランク・ヴァースっていうんですよ。ヴァースというのは、もともと韻を踏むものなんです。だけど、韻を踏む部分がブランクだから、ブランク・ヴァース。ただし、例外的に韻を踏んでるところもある。たとえば各場の終わりとか、幕切れとか。だから、聴いてる人は、そこで場面が変わるのが分かる。活字の組み方も、詩の部分は行を変えて組んでいて、散文のところは流してる。
小森　それは分かるんです。翻訳書でもそうなってるから。それは見れば分かるんですが、どこが違うんでしょう。
松岡　翻訳の場合は、本当は、あんまり意味がないのね。というのは、原文の場合、アクセントのペアになってるんですよ。弱い強い、弱い強い、弱い強い。弱強のペアが五つで一行になってる。だから、To be/or not/to be/that is/the question――それで question は、ques にアクセントがあって、tion でしょ。こういうのが、フェミニン・エンディング。これはPC（ポリティカル・コレクトネス）に引っかかるのかな、弱で終わるから女性的エンディング。『リチャード三世』の冒頭なんてのは、Now is/the win - /ter of/our dis - /con - tent。アクセントのある tent で終わる、強で終わってるんです。それは、マスキュリン・エンディングといって、男性的エンディング。そういう弱強のリズムがあって一行になってるのね。ただ、なんで原文の改行を翻訳でも踏襲してやるかというと、私の意図では、読者の中には原文とつきあわせる人もいるだろう、そうしたときに、分かりやすい。もうひとつ、これは原文がブランク・ヴァースで書かれてます、ここからは散文ですと、少なくとも、見ただけで分かる。役者さんも、言葉に対して、散文の方は自由に崩してもOKだけど、できれば、ブランク・ヴァースの行分けして訳してあるところは、「てにをは」も厳密に、このとおり言ってほしい。そのくらいの希望を持って、日本語に訳してます。

小森 イギリスの役者さんが演じるときに、ブランク・ヴァースのところと散文のところは、演じ方が違うものなんですか。

松岡 違いますね。これもまた歴史があって、ヴァース・リーディングというのがあるんです。それをきっちり表現しなけりゃダメと言われた時代があった。聞いたところでは、それを壊したのはピーター・ブルックらしいんですね。本来、英語はアクセントを持ってるんだから、ヴァース・リーディングなんかしなくたって、ひとりでにリズムは出るよと言ったらしい。それで、弱強なんかは過剰に意識しないでやっちゃえというようになった。ただし、こういうのはなんでも揺り戻しがあって、最近ではやっぱり、ヴァース・リーディングはやらなくてはいけないんじゃないかといって、ピーター・ホールなんかが、指導してるみたいですよ。

小森 ふたつを区別することは、日本語で上演するときには、どう影響するんですか。

松岡 いま言ったように、散文のところは崩しちゃってもいいし、場合によっては、語尾なんかも変えて構わない。でも、to be or not to be... のところは、「生きてとどまるか、消えてなくなるか、それが問題だ。」というのを、「それが問題」で止めてもらいたくはない。

小森　福田恆存訳なんかは新潮文庫になっていて、そうなると、そこの区別なんて、お構いなしですよね。ダーッと組んじゃって。『リチャード三世』は松岡訳と福田訳を一部比べたことがあるんですが、アンとエリザベスの会話は、松岡訳の方が会話になってましたね。

松岡　『リチャード三世』というのは、キャラクターごとに文体の差がないんです。

小森　あとがきにも書いてらっしゃいましたね。

松岡　それが面白かったですね。本当に、歴史劇の文体と言っていいような。『ウィンザーの陽気な女房たち』が、個々のキャラクターが独自の文体を持っている作品の最右翼で、そうじゃなくて、作品自体がトータルな文体を持っているのが『リチャード三世』。

小森　『リチャード三世』は市井の人たちの台詞は散文でしたっけ。

松岡　散文です。ですから、貴族、暗殺者や市民を含む下位の人々、なんかの文体の違いはある。リチャードとアンの求愛の場面がありますよね。あそこは、ふたりの文体が同じだから性別なしの言葉にしました。リチャードは男の言葉、アンは女の言葉というようなことはしないで。

小森　求愛の場面とか、男同士の政治的な場面や陰謀の場面とか、そういうものの間にも差はないんですか。

松岡　ないですね。リチャードとアンのところも対句が多い。

小森　そうそう。そこが気になって、福田訳と比較したんですよ。何ヶ所か。

松岡　私も訳してみてはじめて、おお、こういうふうになってるのかって思った。たとえばリチャードの「非の打ちどころのない女神にお願いがある、／私に負わされた罪の数々、事細かに並べ上げ／その濡れ衣を晴らさせてくれ。」と、アンの「非の打ちどころだらけの疫病神にお願いがある、／お前が犯した罪の数々、事細かに並べ立て／呪いの言葉を吐かせてくれ。」はペアになってる。次も「言葉では言い尽くせないほど美しい人」と「心には思い描けないほど醜いやつ」でしょ。「そこまでの絶望は、自分自身への告発だ。」と「そこまでの絶望こそ、お前自身への申し開き。」。このへんで、あっと思った。アンの文体なんてない。リチャードの文体なんてない。この作品の文体なんだって。

小森　なるほど。

松岡　だから、これは、すごく訳しやすかった。逆に『ウィンザー』は、ものすごく時間がかかったんです。分量からいったら『リチャード三世』の方が倍くらいあるでしょう。でも、時間は『ウィンザー』の方が倍かかった。ひとりひとり違う言い方するんだもん。

小森　『ウィンザー』みたいな、田舎の人の言葉というのは、いまでは表現するのが難しいし、これから先、どんどん難しくなるでしょう？

松岡　そうですね。これだけ、情報が全国隅々まで行っちゃって、言葉が平均化するとね。

小森　この二作が両極端だとして、ほかの作品はどうなんでしょう。『十二夜』というのは、登場人物ひとりひとりにスタイルがあるということですね。

松岡　私がひとりひとりにスタイルがあると意識したのは『十二夜』なんです。本当は『ハムレット』だってあるんだけどね。あれは、訳してるときは、無我夢中だったから（笑）。そこまでゆとりがなかった。

小森　ポローニアスの文体がオフィーリアの台詞の中に出ていると、エッセイにお書きになってましたが、まず、ポローニアスの文体というのは、どういうものなんでしょう？

松岡　変にレトリカルなんですよ。自分ではまずい洒落だと言ってるけど、言葉遊びが好きだし。それで、「尼寺へ行け」の、あの場面で、ハムレットが、どこでオフィーリアの裏に親父がいるか気づいたかというのが問題になるんです。to the noble mind とオフィーリアが言う。noble mind というのは自分のことなのね。自分に向かって noble と言うなんて、なんかヘンって思ったのがきっかけなんです。私は、ヘンだな、オフィーリアらしくないなあって思ったけども、オフィーリアらしくしちゃ、マズいだろうと思って、「品位を尊ぶ者」と訳した。さすがに「高貴な者」とは言わせられない。自分を高く見ていることになるから。どうしたものかな、よく言うよっていうのが、私の正直な気持ちだった。そうしたら、松《まつ》たか子さんに言われちゃったのよ。「私、それ親に言わされてると思って演ってます」。ホントに血の気が引いた。ね、だから役者ってすごいと思っちゃうわけ。で、それを聞いてた真田《さなだ》広之《ひろゆき》さんが、僕もそれを感じるから、裏に親がいると思って、すぐ「ははあ！　お前は貞淑か？」と出られるんだって言うの。もう、まいっちゃって。確かに、これはポローニアスの文体に違いない。でも、心配だから、ネイティヴの人に聞いてみたら、そうだ、そうだという返事。とくに、マイケル・

マロニーって知ってるかな、イギリスのすごくいい俳優で、ケネス・ブラナーの映画では常連。このあいだ、蜷川幸雄《にながわゆきお》演出のRSC[*1]版『リア王』のときは、エドガー役だったんですよ。彼は映画の『世にも憂鬱なハムレットたち』で主役をやってるし、舞台でも『ハムレット』を演ってる。だから、聞いてみたの。そしたら「あーっ」って言って「気がつかなかった、でも、そうに違いない」。

小森 ということは、それは発見の部類に属するわけですね。

松岡 (うなずく)そこをやるためだけにでも、もう一回ハムレットを演りたいって言ってた。それで、ポローニアスの文体だって分かった、オフィーリアらしくないということは分かった、じゃあ、オフィーリアの文体ってなにかしら。そう思って、頭からオフィーリアの台詞だけ全部抜き出して、読んでいったんです。それで、びっくりしたのは、Iを主語にした文章の少なさ。

小森 そうなんですか。それもいい発見じゃないですか。

松岡 人のことばっかり喋ってるの。しかも、たまにIが出て来ると、I don't know. とか、そういうときだけ。それで、さらにびっくりしたのは、気が狂うじゃないですか、そうすると命令文が多くなる。

＊1　ロイヤル・シェイクスピア・カンパニーの略。英国の王立劇団。ただし、イギリスの劇団は日本のそれよりも人材の移動が激しく、リーダーも芸術監督制で流動する。

小森　なるほど。分かりやすい人だ（笑）。

松岡　狂って、親父さんの縛りとかが解けた瞬間に、自分が出て来る。これまでにも、狂ってからは、それまで抑圧されていた性的な関心が出て来るということは、指摘されていた。確かに、それはそうなんです。でも、私は、文体ということで見ていっただけでも、面白いなと思う。あるところまでは、ずっと自分が出ない、あるところでは、お父さんの文体を借りて喋ってる、ハムレット様は狂ってしまわれたというところで、はじめて彼女は饒舌《じょうぜつ》になるんですけど、そこは微妙な文体なんですね。それで、狂っちゃうと、それまでただの一度として使わなかった命令文が出て来る。

小森　そんなことが分かるオフィーリアを、私は舞台で観たことがないですけど。

松岡　これは、私、たか子ちゃんに教えてもらって、発見したことなんだけど、そして、こういうノウハウや知識が、どれだけ演技に役立つかは分からないけれども、今度の篠原涼子《しのはらりょうこ》さん（市村《いちむら》ハムレット[*1]のオフィーリア）には、お伝えしようと思ってるの。翻訳って、やっぱりすごいことですね。だって、そういう発見をさせてくれるんだから、翻訳という作業が。もっとも、翻訳する人が、みんながみんな、そういう発見をするとは限らないと（笑）言いたい松岡さんが、いないわけではないけれど（笑）。でも、私自身に限って言えば、翻訳しなかったら、分かんない。絶対分かんなかった。百遍読んでも分かんなかったと思う。

小森　そうですか。

松岡　（力強く）うん。なんか、ひっかかるんですよね、やってくと。なんか嫌な感じ。さっきのnobleじゃないけど。nobleなんて、アルカイックな言葉ではないし、古語でもなんでもないから、たぶんネイティヴの人はさーっと読んじゃうんですよ。でも、ジャパニーズだからさ、私。nobleをジャパニーズにしなきゃなんないから。なんか気持ち悪いな。なにこれって。なんで、ここで、こういう人物に、シェイクスピアはこんな言葉を喋らせるの？　っていうふうになる。演る人も訳す人もシェイクスピアにハマっちゃうのは、こういうことがあるからだと思う。一個ひっかかったら、それをほぐしていくと、ダーッと芋づる式に見えてくるものがあるわけじゃない。

小森　やりがいがありますね。

松岡　たか子ちゃんのおかげなんですけどね（笑）。くやしいのよ、自分でも。バカだなと思うのよ。オフィーリアらしくないってことが気になったんだから、じゃあ誰らしいのかと、なんで、お前は自分で考えなかったのかって。そこが、やっぱり、翻訳者と役者の違いなんでしょうね。絶対思ったのよ、松たか子も。あら、ヤだ、「品位を尊ぶ者」だなんて、あたしらしくないわって思ったのよ、きっと。

小森　なにこれって思ったんでしょうね。

松岡　そうそう。なんで、あたしがこれ言うのって。ああ、そうだ、父ちゃんが言えって言ったんだろうなって。素直な娘だから。私とおんなじことでひっかかっても、役者はね……。

＊1　二〇〇一年九月彩の国さいたま芸術劇場にて上演。演出・蜷川幸雄。

小森　舞台の上で口にしなければいけませんからね。

重層的な台詞

松岡　『マクベス』[*1]について、朝日新聞の山口宏子《やまぐちひろこ》さんが面白いこと言ってた。唐沢寿明《からさわとしあき》と大《おお》竹《たけ》しのぶのマクベスと夫人は最後の最後まで愛し合っていて、世界の中のふたりの迷子という感じなんです。山口さんはそれを観て「あのふたりに比べたら、幸四郎《こうしろう》さんのところは家庭内離婚みたいなもんですね」だって。唐沢・大竹の夫婦は、最後まで離れない。人払いをして暗殺者を呼び寄せる場面があるでしょう。そのときだって、手を握り合ってから別れる。だから、夫人の方も夫のやることを分かってるの。最後の方で、お医者さんに、あなたの患者はどうですかって、マクベスが聞きますよね。

小森　ええ、そこも註を読んで、すごいと思ったところです。

松岡　そのあとの台詞も、その流れで、なんとかしてくれって、投げやりに言うような解釈もあると思うけど、唐沢くんはそうじゃないの、本気で怒って「医術など犬に食わせろ」。夫人の死の知らせを受けたときの「何も今、死ななくてもいいものを。」を、幸四郎さんは、すごく自嘲的に言ったけど――そういう解釈も十分アリなんですけど――唐沢くんはそうじゃないの。愛をこめて悲しんで悲痛に言う。一字一句変わんないのに、正反対にできちゃう。私自身翻訳するときも、役者さんに対するときも、裏を読むことはいつでもできるけれど、まず最初は、書いてあることを百パーセント信じなさいって言い聞かせる。だから、唐沢くんのマクベスを観たとき、私それを忘れてたわって思った。唐沢くんは本格的なシェイクスピアは最初でしょう。だから、ものすごく素直に読んでる。心配してると言ってるから心配してる。口ではこう言ってるけど実はってのは、次の手なんだよね。同じように、loveという言葉を「友情」と訳すこともあれば「忠誠心」と訳すこともあるわけですよ。でも、まず、「愛」と訳してみる。そうすると、愛のままの方が、効果が大きいことが多いのね。だけど、日本語の「愛」というのは、なかなか使えない言葉だから、どう考えても友だち同士のことだと、前後から攻めて攻めて確認したら、それは「友情」と訳す。でも、そうする前に、まず「愛」とやってみる。それは、重層的な意味を持っているシェイクスピアの言葉だからこその自戒であり、また、次の手その次の手と考えていける。

小森　そういう重層的な意味を持った言葉遣いをする劇作家、作家でもいいですけど、ほかにはどういう人がいるんですか。

松岡　トム・ストッパード。あと、読んだだけで、訳したことはないですけど、ハロルド・ピンターとかは、非常にシンプルだけど、すごく圧縮されているから、入ってるものはたくさんという感じがしますね。

＊1　松本幸四郎版は一九九六年九月〜十月銀座セゾン劇場にてT・P・T公演として上演。演出・デヴィッド・ルヴォー。唐沢寿明版は二〇〇一年三月彩の国さいたま芸術劇場にて上演。演出・蜷川幸雄。

小森　ストッパードは『ローゼンクランツとギルデンスターンは死んだ』ですか。
松岡　ほかも。
小森　それは、現代でも才能のある作家はそうだということですか。
松岡　ええ。それとねえ、やっぱり、散文と詩の問題だと思う。ストッパードは詩を書いていませんけど、詩人の言葉の扱いよね。辻井喬《つじいたかし》さんが、詩の言葉について、現代の言葉はあいまいさが排除され、Aと言ったらAと伝わることが良しとされているけれども、詩はその逆なんだというようなことを、お書きになっていた。これは、あいまいって言っちゃうと、いい加減でネガティヴな意味が入っちゃうけど、そういうことじゃなくて、ある言葉にこもっている意味とかニュアンスは、多層的である。多層的であったものを、全部バラしてパラフレーズすれば、一層になって平明な表現になるんだけど、詩人の場合は多層のままポンと置くわけ。だから、読む側が一番上の意味をとり、その次に隠れている意味をとりと、そうやって探っていくわけじゃない。そういう意識を持って言葉を扱っていれば、表面的に見れば散文であっても、詩人のアプローチだと思うんですね。シェイクスピアの作品というのは、それなんですよ。ストッパードもそうなんだと思う。日本人だと、どうだろうな。唐十郎《からじゅうろう》さんなんかは、詩人の言葉だと思う。彼は圧縮と飛躍ということを、おっしゃったことがあるのね。圧縮というのは、たくさんの意味やイメージをまとめて入れちゃうこと。それで、ポーンと次の言葉に飛ぶから、その間をこっちが埋めていかなきゃならない。
小森　では、シェイクスピアの同時代の作家というのは、どうなんですか。

松岡　やっぱり、シェイクスピアほどの重層性はないけれども、ブランク・ヴァースで書かれるものが多いですから、そういう傾向はありますね。でも、ほかの作家の方がはるかに易しいし、読みやすい。ベン・ジョンソンになると、別の語彙《ごい》とかレトリックとか入るから、シェイクスピアとは違った意味で難しくなるけど。最近思うのは、ブランク・ヴァースの弱強のリズムは、覚えやすさの必要からも来てるんじゃないかということ。日本語でも七五調って覚えやすいじゃない。なにしろ、当時は日替わりで芝居やってるんだから。
小森　あ、そうなんですか。
松岡　だから、たいへんなわけよ、役者は。しかも、十五、六人しかいないんだから。今日『ハムレット』やったら、明日『十二夜』をやってというわけだから、そのためには、台詞がものすごく覚えやすくなければならない。それには、やっぱり、リズムがあって、イメージがつながって、ということが必要になる。歌舞伎の調子のいい台詞の背景も同じだと思う。
小森　歌舞伎では、抜いてやることがあるじゃないですか。シェイクスピアの場合、たとえば『リチャード三世』をやるというと、頭から仕舞いまで必ずやるものなんですか。
松岡　それはどうでしょうね。ただ、エドマンド・キーン[*1]のあたりになると、名場面を抜いてたみたいね。とくに、サロンに呼ばれてやるときなんて。

＊1　十九世紀初頭のイギリスの俳優。熱狂的な演技で悪意と残忍さを表現して当たりをとった。リチャード三世、イアゴー、シャイロックなどの演技が代表とされている。

食べ物を見たらセックスと思え!?

小森　シェイクスピアには、セックスに関する言葉が非常に多いですね。言い間違いも含めて。そういうのは、タブー視されていたんですか。それとも、あっけらかんと使われていたんですか。

松岡　あっけらかんじゃないですかねえ。シェイクスピアには『猥語卑語辞典』[*1]が出てるんです。(一冊取り出す) こっちは古典的な辞典で、これでこぼれているのを、こっちの新しい方の人が足した。

小森　そういうものがあるんですか。

松岡　私が学生のころは、古い方のパートリッジ編一冊だけでしたけどね。まあ、シェイクスピアは上品ぶった芝居じゃないから。

小森　そういうのを訳すにあたって、心がけたことはあるんですか。

松岡　見落とさない。やりすぎない。

小森　(笑)

松岡　やりすぎると、恥ずかしいでしょう(笑)。なんでもないところまで、そういうふうに読んじゃうなんて。

小森　やっぱり見落としはあるものなんですか。

松岡　ある。えーっとね、なんかであったなあ……。『ウィンザーの陽気な女房たち』で、スレンダーが求愛するアンが、家に入って一緒に食事をしてくださいと言って、スレンダーがしりごみして断るところ。「こないだ僕、剣術の先生と長剣と短剣の試合をして、脛《すね》を切っちゃって。プルーンの砂糖煮を一皿賭けて三番勝負やったんだけど、それ以来、あったかい料理のにおいを嗅ぐと気持ちわるくなるんです」という台詞。最初、読み過ごしちゃってたの。まあ、訳の日本語にどう出るっていうんじゃないんですけどね。スレンダーは石井愃一《いしいけんいち》さんが演ったんだけど、実は、彼は以前セゾン劇場でやった『十二夜』[*2]に出ていて、そのとき、演出のエイドリアン・ノーブルが、「これから、君がシェイクスピアをやるんだったら、ひとつプレゼントをしよう」って言って、「食べ物が出て来たら、ほぼ百パーセント、セクシュアルな意味があると思ってなさい」と、教えてくれたんだって。それで、石井さんに「松岡さん、僕、エイドリアン・ノーブルにそう言われたんだけど、このプルーンってどうなの？」と言われて、あーっ、そう言えばって、気づいたのよ。それで、あわてて脚註足したんですけど、プルーンの砂糖煮っていうのは当時の売春宿で出る定番の食べ物なの。だから、ここの長剣と短剣の試合をしてというのは、長いものは、だいたいペニスだと思えってことだし、女の子を前にしたスレンダーの頭の中には、娼婦を抱いたときのことが浮かんじゃってるのかもしれないねってい

＊1　一九九四年出版のゴードン・ウィリアムズ編・著の三巻本あり。
＊2　一九八七年十一月〜十二月銀座セゾン劇場にて上演。演出・エイドリアン・ノーブル。

う話になったの。あからさまな話ではないんだけど。

小森　剣術の先生というのは、売春婦をさすというのではない？

松岡　そうじゃないですね。だけど、剣術の先生と一緒に行ったかもしれない。プルーンの砂糖煮を賭けるということは。

小森　その後、売春宿に行くことは決まっているわけですね。長剣と短剣というのは？

松岡　それも怪しいですね。

小森　剣術の先生と長剣の試合して、その後、短い方でも競ったとか。そういうことですかね。ま、こういうことを見落とさないようにするというのは大変ですね。

松岡　それを、私、うっかり見落としちゃってたの。それで、石井さんに教えてもらった。言葉の上ではプルーンの砂糖煮ということだけど、石井さんは、そこで、もじもじうずうずした感じで演ってましたよ。「ほんとに僕、先には行かないです」というところも、性的な意味をあらわに出してね。

小森　そういう性的なものはたくさん出て来ますが、それはシェイクスピアに限ったことじゃないんですか。

松岡　そうではないです。当時の芝居はだいたい。

小森　同じようなことは現代劇でも起きることでしょうけど、やっぱり見落とされやすいんですか。

松岡　少なくとも、私はダメだなあ。けっこう注意して見てるつもりなんですけどねえ……。

でも、もう、かなり大丈夫（笑）。基本的に、お皿とか、丸いものは、だいたい女性の性器。尖ったものは……。それが出て来たら、あ、用心しなきゃ（笑）。それと、今度、石井さんに教えてもらった食べ物。とくにmeatなんて出て来たら、それは娼婦のことだからね。

小森　そういう点で、これまでの先行訳はどうなんですか。というのは、松岡さんの訳を読んでると、性にまつわる台詞が多く感じるんですね。

松岡　私『ロミオとジュリエット』でびっくりしたんだもの、ホントに。ふたりのロマンティックな悲恋が中心になって、それは間違いじゃないんだけど、まわりにいる乳母だとか、マキューシオたちってのは、すごいのよ。ロミオだってけっこう言ってる。河合《かわい》隼雄《はやお》さんにも冗談半分に言ったんだけど、たぶん、私の訳が一番品が悪い。しかも、このときの演出は、ジョン・レタラックというイギリス人だったから、いろいろ教えてもらったし。だから、私の訳には性的な言葉が多いと思うけど、でも、ないものを作ったわけじゃないから。そこは声を大にして言いたい（笑）。

小森　つまり、演出がどうのという以前に、そういうところが紹介されていなかったと考えていいわけですね。ところで、次はなにを訳すんですか。

松岡　『ヴェニスの商人』[*1]。

小森　『ヴェニスの商人』については、私は、かねがねうかがいたいことがあったんです。あ

＊1　二〇〇一年ヨーロッパ巡演ののち、俳優座劇場にて上演。演出・イオン・カラミトル。

れは、やっぱり、本気でユダヤ人をいじめてたんですか。

松岡　そうだと思います。

小森　やっぱり。普通、そうとりますよね。

松岡　当時シャイロックは完全な悪玉だったみたいよ。

小森　で、最後、裁判でいじめて、お客さんたちは、ざまあみろと思ってたんですかね。

松岡　そうだと思う。

小森　そうですよね。いま日本人がやろうとすると、そこを一所懸命ごまかそうとするんですけど。

松岡　日本人だけじゃないですよ。ヨーロッパも、イギリスなんかでは必死ですよ。なんとか、ユダヤ人を持ち上げようと。あれは、やっぱりPC引っかかりまくりじゃない。『ウィンザーの陽気な女房たち』だって危ない。外国人嫌いが。

小森　ほかの作品にもたくさんありますもんね。

松岡　むしろ、あのころなのに、ここ止まりと思うのが適当なのかもしれない。女性の描き方にしても。

小森　演出は蜷川幸雄さんですか。

松岡　いや、以前グローブ座の支配人をやってらした田《た》村《むら》晴也《せいや》さんが、いまフリーのプロデューサーになっていて、日欧舞台芸術交流会で、日本から参加するという形で、毎年やってるの。

小森　それはヨーロッパでやるということですか。

松岡　そう。で、日本に帰ってから報告公演をやる。それで、今年は先方から要請があったので『ヴェニスの商人』を上演する。演出をペーター・ストルマーレに頼んでいて、ペーターは最初OKしてたんだけど、やっぱり『ヴェニスの商人』は難しいといって降りちゃって、イオン・カラミトルというルーマニアの演出家がやることになった。

小森　『ヴェニスの商人』はいまもよく上演されてるんでしょう?

松岡　最近多くなりましたね。去年ロンドンのナショナル・シアターでやった『ヴェニスの商人』(トレヴァー・ナン演出)が評判になったけど、それは、シャイロックの娘のジェシカが、最後で意識的にキリスト教徒のみんなの輪に入らない。

小森　以前、ライミングの『ヴェニスの商人』を観たとき、ジェシカがなんの抵抗もなくキリスト教徒の輪に入っていって、なんじゃこれはと思いましたね。

松岡　本気で『ヴェニスの商人』を日本人がやろうというなら、自分たちがどういう人種差別をしてきたかっていうことに斬り込まないと、ダメでしょう。

劇団雲から大学院へ

小森　昔の話も少しうかがいたいのですが、一番最初に訳した戯曲というのは、なんだったんですか。

松岡　ホントにホントの昔は、まだ大学院生のときに、王制復古期のトマス・オトウェイという劇作家の作品ですね。『兵士の運』という喜劇で、下訳です。小沢栄太郎《おざわえいたろう》さんがロンドンにいらして、その舞台をご覧になって、すごく面白いというので、私の大学院の恩師でシェイクスピア学者の小津次郎《おづじろう》さんに、読みたいとおっしゃった。そういう事情で、舞台にかかるかどうかは分からないけど訳してみてくれと、小津さんに言われた。それが最初ですね。

小森　上演されたんですか。

松岡　されなかった。俳優座のどっかに埋まってるでしょうね（笑）。それで、本格的に訳したのは、あれ、どっちが先だったかな。ほとんど相前後してるんですけど、いきなりトム・ストッパードの『ローゼンクランツとギルデンスターンは死んだ』。

小森　それは四季が本邦初演でやったときですか。

松岡　最初に四季がやったのは、私の訳じゃなくて、倉橋健《くらはしたけし》さんの訳です。私は劇書房から言われたの。

小森　じゃあ、上演とは関係なく。

松岡　いや、上演するから訳してくれと。PARCOパート3で矢崎滋《やざきしげる》と角野卓造《かどのたくぞう》でやるからって。

小森　私が観たやつだ。あのときに劇書房の本が出たんですか。

松岡　それとキャリル・チャーチルの『クラウド9』とどっちが先か。（奥付を調べる）あ、『クラウド9』の方が先なんだ。

小森　『クラウド9』は、どこのために訳したんですか。

松岡　これはPARCO劇場で、藤原新平《ふじわらしんぺい》演出。佐藤《さとう》オリエさんがのちにホモセクシュアルになる少年の役。松下砂稚子《まつしたさちこ》さんがベティをやったのかな。あとにも先にも、積極的に私が訳したいと言ったのは、この『クラウド９』一本だけなんですよ。そもそも、私の父の先妻の姪というのが、額田《ぬかだ》やえ子さんという、テレビの字幕や吹き替えの翻訳をする人だったんです。「逃亡者」「コンバット」「刑事コロンボ」とかアメリカの人気ドラマはたいていやってましたね。劇書房は、額田のやえちゃんに、『十二人の怒れる男』とか、何本か翻訳を依頼してたんですよ。そしたら、彼女は手一杯になって、だったら隠し玉を紹介するよと言って、額田やえ子の隠し玉として、私は登場したわけです。それで、たとえば『冬のライオン』とか、トム・ストッパードの『ジャンパーズ』とか、『ドッグ先生のハムレット、カフート氏のマクベス』を訳さないかって言って、ずいぶん本を渡されていたの。そういうのいくつかは、途中で止まっちゃってて、そうしてるうちに、一九八一年に私がニューヨークに行ったのね。そこで、トミー・テューン演出の『クラウド９』を観ちゃったの。それでもって、ブッとんじゃったわけ。なんて素敵なすごい芝居なんだろうと思って。もちろん、キャリル・チャーチルの名も、そのときはじめて知って、それで帰ってきてから、行く先々で、こういう面白い芝居がある、日本でもやらないのって言ってまわった。たまたま、朝倉摂《あさくらせつ》さんとは美術の関係で昔からの知り合いで、摂さんもご覧になってて、やっぱり、行く先々で面白い面白いと。そういうのがわーっと一緒になって、実現の運びとなった。これが最初ですね。それまでは、美術評論の翻訳したり、小説を訳したりはしてたんだけど。エド・マクベインも訳したことあるのよ。

小森　ほんとですか！

松岡　徳間書店が版権を買ったの。八十七分署もので *Long time no see* という原題で、お久しぶりねっていう意味のセットフレーズなんですけど、盲目の人が被害者なんですよ。それを『殺意の盲点』という邦題にした。もう当然絶版で、しかも、その後早川書房の文庫に入ったときには、別の人の訳が別の題名で入ってる。だから、幻の名訳よ（笑）。

小森　その話ははじめて聞きました。

松岡　あれは小森さんに読んでほしいな。まあ、そうやって、あれこれ翻訳はやってたんですよ。私自身、芝居は好きで、大学の卒論もテネシー・ウィリアムズだったし、劇団雲の研究生にもなっちゃったし、その後、力つけなきゃ演出なんてできっこないと思って、ちゃんと戯曲のこと勉強しようと大学院に入ったし……。いま考えるとその選択は見当違いだったと思うんだけど……。

小森　えっ？　雲には演出家になりに入ったんですか。

松岡　なりにというか、なりたくて。

小森　で、雲のあとに大学院なんですか。大学院生のときに雲にいたんじゃないんですか。私はそのように理解していたんですが。

松岡　そうじゃないんです。東女出てすぐ、親に内緒で試験受けて研究生になっちゃったの。それで、受かったもんだから、実はって言ったら、親がびっくりしちゃった。その年は文学座も俳優座も民藝も募集してなかったの。いまの人だったら、劇団作っちゃうんだろうけど、当時は、まだ、どこかに入るという発想しかない。そうしたら、劇団雲が旗揚げしたばかりで、そこだけが演出部を募集してた。いまなら、演出部がなんであるか分かるわよね。要するに、金槌持ってトンコトンコやる人が欲しかったのよ。でも、演出部っていったら演出やるもんだと単純に思ってるから受けたんですよ。そのとき受けたのが、柄谷行人《からたにこうじん》の亡くなった先妻の冥《めい》王《おう》まさ子。いま、関西で大学教授やってる大橋也寸《おおはしやす》。もうひとりが当時NHKのアナウンサーで、いまは世田谷パブリックシアターというか、くりっく館長の永井多恵子《ながいたえこ》。それと私。もうひとりいたけど、その人はわりと早く結婚して辞めちゃった。それで、劇団側としては、屈強な男が欲しかったのに、なんか女がぞろぞろっと受けにきちゃった。その共通点を見ると語学なの。大橋さんはフランス語でしょ。私と、その結婚しちゃった人は英語。永井さんは、ちょっと違うけど、現役でアナウンサーやってたし、早稲田で女優とか演出の経験もある人だったから。いまにして思えば、劇団側は、自分たちが求めて募集したのは、こういう人たちじゃないけど、なにか使い途があるかもしれないというので、文芸部というのをデッチあげたのかな。実際、なにやってたかというと、演出助手やパンフレットの編集。私、福田恆存さんに気に入られちゃったらしいんですね。ちょうど、マイケル・ペントールを招聘《しょうへい》して『ロミオとジュリエット』を上演するときだったの。福田さんは、大磯《おおいそ》にお宅があるんだけど、ホテル・オークラに宿をお取りになって、そこから劇団に通ってらした。私の仕事というのは私設秘書みたいなもので、毎朝十時に行って、細かな福田さんの用事を済ませてから、一緒に六本木《ろっぽんぎ》と溜池《ためいけ》の間にある箪笥町《たんすまち》の劇団——ドナルド・リチーさんの家のすぐ隣なんだけど——に行ってた。福田さんは、とにかく二十年早かったね、やることが。小劇場を兼ねた稽古場を作ったし、図書館を作ったし、演劇雑誌を兼ねたパンフレットを作りましょうってことで「雲」という機関誌を創刊したし、外国から演出家を呼んできて日本の俳優でやった。すごい先見の明があったと思う。

小森　松岡さんは、結局、どれくらい雲にいたんですか。

松岡　二年弱。一緒に入った中で、也寸は関西の大学出て、慶應の大学院出て、フランスに留学して、ルコックのメソッドを学んできてるわけよ。

小森　あ、もうフランスから帰られたあとだったんですか。

松岡　そう。それで、永井さんは早稲田でバリバリの経験があって、NHKの現役アナウンサーやりながらだからね。それから、柄谷まさ子は、当時、東京外語大を出て東大の大学院に入ってて、柄谷行人と結婚してたの。その前は、外語行きながら文学座の研究生やっていて、鴨《か》下薫《したかおる》さんという人と一緒に『蜜の味』っていうシーラ・ディレイニーの作品を、プロデュース公演でやったのよ。私なんか、東女をぽっと出たばかりで、まわりの三人はすごいわけ。それで、あせっちゃって、しかも、男の研究生からは、地方公演にもついていかなきゃダメだ、女だからってあまやかされてちゃダメだと言われ、せまられたら誰とでも寝なきゃダメだみたいなことまで言われ、舞台監督には、親の死に目にも会えないと思えと言われ、とにかく、ビビりまくりだった。それで、なんとか、ここの部分だけは誰にも負けないというものを、たとえハッタリでも出せるようにならなきゃ、演出家なんてやってられないんじゃないかと思った。

現在ではそんな人じゃなくても、見事に演出をやってる方は、いっぱいいらっしゃるんで、その認識は間違ってたと思うんだけど（笑）、当時はそうだった。なんかやらなきゃと思い込んだ。そのためには、まったく新しいことをやったってダメだ。私がやってきたのは英米の演劇をお勉強することだから、これを極める方向に行ってみましょう。そのためには、やっぱりシェイクスピアをやらなきゃいけないのかしらという、非常に短絡した考え方で、シェイクスピアについて、日本で一番いい仕事をしてる小津次郎さんがいる東大の大学院に行った。でも、大学院の間に、私は結婚しちゃって、ひょんなことから、美術関係の翻訳をするようになっちゃった。

芝居からフラれたと思ってた

小森　大学院出てから、すぐ東京医科歯科大で教えたんですか。

松岡　いやいや。大学院の間に東大闘争があったんですよ。大変革。就職だって、昔は、教授が学生を呼んで、君、ここからこういう就職口があるんだけど、どうだいっていう、そういう密室の中のことを、全部ガラス張りにしなきゃダメだと、学生側が要求して、先生方は旋毛《つむじ》を曲げちゃった（笑）。旋毛を曲げたという言い方は語弊があるけど、じゃあ、あなたたち勝手に公募でもなんでもやりなさい、自分たちは面倒みるのやめたと。それで、公募ということになったんだけど、そこには、明らかに男女差別があるわけですよ。しょうがないから、非常勤で食いつないだ。食いつなぐもなにも、結婚しちゃったからね。養ってもらって、お金稼ぐのはアルバイト程度のところから始めた。
小森　非常勤じゃなくなったのは、いつからなんですか。
松岡　えーっと、八二年。
小森　えっ、そうなんですか。
松岡　すごく長かったんですよ。
小森　八二年といったら『クラウド9』を出すころじゃないですか。
松岡　私は、ハッキリ言って、芝居からフラれたと思ってたからね。力もないし。最初、大学院に行ったときは、卒業したら現場に戻りたいという気持ちがあったんですけども、結婚して子どもも生まれちゃったし、翻訳やってて、そこそこ面白いし、自分が興味を持てる仕事も来るようになったしね。これでいいかって思ってたわけよ。大学院でも、シェイクスピアやジェームズ朝の芝居だけの勉強をやってたから――私、修士論文はジョン・フォードをやったんですよ――劇場に足を運ぶのも、シェイクスピアや、文学座でやってたシェイクスピア以後の連続上演、ジョン・フォードの『あわれ彼女は娼婦』とか、そういうものしか観てなかった。
小森　木村光一《きむらこういち》の演出ですね？
松岡　そう。あのころ、シェイクスピア直後の芝居が、ずいぶん意欲的に上演されてたから。そういうのは観にいってたんだけど、当時、ワーッと盛んになってきたアングラは全然観てない。芝居にフラれたと思ってるから。それで、非常勤の先々で戯曲ばかり読んでたら……。

小森　それは、どういう戯曲を。

松岡　『ガラスの動物園』とか。シェイクスピアはとてもとても。大学院に入って、ジョン・フォードをやるんで、仕方ないから読んだけど、やっぱり難しいし。シェイクスピアを研究するのは大家、大学院の学生の中でも、ものすごく優秀な人だと、ずーっと思ってた。ずっと敬遠しっぱなしですよ。だから現代の戯曲ばかり。ピンターとか。ただ、学生の方にも、この先生、芝居好きなのねというのは伝わるわけで、あるとき、東女で非常勤してると、学生のひとりが授業終わったら、つかこうへいの『熱海殺人事件』[*1]のチケットを二枚持ってきて、行けなくなっちゃったので、先生買ってくださいって。当時、つかこうへいというのは、ものすごい人気と、常々聞いてはいたけど、徹夜で並ばないとチケットは買えなかったし、私には縁のないものと思っていた。そういうことなら、ぜひ買わせてもらうわといって、紀伊國屋ホールに行くと、出演が平田満《ひらたみつる》、三浦洋一《みうらよういち》、加藤健一《かとうけんいち》、井上加奈子《いのうえかなこ》。それを観ちゃったんですねえ！　これが、大衝撃。

小森　そうでしょうねえ。

松岡　芝居に対して、私が勝手に拗《す》ねて、あなた、私をフったのね、いいわ、もう二度と会いたくない（笑）、もう、いいって思っていたら、わーっっ、あなたって、やっぱり、こんなに素敵だったのね（笑）。心改めます。もう一度会ってちょうだい、っていう感じ。

＊1　一九七九年四月紀伊國屋ホールにて、つかこうへい事務所公演として上演。演出・つかこうへい。

小森　（爆笑）

松岡　それから、もう、大変よお。

小森　それは大変でしょう。お察しします（笑）。

松岡　だから、私にとっては、つかこうへいも唐十郎も鈴木《すずき》忠志《ただし》も野田《のだ》秀樹《ひでき》も同じ平面にある。通時的じゃないんですよ。で、八〇年代に入ったら、ダーッと一斉に観始めた。それと同時に、劇評の仕事なんかも、ぽつぽつ来るようになった。

小森　私たちの年代と感覚が近いのは、そのせいなんですね。

松岡　そうなの。私と同世代の人は、通時的に観てるわけ。だから、大笹吉雄《おおざさよしお》さんや扇田《せんだ》昭彦《あきひこ》さんにとって、野田秀樹は、唐十郎、つかこうへいの後輩なのね。だけど、全部同一平面上に見るというのは、当時の若い人と同じ感覚に、否応なくなっちゃったということね。私は新劇から入って、アングラや小劇場はすぽっと抜けてて、また観始めたときには、その全部がある。たぶん、小森さんと似たような観劇体験でしょう？

小森　私が観始めたのは、そういう区別もへったくれもない状態が、目前に迫ってたころじゃないですか。七〇年代の終わりからボツボツ観始めて、上京したのが八一年のアタマですから。

松岡　ああ、そうかあ。じゃあ、本当に同じなんだ。

稽古場にいると得をする

小森　それで『クラウド9』の話に戻りますと、たいていは、上演するものを翻訳するという形なんですか。
松岡　そうです。読むためだけの翻訳というのは、したことないですね。舞台にかかってなくても、上演する予定だから翻訳してくださいと言われて。
小森　それで、結局上演されなかったものもあるんですか。
松岡　あります。ピーター・ニコルズの『パッション・プレイ』は、いまでも、どこかで上演してくれないかなと思う芝居だけど。中年夫婦の危機の話なんですけど、夫役をふたりの俳優がやって、妻役も、やはり、ふたりの俳優がやるの。ジェイムズとジム、エリナーとネルといって、普段話してるときの夫や妻と、相手が知らないところで勝手に行動したり、言ってることと違うことを考えてたりする人格とを、ふたりに分けてる。なかなか面白い仕掛けのイギリスの戯曲。去年ロンドン行ったときに、やってたんですよ。古びてるんじゃないかと、おそるおそる観たら、面白かったですよ。
小森　いつごろの芝居なんですか。
松岡　初演は八一年ですね。
小森　あのころのイギリスの劇作家というのは、才能がかたまって出た時期なんですか。
松岡　そう思います。これは、トム・ストッパードが言ってたことなんだけど、やっぱり『怒りをこめて振り返れ』の衝撃って、ものすごく大きくて、それで、いやしくも、物を考え物を書き、なにかをクリエイトしたいという若い人は、ドドドッと劇作に流れたって。

小森　『怒りをこめて振り返れ』は何年でしたっけ。
松岡　一九五六年。
小森　それを観て、ドドドッと流れた人が花開くのが、いつごろなんですか。
松岡　日本と同じくらいで六〇年代の後半ですか。一九三〇年代生まれの人が、六〇年代後半から七〇年代初めにかけて書き始めた。
小森　もともと、そんなに若くしてデビューしませんもんね。
松岡　だから、いまのイギリス演劇は、一番才能が集中しているジャンルとは言えない。
小森　それは、いつごろまでそうだったと言えるんですか。
松岡　（考えて）八〇年代は、そうでしたよね。デヴィッド・エドガー、このあいだ文学座で『ペンテコスト』をやったけど。あと、アラン・ベネットとか、エドワード・ボンドとか。
小森　エドワード・ボンドは八〇年代も書いてたんですか。
松岡　九〇年代も書いてますね。
小森　アイルランドだけど、ブライアン・フリールなんかもいますしね。
松岡　そうそう。あれも八〇年代ですよ。
小森　そういう一群の作家が、日本に紹介されていなくて、松岡さんが戯曲を翻訳するようになったときに、ちょうどぶつかった。
松岡　そうですね。キャリル・チャーチルなんて、誰も知らなかったと思う。
小森　松岡さんは、稽古場によく足を運ばれて、稽古場で半分訳してるようなものだとおっしゃってますが、それは、最初からそうだったんですか。

松岡　そうですね。『ローゼンクランツとギルデンスターンは死んだ』なんかは、実際に翻訳作業にかかる前から、演出の出口典雄《でぐちのりお》さん、角野卓造さん、矢崎滋さん、劇書房の笹部博司《ささべひろし》さん、私なんかで、しょっちゅう打ち合わせしてた。

小森　テキストはなしでですか。

松岡　いや、訳してからかな。まず訳してからだ。訳を渡して、それについて分かんないことがあるとか、ここはどうしようとか、そういうことを議論しましたね。いま考えると、そんなに戯曲の翻訳経験もないのに、よくこんなとんでもないものをやったと思う。シェイクスピアを敬遠してたのに。(『ハムレット』を)部分訳しないといけないじゃないですか。それで、そのとき、役者さんというのは、言葉に対してどういう感覚を持っているのかとか、演出家はなにを考えてるのかとか、翻訳はそれに対してどういう務めを果たさないといけないのかということを、理屈じゃなくて、要するに、その場にいなきゃいけないんだ、いるとこっちも得するんだというふうに理解しましたね。たとえば私の訳での『ガラスの動物園』の再演は鴨下信一《かもしたしんいち》さん演出でやったんです。そのときに、この一家には、日常の言葉に絶対にタブーがある、ローラは足が悪いし、いまで言えば、引きこもりだから、「変わってる」という言葉だとか、「走る」みたいな足に関する言葉は、必ずタブーになってるはずなんだという役者さんへのダメ出しが、鴨下さんからあった。そばでそれ聞いて、あっ、もうひとつタブーがあるはずだと思った。オールドミスという言葉。それを、こともあろうに、タブーをつくってた本人のアマンダ自身が、オールドミスっていう言葉の出て来る歌を歌っちゃう。だから、すごい。ところが、私はそこのオールドミスという言葉を潰して訳してたんですね。これは使わなきゃいけないと思って、鴨下ヴァージョンのときは、その言葉を入れた歌詞にしました。演出家の読みや俳優の読みによって、私が見過ごしたことや、見過ごしたことによって、そこに込められた意味を潰しちゃってることに気づくことは、すごくたくさんある。

小森　たとえば、その『ガラスの動物園』が本になったとして、いまの話でいうと、オールドミスという言葉を初版のときに使ってないとしたら、再版のときには、手を入れるんですか。

松岡　入れます。

小森　そうではない場合もあるわけですよね。上演のときは、この言葉でいく、あるいは、ここは切る。しかし、テキストとしては、そうはいかない。そういうこともあるわけですよね。

松岡　あります。それの最たるものは『マクベス』[*1]のときなんですね。アレキサンドル・ダリエが演出、マクベスを段田《だんた》安則《やすのり》、マクベス夫人を南果歩《みなみかほ》がやったんですけど、ダリエさんは、魔女の役割をものすごく大きくした。大きくしたばかりか、三人ともスキンヘッドの男優を使った。それで、暗殺者もそのうちのふたりがやるとか、いたるところで、魔女の役者さんが二役三役やってるんです。で、マクベスがバンクォーの暗殺命令を出して「腹を決めておけ」って言う。そのときに使うのがresolveという言葉で、暗殺者たちもWe are resolved.と言うわけです。私は「腹は決まっております」と訳した。ところが、この暗殺者は魔女が化けたものという効果を出したい、resolveには「決心する」と、もうひとつの意味「溶ける」とが両方重なっている、それを日本語でもやってくれと、ダリエさんは言うわけ。

小森　ムチャ言う人やなあ（笑）。

松岡　私はむくれましたよ、そのとき（笑）。帰りの電車の中で、できるわけないわよねなんて役者さんにコボしてたの。だけど、やっぱり悔しい。翻訳者の意地があって。それで、考えました。「迷いは雲散霧消」。そしたら、ダリエさん気に入っちゃって。その「むしょー」という音そのものが。それに、最初の方で「飛んで行こう、よどんだ空気と霧の中」と魔女三人が言ってるので、霧消という言葉は、それともイメージが重なるし。だから、ダリエ版の『マクベス』では、暗殺者は「迷いは雲散むしょー」と言いながら消えていく。でも、それは、暗殺者が魔女だというキャスティングだからこそ意味も効果もあるので、暗殺者を暗殺者役の人がやる場合は、いくらresolveに「溶ける」の意味があっても、「決心する」の言外に「消えます」という意味を滲ませる必要はないわけですよ。だから、本では変えない。

小森　いまの場合は非常に分かりやすい例ですね。でも、解釈によって甲乙つけがたいものが二通りあるような、ちょっとややこしい場合も生じるでしょう?

松岡　あります。だから、シェイクスピアの場合は脚註でそれを書きます。前に駄洒落や言葉遊びのことは言いましたが、もうひとつ、演出の多様な可能性を、翻訳者が言葉をひとつ選ぶことで潰したくないというのはある。『ハムレット』の第一幕第三場、ポローニアスの家族の

＊1　一九九七年十月紀伊國屋ホールにて上演。演出・アレキサンドル・ダリエ。

場面で、フランスの留学先に戻っていくレアティーズが、お父さんと妹に向かってfarewellって言うんですよ。これを誰に言ってるかというのは、どっちとも解釈できるわけ。私は、sirがつかないから、お父さんにじゃなくて、オフィーリアに言ってるんだなと解釈する。だから「じゃあ元気で」というふうに訳しました。でも、蜷川さんの演出のときは、ポローニアスに向かって言わせてるんです。だから、そのときは「お元気で」。そのことも註には書いてるんですよ。いくつかの解釈がある場合は、私の解釈はこれですというのは本文に、でも、ほかの可能性もあるんだよというのは、脚註に入れるようにしている。

小森　さっきの『ガラスの動物園』のタブーがあるというのは、私の感覚では、解釈のひとつのように思えるんですが、それは絶対的なものなんですか。

松岡　絶対的じゃないでしょうね。ただ、状況証拠はあるわけですよ。アマンダがトムに向かって「そんな言葉言っちゃだめ」というところがあるし……。

小森　そんな言葉というのは？

松岡　「変わってる」という言葉。ローラに向かっても、私、足が悪いからと言うと、足が悪いなんて絶対言っちゃだめと言ってるんですよ。ですから、言っちゃいけない言葉というのが確実にあるわけです。それで、鴨下さんは、この家にはほかにもいろいろタブーがあるはずという言い方をした。だから、絶対ではないけど、ほぼ絶対だと思います。

小森　シェイクスピアの例は、いままでいくつかうかがいましたが、現代劇の場合で、そういうふうに得した記憶というのは、なにかありますか。

松岡　ジョン・デイヴィッド演出で江守徹《えもりとおる》さんがやった『エドマンド・キーン』はひとり芝居なんだけど、まわりに人がいるという設定で、キーンがその人に話しかけたり回想したりする。それで、ひどい仕打ちをした劇場主に向かって、キーンが攻撃するところがあるのね。そこは文脈から見て喧嘩をしてるのは明らかなわけです。だから、かなり乱暴な言葉遣いをさせた。もちろん、江守さんは乱暴に言うよね。そしたら、デイヴィッドが「違うんだ。ここは慇懃無《いんぎんぶ》礼《れい》に言ってほしい」と言うんで、ああ、そうか！

小森　原文は、怒りながらも言えるし、慇懃無礼にも言えるんですか。

松岡　そうなのよ。だから、これは困っちゃうとこですよね。

小森　もしそうなら、訳文でも、両方やれた方がいいんですよね。

松岡　そうです。

小森　難しそうですね。

松岡　難しいです。そういう経験をするとね、稽古場に行かないのは怖い。

戯曲を翻訳する幸せ

小森　これは特別な事例かもしれませんが、ベルトルト・ブレヒトの『セツアンの善人』[*1]のこ

＊1　一九九六年五月銀座セゾン劇場にて上演。演出・アレキサンドル・ダリエ。

とをうかがっておきたいんです。

松岡　重訳のことね。『セツアンの善人』は、エリック・ベントレー版の英訳を使って日本語にしたんですけど、ベントレーはブレヒトに会ってるのね。ブレヒト自身、実際の舞台上演に関する翻訳には、すごく大きな自由度を認めていて、だけど、活字になるときには、そんなにブレてほしくないと言ってるらしい。私自身も、さっき言ったみたいに、活字になったときは変えてほしくないけど、舞台で上演するときには、好きにやっていい。ベースとして、原文から、その意をできるかぎりくんで、日本語に定着させたのは、この言葉なんだよというのを出しておけば、そこから遊ぶことはできるだろうと考えている。私が『セツアンの善人』を訳したときに、ドイツ語から日本語にしてあるものを、三ヴァージョンくらい参考にしました。岩《いわ》淵《ぶち》達治《たつじ》さん、千田《せんだ》是也《これや》、長谷《はせ》川《がわ》四郎《しろう》。そこから、原文がどういう意味を持っているのかは、推測できるわけですよ。それが、ありがたかったですね。それを通して私に捕まえられるのが、原文の近似値だとしたら、ここまでは意味を広げてやってもいいだろうということができた。英訳もほかに二ヴァージョン参照しました。でも、私のその訳は、活字にするのはちょっとな、という気はします。もちろん、エリック・ベントレーの英語から翻訳しましたという断りをつければいいですよ。でも、これがブレヒトを翻訳した日本語版だというのは、なしだと思う。エリック・ベントレーが読んだブレヒトであって、それをブレヒトと考えるのは違う。要は伝言ゲームをやってるようなものだからね。ただし、伝言ゲームをやってった果ての方が、発話者から直に聞くより面白いものになってるかもしれないということはある。チェーホフにしても、小田島さんがマイケル・フレインから訳したものが、よく使われてますよね。旧ソ連時代のロシアに行って、向こうの演劇人と話したときに、英訳で一番いいのはマイケル・フレイン訳だって言ってた。そうすると、もしかしたら、ロシア語から直に訳すよりも、そちらの方が面白いことになっている可能性はある。それを、小田島さんという、戯曲翻訳のヴェテランで、役者の生理が分かってる人が訳すんだから、良くないものになるわけがない。

小森　日本のロシア文学者とマイケル・フレインと、どっちがチェーホフを理解する力があるかという話でしょう。

松岡　そうです。それで、重訳に関して、私個人が、ひとつサポートをもらったということがある。『マクベス』の第四幕第三場なんですけど、一番最後、イングランドの場面で、打倒マクベスの意志が固まるところ。その直前に、マクダフの妻子がマクベスの刺客に惨殺されている。その一番最後が The night is long that never finds the day. という台詞で、ことわざ的な言い方なもんだから、従来の翻訳は「どんなに長い夜も必ず明ける」という希望を見るような翻訳になってた。だけど、私はそうじゃないだろうと思って、最初は「明けない夜は長いからな」と直訳した。ただ、それだと意味がわかりにくいし、原文のリズムを生かした方がいいと言われたので、「朝がこなければ夜は永遠に続くからな」とやったんですけれども、これ、けっこう勇気が要ったんですよ。先行訳が全部、希望的な訳だったから。でも、対談したときに河合隼雄さんが「朝がこなければ夜は永遠に続くからな」と私が訳したことについて「これはマクベスにも言えますよね」とおっしゃったの。確かに、彼は不眠なわけよ。永遠の眠れない夜の中にいる。だから、この方がいいんですよって。

小森　なるほど。あれがマクベスのことにもなるんですか。

松岡　そこを訳すときに、私の知ってる英米人すべてにモニターしました。心配だから。そうしたら、ひとりは希望的でもいいんじゃないかというのがいた、さあ、どっちかしらというのがひとりいた、あとの大半は、それはそのまま、そう書いてあるじゃないと言った。その後「どんな長い夜にも、必ず朝がくる」っていう意味のことわざ（After night comes the day.）があって、シェイクスピアは、それをひねったんだということが分かったから、これでいいんだという確信を得たんだけど、でも、それよりも前に、私がこれでいいんだと思ったのは、森《もり》鷗外《おうがい》訳を読んだからなの。鷗外訳が「永眠の夜は永いから。」なんですよ。

小森　そこの部分の鷗外訳というのは……まず「あの男は今の間《ま》に好《すき》な事をして置くが好い。」と。あれ、ずいぶん違いますね、これは。そこは松岡訳だと「さあ、ありったけの元気をかき集めるのだ。」ですから。そのあとに「永眠の夜は永いから。」がくる。これだと、マクベスが死ぬというふうにしかとれませんね。ただ、松岡さんの訳の場合、その解釈をとると、その前の「ありったけの元気をかき集めるのだ。」は、これは誰の元気をかき集めるんですか？　あれえ？　これは、なんというか、にわかに複雑な変化をはらんできました。

松岡　原文はPut on their instruments. Receive what cheer you may;……これは、ちょっと……結論から先に言っちゃうと、鷗外訳はドイツ語訳からの重訳なんですよ。そうすると、ドイツ人の解釈は、そのまんまだった。その前に話を戻しますと、Receive what cheer you may; この what は whatever で、いかなる元気でもいいから受け取れるものは受け取っておけ。直訳すればそうなる。マルカムが命令する相手、つまり you はこの場にいるロスとマクダフなんだけど、ドイツ語の翻訳者と鷗外は、この you を、そこにはいないマクベスへの呼びかけととったんでしょうね。

小森 その可能性、ありますね。

松岡 ものすごく無理のある解釈で、可能性0・1パーセントくらいですけど、ないとは言えない。

小森 演出次第ですか。

松岡 ただ、それでも、「あの男」とは訳しちゃいけない。

小森 そうですね。だから、鷗外訳の「あの男」は取っちゃうべきなんでしょうね。

松岡 そうです、そうです。

小森 二人称を三人称で訳しちゃってるわけですから。

松岡 でも、ドイツ語の訳はそれを明らかにしてたんでしょうね。あるいは鷗外がそう読んだのかな。

小森 分かんないなあ。それこそ、そのドイツ語訳の文章をあたらないと。

松岡 その解釈は可能性ゼロじゃないからね。

小森 演れますもんね。そうすると、河合説が浮上してくる。

松岡 それで、私の訳だと、そのままでも、その解釈もできるよね。あるいは「かき集めておけ」とするか。
小森　そうですね……。そう。「かき集めておけ」の方が両方できそうで……。そっちの方がいいんじゃないですか（笑）。
松岡　そうね。今度、そうするわ。うん、そうしよう。
小森　しかし、この鷗外訳は見た瞬間びっくりしましたよ。「あの男は今の間《ま》に好《すき》な事をして置くが好い。」なんて、全然違う文章なんだから（笑）。これは鷗外全集に入ってるんですか。
松岡　そうです。
小森　ちくま文庫版の全集には入ってないんです。鷗外がどの版をテキストに訳したかは分かるんですか。
松岡　分かります。
小森　しかし、この話は面白いですね。ホントに、なにが起こるか分からない。
松岡　このあいだの『夏の夜の夢』[*1]のポーランド人演出家ルドルフ・ジョーウォさんの解釈——職人たちが街なかじゃなくて森の中で芝居の稽古をするのは、反政府活動でしょっぴかれるとマズいから——みたいに、一字一句変えてない同じ台詞なのに、読み方が変わってくるからね。本当に知りたい。いろんな国で、同じ台詞がどういうふうな意味に訳されているか。
小森　そういう本はないんですか。シェイクスピアについては、どんなことでもすでに調べられていて、本になってるような気が、私なんかはするんですが（笑）。
松岡　そこまでは、ないんじゃないかな。でも、だんだんそうなってくるとは思う。いま、国際シェイクスピア学会でも、シェイクスピアの正典を、うちはこう読んでるよ、うちはこう演じてるよということを、発表しあう場になってきている。
小森　そういうのこそ、インターネットで蓄積していくといいんですけどね。シェイクスピア学会とかでおやりになればいいのに。もっとも、ほんとは学者さんだけじゃダメなんでしょう? 役者さんから演出家から参加できるようにしないと。松岡さんが稽古場にひかれるのも、そういう知恵の集まる感覚がいいわけなんでしょう?
松岡　そうですね。ひとりで考えてることの限界は絶対ありますよね。みんなで考えて、知恵が集まるところで創るというのは、すごく面白いし、知恵を提供したひとりひとりは、その作品に対する自分の役割というのを自覚してやりがいを感じるし……。
小森　お話をうかがってて、松岡さんは戯曲の翻訳をなさってるから幸せだなと思うんですね。小説を翻訳する人にも、そういう経験があった方がいいだろうとは思いますね。
松岡　本当は、編集者がやらなきゃいけないのよ。最近の編集者はものすごく怠慢だと思う。翻訳者として自分が間違ってると思い知らされるのは、落ち込むし怖いことだけど、でも、もっと高いレベルから見ると、ありがたいことなのね。間違いを犯さずにすんだんだから。……そう。戯曲の翻訳をやれてすごく幸せだと思うわ。
小森　それを強く感じたんですよ。お話を聞いて。そして、その幸せを知らないということは、

*1　一九九九年一月シアターコクーンにて上演。演出・ルドルフ・ジョーウォ。

知らないということを自覚できないだけに、よけい不幸なことのように感じるんですね。

松岡　一時期はね、レベルの低いプライドが傷ついちゃうわけだから、精神のバランスをとるために、ひとつ戯曲を訳すとひとつ小説を訳すというのが心地よかったのね。誰からも文句言われない私の世界、みたいなのがあるから。でも、いまはもうないですね、それは。

小森　もう戯曲だけでいい？

松岡　いい。いまにして思えば、低いレベルであれこれ人から注文つけられて、一晩かけて考えたことを変えてくれと言われて、そういうのヤだなと思ったこともあるけど、そういうのは、嫌だと思ったら、闘って主張すればいいんだし、そうじゃなくて、誤訳に気づかせてもらえたり、もっといいものを教えてもらえたりということがあるのは、もっと大きなプライドが満足させられることなのよ。だから、低いレベルのプライドを癒すために、そういうもののないところに逃げる必要は、まったくなくなったの。私、デヴィッド・ルヴォーの演出で『マクベス』の稽古に立ち会ってるときに、自分で自分にびっくりしちゃった。なんと、闘ったんですよ、私は。相手はネイティヴだし、ルヴォーといえば、私にはもう偶像。ハンサムだし（笑）。ほぼ絶対なの、彼の言うことは。だけど、闘ったの。

小森　ほう。どこを闘ったんですか。

松岡　第三幕第四場の We という言葉に関して。We には、一人称複数の意味と、ロイヤルプルーラルといって「朕《ちん》は」とか「余は」の意味がある。あの場面は、どっちだかよく分かんなくて、先行訳を見ても、どっちにでも訳してあったりするわけよ。マクベスひとりの意味もマクベス夫妻の意味も可能だから。でも、私は「ふたりとも」と訳したいと言うと、彼はここの部分はロイヤルプルーラルでひとりだと言うの。それを、ここはふたりっきりで誰もいないんだしとか主張して、結局、じゃあ、カズコの思うようにやってみろとなったの。通ったのね。だいたいにおいてネイティヴは間違いっこないっていう思い込みがあるでしょう。それで、いままでの私だったらできなかったのに、闘うことができるようになったの。

小森　良かったですね。本当に。

松岡　けっこう強くなったのかな。本当はいくじなしなんだけど。ここで泣いちゃいけない。涙を見せたら負けだ。なんてときもあるんですけどね（笑）。

追記

『マクベス』の鷗外訳について、つけ加えておきたい。

まず、問題部分の原文はこうなっている。

Put on their instruments. Receive what cheer you may;
The night is long that never finds the day.

鷗外が底本としたらしいHeinrich Voss訳のドイツ語版は、入手できなかったため、参照することができずにいる。参考のため、Reclam版のバーバラ・ローヤン・デイク訳のドイツ語訳を見たところ、原文のReceive以下は、次のようなドイツ語になっていた。

Seid so guten mutes wie Ihr könnt; die Nacht ist lang, die niemals den Tag findet.

ドイツ語に堪能で英語もできる知人に教えを乞うたところ、Ihrという二人称代名詞が曲者であるらしい。ドイツ語の二人称の代名詞は、通常、親称単数のduと親称複数のihr、そして敬称（単複とも）Sieが、それぞれ格変化するのだが、その他に、大文字で始まるIhrという、十七世紀以前の古い用法の二人称敬称がある。これは、単複の区別なく、目上の相手に対する二人称となる。現代のSieは、必ずしも目上の人相手とは限らないから、やや敬語としての度合いが高いらしい。

英語のyouをドイツ語にする場合、単複の区別のほかに、親称、敬称の区別を決定しなければならない。右のドイツ語訳の場合、youをIhrと訳している。したがって、スコットランド王ダンカンの息子であるマルカムが、目上の人間に対して言っていることになる。これは、マクベスを指すと考えるのが自然だろう。全部を調べたわけではないが、第一幕のマクベスに対するアンガスの台詞で du が用いられている例があるので、使い分けられているようだ。

鷗外の用いたドイツ語訳が、you をどう訳していたかは分からないが、鷗外の訳文からすると Ihr である可能性は高いように思う。また、仮にそのような解釈をとらない場合は、you を du と訳すことになり、それは you をマクベスとする解釈を排除することになりそうである。

なお、私が教えを乞うた知人によると「guten mutes は上機嫌でというイディオムです。ですからこの文は『あなた様は、どうかできるだけ機嫌よくしていてくださいませ』などとも訳せます」とのこと。このドイツ語の訳文は、英文の逐語訳といってよいようだが、同時に、このドイツ語の文章から鷗外の訳文を作ることも、自然なことらしい。

和《わ》田《だ》誠《まこと》——バタくささのルーツを探る

和田誠（わだ・まこと）

一九三六年大阪府生まれ。多摩美術大学卒業。広告デザイン会社勤務を経て、書籍の装画・装丁、児童書、絵本、週刊誌などのイラストレーションを手がけながら、グラフィックデザイン、映画監督、文筆ほか多岐に亘る分野で活躍する。その幅広い業績は、日宣美賞、講談社出版文化賞、報知映画賞新人賞、菊池寛賞、毎日デザイン賞など、数多の賞によって表彰された。『お楽しみはこれからだ』『装丁物語』『銀座界隈ドキドキの日々』『時間旅行』など著作多数。二〇一九年逝去。

和田誠さんの『麻雀放浪記』を観たときに、なぜ撮影所にいたことのない人が、あんなにきちんとした映画が撮れるのか不思議な気がした。撮影所に無縁な人の映画は、自主映画出身者にもっとも顕著《けんちょ》な、ある種のしろうとっぽさが（少なくとも当時は）必ずあったからだ。一方で、イラストレイター、装丁家としては、ちゃんと教育も受けて、それが職業なのだから、プロフェッショナルな仕上がりなのは、（腕前の良さとは別に）不思議ではないと私は考えていたのだ。それが必ずしも正確な認識でなかったことは、このインタビューを読んでいただければ分かると思う。和田さんは、単に自分がいいと思ったことを、いいと思ったふうにやっていただけなのである。ひとつ心残りがある。和田さんの歌声と、大事なところに来ると囁《ささや》き声になるその語り口調を、文字ではお伝えできないことだ。その点、ご容赦願いたい。

似顔しか描かない生徒

小森　まず、和田さんがイラストレイターになるまでのことを、お聞きしておきたいんです。

高校生のときに似顔絵をお描きになってたということですね。

和田　絵が好きな子どもではあったんです。漫画が好きで、のらくろを描いたり。それは漫画が好きな子ならやることで、僕よりもうちょっと若いと、鉄腕アトムを描いてみたりね。僕の世代では、のらくろで、戦争中なのに、なぜかミッキーマウスなんか描いてた。

小森　それは、元を知ってたということですか。

和田　知ってたんですね。戦前のそういうのを見てたんじゃないかな。

小森　それは、紙に印刷されたものを？

和田　そうですね。あと、当時の漫画、コグマノコロスケとかね。そんなの知ってます？

小森　このあいだ別の調べごとをしたときに、出て来ました。

和田　そんなのとか、タンクタンクローとか。いわゆる絵画が好きだったわけじゃなくて、写生が上手とか、そういう子ではなかったですね。で、そうこうしてるうちに、清水崑《しみずこん》の政治漫画が好きになって……。

小森　私は清水崑さんというのは、お名前しか聞いたことがないんですが、どういうところにお描きだったんですか。

和田　朝日新聞です。当時、戦後まもないころ、吉田《よしだ》内閣ができる直前から、最初の社会党の片山《かたやま》内閣ができたころ、その時代は、僕が小学校のころです。そのあたりの政治漫画が面白くて、子どもだったから、よくは分からなかったけれど、政治自体も面白かったんじゃないですかね。戦後の、どうなるか分からない、自民党の長期安定政権なんて、全然想像できなかった時代ですから。当時は、（合同して自由民主党になる前の）自由党と民主党だけどね。各政党の大物が乱立してた時代で、だから、漫画も面白かったんですよ。どうなるか分かんない。社会党が政権取ることもあったんだから。それで、僕は、政治漫画の内容というよりは、似顔というものに興味を持った。あんな絵を描きたいと思ったんだけど、初めは、清水崑の描いている政治家の顔を（まねて）描いてたんですね。清水崑が朝日新聞、近藤日出造《こんどうひでぞう》が読売新聞、那《な》須良輔《すりようすけ》が毎日新聞、それぞれ、みんな和紙に筆で描くタイプの漫画なんです。それが当時の政治漫画というか似顔漫画の、典型的な描き方です。手法は似てるけど、それでもひとりひとりみんな違うのね。その中でも清水崑が圧倒的に巧いと思ってました。巧いというか、似せる技術はそれぞれあるんだけど、画風がね、一番品が良くて、僕は好きでした。まねしてると、今度は清水崑の絵がなんでもかんでも好きになって、絵だけではなくて。彼のエッセイ集[*1]が出たんです。

小森　文章もお書きになる方なんですか。

和田　文章もなかなか上手なんですよ。もちろん、そのエッセイ集には、絵もたくさん入ってるんだけど。そこに、中学時代に先生の似顔だけで時間割を作ったと書いてあって、その時間割が図版で入ってた。それが、ちょうど、僕が中学のときですね。で、それがやりたいと思って、一所懸命似顔を描き始めた。それまでは、似顔というよりは清水崑の絵をまねしてたけど、

＊1　『筆をかついで』一九五一年創元社

今度は自分で見た対象の似顔を描くようになった。そうでないと自分の学校の時間割はできないわけだから。だけど、すぐに似るわけじゃないから、とにかく勉強しないで、学校で先生の似顔ばっかり描いてた。小学校と違って、中学になると時間ごとに先生が替わるじゃない。授業は面白くないけど、違った顔が出て来る。でも、全然似ないんですね。うんと特徴のある人なら別ですが、普通の先生はなかなか描けない。結局、時間割なんてとんでもない。全員描けないと時間割になんないから。それで、そのまんま卒業して高校に入って、高校でも悔しいからずっと似顔だけ描いてた。だから、本当に勉強しない、絵しか描かない、それも真面目な絵じゃなくて似顔しか描かない生徒だった。それで、高校二年生のときに、それが完成して……。

小森　完成というのは、全部の先生を。

和田　全先生が描けたんです。描いてそれを絵にして同級生に見せたら好評で、写真館の息子がいて、持って帰って複写して、それをみんなが定期入れに入れてた（笑）。

小森　そういうのを描いてるときに、和田さんの頭の中にあったのは、やはり清水崑さんひとりなんですか。

和田　初めは清水崑しかなかったけど、そのうちにいろいろと。高校になると、もう（ソール・）スタインバーグ[*1]なんかは知ってました。

小森　それは、どういうところで……。

和田　小学校からの友だちなんだけど、高校でとくに仲の良かった藤田《ふじた》君というのがいて、彼のお父さんが漫画家だった。佐次《さじ》たかしといって。ちょっと渋い人だけど。九十歳すぎていまだに元気でね。当時、渋いけれども著名な漫画家だったんですよ。商売柄、外国の漫画やなんかも持っていて、その親父さんの本棚から、彼が持ってきて、僕に見せてくれた。それが、もう、圧倒的に良くて。違うんだね。ある種カルチュアショックで。

小森　違うというのは、どういうところが？

和田　それまで、日本の漫画を見てますね。手塚治虫《てづかおさむ》はすでにいましたね。もっと先輩の横井《よこい》福次郎《ふくじろう》という人は『ふしぎな国のプッチャー』というSF漫画を描いてて、とても良かった。清水崑も政治漫画だけ描いてるんではなくて、子ども向けのものも描いてる。「かっぱ川太郎」ってのを描いてて、それがのちに「かっぱ天国」というのになった。黄桜《きざくら》のコマーシャルの原型ですね。いまは小島功《こじまこお》さんが描いてるけど、先代の河童は清水崑です。というふうに、日本の漫画を見てますね。いずれまた話すことになるけれど、日本の歌ばかり聴いていた少年が、アメリカの歌を聴いてショックを受けるような感じで、スタインバーグという人の漫画の、ものすごく細い線の美しさにショックを受けた。アイデアのある漫画であるにもかかわらずアートであるというところにね。高校生だから、理屈じゃなくて、ビンビン来るみたいな。友だちは、親父さんの本棚からこっそり持ってきて、ちらっと見せるつもりなんだけど、絶対貸してくれって言って一週間借りて、全ページトレースした。トレースっていうか、見て描いた。

＊1　アメリカの漫画家・イラストレイター。ルーマニア出身、イタリアで建築を学び、ミラノの週刊誌に漫画を描く。一九四一年渡米した。

小森　へえ！　そのころ、和田さんは絵をなにでお描きになってたんですか。

和田　いろいろなんですが、最初は清水崑のまねしてたから、和紙に筆ですね。学校で習字の時間がありますからね。簡単に画材が手に入る。あとは、子どもだから、鉛筆なんだけど、高校くらいになると、万年筆を持つでしょ。万年筆は、みんなブルーのインクだったけど、僕は黒のインクを使って、それで描いてました。高校のころの、黒いインクで万年筆でというのは、ほとんど、いまに繋がってますね。

小森　紙はノートに？

和田　ノートです。でも、作品というほどのことでもないけど、ちょっと残そうと思うと画用紙に描いてましたけど。

小森　アメリカの漫画に接するのも高校に入ってからですか。

和田　漫画は高校に入ってからだったかな。そのタイプの漫画家はね。ディズニーは戦前から知ってたし、ベティとかポパイも知ってた。戦後すぐには、新聞連載で『ジグス』[*1]――『親爺《おやじ》教育』っていう題名だったけど、四コマ漫画があって、それは知ってたね。それから『ブロンディ』[*2]って知ってますか。

小森　いえ。

和田　アメリカの家庭漫画でね。『サザエさん』の原型ですね。ブロンディとダグウッドっていうカップルがいて、その家庭内でのこっけいな出来事を描いてる。ダグウッドサンドってあるでしょう。あれは、その漫画から出て来て、ダグウッドが夜中に冷蔵庫を開けて、パンのあいだにありったけのものをはさむ。
小森　そういうものが翻訳として載ってたわけですか。
和田　そうそう。絵はそのままで。そういうのは、連載漫画だから毎日のように見てましたけど、それに影響されるという感じではなかった。知識として知っている。そういうのはたくさんありましたよ。

勝手にナショナルのポスターを描いていた

小森　美大を受けるというのは、いつごろお決めになったんですか。
和田　えーと、そう。高校の二年のときに、時間割を作ったころ、京橋《きょうばし》にあった近代美術館──いまは竹橋《たけばし》にありますね──当時は京橋で、いまのフィルムセンターがあるところですけど、そこで世界のポスター展というのがあった。僕は、いわゆる美術はあんまり興味なかった

＊1　Bringing up father もしくは「ジグスとマギー」の名で知られるジョージ・マクナマスの漫画。一九一〇年代から、ハースト系の新聞に配給され当たりを取る。世界的な評判を得た最初の連続漫画と言われている。
＊2　チック・ヤングが一九三〇年代から描いた漫画。日本では「週刊朝日」、朝日新聞などが掲載した。

けど、ポスターみたいなものには興味があったんですね。そんなわけで、世界のポスター展を見にいったら、これがすごく良くて。欧米の、とくにヨーロッパのものが多かったかな。

小森　それは、いつごろのポスターですか。

和田　当時のリアルタイムのものから、名作と言われる、それより十年くらい前のものかな。戦後まもなくからそれまでのもの。それが、なかなか良くてね。きれいだし、おしゃれだし。こういうのいいなと思ったんですよ。ポスターを作る人っていうのはいいなって。グラフィック・デザインなんて言葉知らないですから（笑）。それは、僕が知らなかっただけじゃなくて、そんな言葉、日本に輸入されてなかったからね。専門家は知ってたかもしれないけど、一般的には宣伝美術とか応用美術とか、そんな言葉でしたね。それで、僕は、わりと迷わずに、美術学校のデザイン部門を狙ったんですね。当時はデザイン科なんて言わなくて、芸大も多摩美も図案科なんて言ってましたけど（笑）。

小森　図案科というのは少なかったんですか。

和田　美術学校は、それぞれ持ってたんじゃないかな。僕らのころはね、まず芸大があるでしょ。芸大しか人々には知られてなかった（笑）。僕もほかは知らなかった。すぐに多摩美と武蔵美があるって知ったわけだけど。それに女子美。そのくらいじゃなかったですかね。東京では。で、芸大は、とてもじゃないが、勉強しなきゃ入れない。似顔なんか描いてるだけじゃ絶対入れないんですよ。ちゃんとしたものが描けなきゃ。花とか果物とか（笑）。だいたい、絵の上手な奴は、美術部に入って、デッサンしたり油絵描いたりするんだけど、僕はそういうのに興味なかったから、図工の先生とも親しくなかった。だけど「君は美術学校に行きたいのか」と聞かれて、そうですって言ったら「そういうところに行くなら、芸大じゃないと意味がない。ほかは、ろくな学校じゃない。みんなお嬢さんが行くところだ」なんてことを言ってました ね。でも、芸大には、ものすごく気を入れてデッサンとか勉強しないと入れない。本当に行きたいのなら研究所があるからと言われた。研究所と言ってたんだけど、絵の予備校です。たくさんあったんですよ。そういうのに行けって言われたんだけど、僕は、そういうの、あまり行きたくない（笑）。絵だって、勉強するのはいやなんだから。それで、やさしいところに行こうと、多摩美を受けた。図案科はね、競争率がほとんどなかったんです。油絵科とか日本画科は、それでも競争率がそれなりにある。当時、図案家になろうなんて人は、あまりいなかった。絵描きになりたいんだけど、そっちは狭き門だから、ちょっとこっちに入ってみようか、とかさ。それから、絵描きになりたいんだけど、おまえ絵描きじゃ食えないぞって親から言われて、仕方なしにこっちに入るみたいな人が多かった。いまは、もう、全然違うでしょ（笑）。

小森　で、結局、勉強はなさらなかったんですか。

和田　勉強しなかったです。

小森　試験はあるわけですね、デッサンなり。

和田　デッサンではなくて、机の上に、なんか、果物だか野菜だか積まれているものをスケッチして、水彩で色をつける。淡彩《たんさい》って言ってたんですけどね、鉛筆淡彩。鉛筆でフォルムをとって、その上に色をつける。たぶん成績は良くなかったと思うんだけど、まあ、ぎりぎりで入れて……落ちる人は、あまりいなかったんじゃないかな。

小森　では、絵の勉強はなさらずに、漫画を描いて、ポスターを描いてと、つまり、好きなことをお描きになってたわけですね。

和田　ポスターてのは依頼されないと原則的には描かないもんですよね。だけど、僕は高校時代、世界のポスター展を見たあと、ナショナルトースターとかね、なんとかキャラメルとかね、勝手に、自分で頼まれたと思って描いてましたよ。

小森　ナショナルトースターですか。

和田　ナショナルだったな。あんなの、とってあればよかったんだけどね。

小森　ぜひ見たいです。

和田　とってあればね。僕も見たいけど。でも、絵柄は憶えてる。トースターが下にあって、食パンがバババババッと飛び出してて、トースターは小さくて、食パンはだんだん大きくなっている。俯瞰でね。黒バックで。

小森　トースターは、ポンと上に飛び出すやつですよね。

和田　そうそうそう。リアルに描いてね。真っ黒のバックに、トースターは金属的で、食パンはうまいぐあいに焦げてるみたいな。けっこう上手に描いた……ような気はするんだけどね。頭痛薬とか、いくつかやったね。それは、薬のタブレットがポンポンポンとあってね、しかめっ面してるのが、上から下へだんだんニコニコしてくるみたいな。

多摩美からライトパブリシティへ

小森　多摩美に入って、授業というのは？

和田　多摩美ははじめのころはつまんなかったですね。一年目は杉浦非水《すぎうらひすい》という人が主任教授だった。この人は、日本ではじめて地下鉄が開通したときに、その地下鉄開通のポスターを描いた人。日本のデザイン史上では非常に名前のある人なんだけど、僕が多摩美にいたときは、すでにおじいさんで……なんかね、いかにも老人なんですよ（笑）。だから、全然フィーリングが通じない。課題を出すわけですね。つまんない課題なんですよ。春だと、たんぽぽを描いて、それを便化《べんか》しなさい。便化というのはデザイン化なんだな。便利の便です。簡略化するっていうことでしょうね。図案化するっていうかな。だから、わりとリアルに描いたたんぽぽと、それを図案化したものと描く。僕は、それ、いつもいつもダメで、先生がＡＢＣの判子を押すんだけど、ずっとCだった。便化っていう図案化の方は、僕は漫画にしちゃうから、気に入ってもらえなかった。それで、二年生になると、突如、モダンアートの絵描きさんが教授になってきたんですよ。これが、また、ガラッとタイプの違った、抽象絵画の人。理論的になにかを教えるということはなくて、やっぱり、前の週に宿題を出して、次の週にそれを掲示して批評する。そのモダンアートの人は、だいたい、テーマは自由だったね。だから、僕なんかは、マザーグースの詩に、それにあった絵なんかを描いていくんですよ。でも、そういうの気に入らないわけよ。

小森　気に入らないんですか。

和田　そんな文学的なことやって、しょうがねえな、ていうような人なんです。要領のいい奴は、いかにも、その先生に気に入られるようなの、板の上に石膏を塗り固めたわけ分かんないようなものを持ってくる。そういうのは、点がいいんですね。

小森　（笑）なるほど。

和田　僕は、そんなことやってちゃ、将来絶対役に立たないと思ってたのね（笑）。それで、ずっと、僕は点が悪かった。要領のいい奴が、半分くらいいたかな。だけど、結局、要領の悪い奴が、いま（デザインで）食ってるね。それで、三年生になって、やっと山名文夫《やまなあやお》さんという、この人は資生堂に当時まだ勤めてたか顧問だかで、現役でバリバリ仕事をしてた人だから、これは面白かった、課題の出し方が。たとえば、「アドマン」という雑誌があると仮定しようと。それは、広告をやってる人から広告を志す人のための雑誌である。その新年号の表紙を描いてこい。みたいなことを言う。これは非常に具体的だし、面白いじゃないですか。そういうのは、すごく張り切ってやりましたね。それから、なんでもいいから、電化製品の新聞広告を作ってきなさいと。

小森　それは、和田さんが高校のころやってたことじゃないですか。

和田　そうなんですよ。これは僕も張り切ったし、それまでのずっと点の悪かったときとまったく同じことを、僕はやっているんだけれども、評価してくれたんですね。多摩美の三年生からは幸せだった（笑）。
小森　さっき、トースターのポスターをお描きになったという話が出ましたが、映画のポスターはお描きにならなかったんですか。
和田　映画のポスターを描くのは、多摩美に入ってからですね。自由課題で、なんでもいいからポスター描きなさいなんていうときは、ほとんど映画のポスター描いてたね。
小森　ほとんど映画（笑）。どんな映画でしたか。
和田　僕が観たいけれども、まだ日本でやってない、あの当時だと『怒りの葡萄』とかね。いまだと、アメリカとほとんど同時とか、遅れても半年とかくらいでしょう。あのころは、向こうでやってて、二年経ってからやっと来るみたいな感じだったから。
小森　それは、やっぱり役者さんの似顔絵を描くんですか。
和田　わりとイメージで。『白鯨』なら、グレゴリー・ペックではなくて、むしろ、僕がイメージするエイハブ船長の顔。多摩美のころは、いっぱい描きましたよ。それから、映画のパンフレットとかね。小さいの。そんなのをいっぱい描いて、ひとつのパネルに貼ったりね。
小森　そのころは、そういうことを仕事にしたいと思ってらしたんですか。
和田　映画という具体的なことではなかったかもしれないけれど、イラストレイションを使ったデザインをやるということは、ほぼ着実に思ってたでしょうね。
小森　お話をうかがってると、好きでやってらしたという感じですよね。
和田　まあ、そうですよね。いまでは、そっちの方に向かってたって言うけども、たまたま幸いにそうなっていっただけであって、そのころ、なにがなんでもイラストレイターになりたいんだとかっていう、悲壮な決意でやってたっていうことは、全然ないんです（笑）。

小森　私は当時の感覚的なことは分からないんですが、多摩美のころ、そういうことは、仕事にできると考えられていたんですか。

和田　確信はなかったね。

小森　やっぱり、そうなんですか。

和田　というのは、いまと違って、デザインとかこういう仕事が、評価されるのかどうかってこと、まったく分かんない時代だったですからね。もちろん、いましたよ。山名文夫とか亀倉《かめくら》雄策《ゆうさく》[＊1]とかいう大先輩はいたけれども、それは、ほんの一握りの人たちで、多摩美には仲間がこんなにいるじゃない。その人たちが、みんな、あんなふうになれるとは、たぶん考えていない。みんな保険で教職課程なんてのを取ってってね。つまり、デザインの仕事ができなかったら故郷《くに》に帰って図画の先生になる。僕は、絶対に先生になんかなるはずがないと思ってたから、取らなかったけど。故郷もないし。

小森　卒業後は、ライトパブリシティにお入りになりますよね。ほかはどこか受けたんですか。

和田　僕は電通とライトと。受けたっていうよりね……僕は三年のときに日宣美賞[＊2]というのを取っちゃったんですね。日宣美賞っていうのは、いまでは想像ができないくらい評価の高かったものなんですよ。日宣美というのは、その世界では唯一みたいな団体で、そこの最高賞を取るっていうことは……僕は学生だったけれども、わりとプロとして迎えてくれるみたいなね。

小森　ドラフト一位みたいな……。
和田　そんな感じだったんですよ。だから、デザイン関係の会社に入りたいって言えば、どうぞいらっしゃいみたいな感じ。それで、僕は、就職はすごく楽だった。
小森　電通ではなく、ライトパブリシティに入ったのはなぜですか。
和田　ライトパブリシティというのは、小さな会社なんですよ。当時、全部で三十人か四十人。電通はもちろんでっかい会社です。それで、山名先生の娘さんがいてね、先生のアシスタントみたいにして多摩美で教えてたんです。それで、そろそろ卒業だってときに、和田君はどうするつもりなのって言われた。就職っていうと、どこかの会社の宣伝部に入るか、広告代理店に入るかなんですね。いきなりフリーっていうのは、ちょっと考えられないんで、このふたつなんです。当時は。で、僕はどっちかっていうと、ひとつの会社の宣伝部に入ると、その会社の製品しかできないから、いろんなことができる会社がいいですって言ったの。そういう言い方をした。それを、彼女がお父さんに言ったら、それだったら電通がいいやって言って、ぱっと電通のエライ人に紹介状書いてくれた。それで、持って行ったら、はいオッケー、卒業したらす

＊1　戦前、新建築工芸学院に学んだ、日本のグラフィック・デザインの草分け。東京オリンピックのシンボルマークおよびポスター、ＮＴＴマークなど、手がけた作品は多数にのぼる。
＊2　デザイナーの職能団体である東京広告作家クラブを前身とする日本宣伝美術会が、一九五三年から新人の登竜門として設けた賞。一九七〇年に会が解散する前年まで続いた。

ぐいらっしゃいみたいな話になっちゃった。そんなふうに、とんとん拍子に決まったあとで、ライトパブリシティてのはいいなと思っちゃったわけ。で、調べたら、ライトのやってる仕事の方が面白いんですよね。電通はデカすぎて、雲をつかむようで、具体的な顔が見えてこないんです。ライトは個人が集まってるような会社だから、面白い仕事がバンバン見えてくるわけね。やっぱりライト行きたいなと思ったら、ライトもすぐいらっしゃいって言うんだよね。こっちはひとりで話を聞いちゃったから、先生のところ行って、実は……（苦笑）電通紹介してもらったんだけど、ライトに行きたいんですって言ったら、怒られてねえ。それは当然のことなんだよね。なんだって早く言わないんだって。エライ人に話つけちゃったから、そういう勝手は許さん！　とか言われた。しょうがねえな、電通入んなきゃいけないのかなと思って、それで、中一日置いて、どうしてもライトの方がいいと思ったから、もう一回行ったんですよ。先生、考えてきましたけど、やっぱりライトが……って言ったんです。そしたら、そのときは機嫌が良くてね。そうかい、仕方がないな、まあ、後輩というのは先輩に迷惑をかける権利があるんだって言ってくれたんだねえ。

小森　おお。

和田　かっこいいこと言ったよねえ。分かった、好きにしなさいって。それで、僕はライトへ行ったんです。その台詞は憶えてますね。

はじめて聴いた歌

小森　ちょっと戻るんですが、音楽のことをうかがってなかったので。和田さんと音楽との出会いというのは、いつごろになるんですか。

和田　うんと昔は、ラジオから聴こえてくる音楽ですよね。あのころは、ほとんどラジオだけが、いろんなものを知る手段だったから。しかも、ラジオは選択肢がないんだな。民間放送はないんだから。

小森　それは戦争中ですか。

和田　戦前から、なんとなく憶えてるかな。戦争が始まったときの放送を憶えてますから。

小森　始まった日の？

和田　始まった日の。「本八日未明帝国陸海軍は戦闘状態に入れり」っていうやつね。あれ憶えてますよ。チャイムも。まずチャイムが鳴るんだよ。「臨時ニュースを申し上げます」の前に。それは昭和十六年でしょう。僕は十一年生まれだから、五歳の十二月。だから、具体的になにっていうのは憶えていないけども、まず、ラジオ歌謡というのがありましたね。当時は国民歌謡と言ってたと思う。意識的にいい歌を作って広めようというのを、ＮＨＫが運動としてやっていて、大阪と東京とで交互にだと思うんですが、やっていた。「椰子《やし》の実」なんかもそうだし、それからスタンダードになったのが、けっこうたくさんあるんですよ。「南の国のふ

るさとは　オレンジの花咲くところ」なんていうのは、きれいなメロディで良かったですね。たぶん、南の国のふるさとなんてのは、当時の大東亜共栄圏という国策に沿った歌だったんだろうと思うんだけど。子どもだから、そんなことは分からない。あんまり、ド演歌みたいなのはないです。演歌って、日本人の心のふるさとみたいなことを言う人がいるけど、昔は演歌なんてないんですよ。流行歌はありますよ。それで、流行歌には、わりと洒落《しやれ》たものがあったよね。あとは軍歌と戦時歌謡。軍歌と戦時歌謡がちょっと違うってのは、軍歌てのは兵隊の歌です、で、戦時歌謡てのは、兵隊でなく、戦争に行ってないこっち側の歌。

小森　銃後のみなさんですね。

和田　そう。子どもの歌でも、そんなのはたくさんあって、「肩を並べて兄さんと　今日も学校へ行けるのは　兵隊さんのおかげです」とか。そんなの、ありましたね。

小森　このあいだ、皆川博子《みながわひろこ》さんにお話をうかがったとき、私は「昭和の子供」という曲を知らなかったんですが。

和田　ああ。「昭和昭和昭和の子供よ僕たちは」。

小森　そうです。そうです。

和田　（笑）そんなの、みんな知ってた。

小森　やっぱり、そうですか。

和田　それが、戦争がだんだん酷しくなって、負け戦っぽくなってくると、歌も少しずつ変わってきて、まず疎開の歌になった。「太郎は父のふるさとへ　花子は母のふるさとへ」。そんなのがあったね。あとはどういうのがあったかな。だいたい太郎なんだけどね（笑）。「太郎が大きくなるころは　日本も大きくなっている」。そういうのを子どもに教えるわけだよね。で、だんだん大人の歌でも「出て来いニミッツ　マッカーサー」[*1]なんてのは聴いたことあるでしょう？　噂では（笑）。

小森　（笑）はい。というか、歌詞を活字で見ただけなので、メロディは知らないんですよ。

和田　そうでしょうね。あれが、まあ、あまりにもバカバカしくて有名なんだけども、その手のやつは、たくさんありましたよ。「踏んで潰すぞ鬼の面」とかね。鬼の面てのは、アメリカのことなんだけど。

小森　出て来いニミッツ、マッカーサーというのは、どういうメロディなんですか。

和田　〽出て来いニミッツ、マッカーサー　出て来りゃ地獄へ逆落とし

小森　いやあ。はじめて聴きました。

和田　「防空壕」てのもあったかな。

〽空襲警報聞こえてきたら　大人の言うことよく聞いて
慌てないで騒がないで落ち着いて　入っていましょう防空壕

＊1　チェスター・ウィリアム・ニミッツはアメリカ海軍元帥。真珠湾攻撃ののち、アメリカ海軍太平洋艦隊司令長官。ダグラス・マッカーサーはアメリカ陸軍元帥。アメリカ太平洋陸軍総司令官。連合国軍最高司令官として日本占領にあたった。

あと、「潜水艦の歌」とか、勇ましいのもあったけど。「お山の杉の子」も戦争の歌なんですよ。あれは歌詞を変えて、戦後も歌われてるけど。元の歌詞は杉を植えて、最後の方でその木を切って、戦争に役立てるんだな。お国のためにって歌なんです。「八百屋の歌」なんてのも、戦後しばらくは歌詞を変えて歌われてた。八百屋で、お父さんが出征したあとで、お母さんと子どもが働くって歌。

〽お父さんは出征　お母さんと四人で

八百屋だ毎日押せ押せ車をよいしょよいしょ

って言うんだけど。戦後は「お父さんは出征」ってところを「お父さんは病気」にしてた(笑)。そういうのを聴いて憶えてますね。「紀元は二千六百年」とかね。

小森　え？　紀元二千六百年ていうと、戦前でしょう？

和田　昭和十五年。

小森　というと、かなり小さいころですね。

和田　僕は四歳。でも、あれは毎日のようにラジオで流れてたからね。だから憶えてますよ。それのね、替え歌の方を憶えてんだよね。煙草の歌で、それは有名でしょ。地方によって少しずつ違うんだよ。僕はあのころは、まだ大阪にいたんですよ。金鵄《きんし》っていうのは煙草ね。ゴールデンバットが敵性用語はいけないていうんで、金の蝙蝠《こうもり》が金の鵄《とび》になった。うまいぐあいに、金の鵄というのは神武天皇の弓に止まったんですね。金鵄勲章の金鵄ね。「金鵄上がるる十五銭　栄えある光三十銭　いまこそ上がる煙草の値　紀元は二千六百三年　ああ鳳翼は五十銭」。

替え歌の方がよく憶えてるね。「我はノミの子シラミの子」とかね。これは「我は海の子白波の」というのがもと歌で。ま、そんなのがあって、終戦になって、進駐軍放送でアメリカの歌が聴こえてきたのが、相当なカルチュアショックで、ついつい、それが事始めだっていうふうに言っているんだけど、そして、それも間違いではないんですが、よく考えてみると、そのちょっと前に、僕はフォスターを聴いてるんです。

小森　フォスター？　それは戦争中ということですか。

和田　戦争中。なぜかっていうと、僕が大阪から東京にひきあげてきて、東京には親父の家があった。それで、東京は危ないから、家じゅうで引っ越した親戚もあった。そこが田舎に行くのに、家財道具全部持って行くわけにいかないから、世田谷の僕の親父のところに家財道具の一部を預けていった。その中にレコードが何枚かあって、フォスター全集があった。

小森　全集！

和田　アルバムですね。アルバムってさ、昔はSP盤でしょ。落とすと割れる。あれが全集で何枚も入ってるのが、アルバムになってるんですね。こう、一枚ずつめくれる。それで、いまだに、CDでも一枚なのにアルバムって言うんですね。あれの名残なんだね、きっと。「おおスザンナ」「草競馬」「ケンタッキー・ホーム」そういうのが入ってる。それを聴いたんです。それが、アメリカの歌の、たぶん、聴き始めだと思う。それで、実は歌曲も、ドイツものは、戦争中でも大丈夫だよね。「鱒《ます》」とか「菩提樹」とか「野ばら」とか。それからね、ひょっとすると「蛍の光」なんてのは当時もやったよね。

小森　スコットランドの曲ですね。

和田　それから「庭の千草」とかさ。あれもスコットランドかアイルランド。そういうのもラジオから流れてたような気がする。「ロング・ロング・アゴー」とかね。「久しき昔」っていう題でしたけどね。これもイギリスの歌です。だから、イギリスの歌も知ってはいるみたいな。

小森　『ビルマの竪琴』って小説読んでます？

和田　いえ。

小森　あれの冒頭のところが、すごく素敵でね。イギリス軍に囲まれて、いよいよ最期だ、玉砕だっていうんで、部隊の隊長さんが音楽学校出で、最後に歌を歌おうって、「埴生《はにゅう》の宿」を歌う。これが「ホーム・スウィート・ホーム」じゃないですか。イギリスの歌なんですよ。それで「埴生の宿」を歌うと、遠くから「ホーム・スウィート・ホーム」の合唱が聴こえてくる。それは囲んでるイギリス人が歌ってる。それを止めて今度「庭の千草」を歌うと、「ザ・ラスト・ローズ・オブ・サマー」が聴こえてくる。そうやって、段々近づいてきて、最後は武器を捨てて捕虜になるっていうところで第一話が終わる。戦後すぐ読んだんだけど、その冒頭の部分が、僕はすごく好きで、なんで好きになったかというと、やっぱり歌を知ってたからなんですね。

和田　小森さんは戦争中は兵隊さんになるものだと思ってましたか。

小森　僕は思わなかったですね。まわりはみんな、割合思ってたみたいだけど。同級生とか。

和田　小学校一年生のときは、すでに戦争中ですから、そういうふうに言われてたし、工作の時間なんてのも、軍艦作ったりね。僕らはちっちゃいからなかったけど、四、五年ぐらいになると、軍事教練なんてのがあるんですよ。軍服着た教官が来てね。その教官がね、小学校一年のときだったと思うんだけど、朝礼のときに、どういう理由だか分かんないんだけど、キョロキョロしてたかなんかの一年生の少年を、いきなり引きずって、朝礼台の上に立たせてね、背負い投げで何度も何度も叩きつけてね。惨憺《さんたん》たるものだったの。それが嫌で、それを見て、兵隊っていうものが嫌いになった。言えないよ、口に出しては。でも、それは、ものすごく焼きついて、いまだに憶えてる。それから、疎開したんですよ、千葉県の田舎にね。そこは校舎が半分兵舎だった。軍隊が接収してた。その兵隊が馬を飼ってんだ、いっぱい。その馬のために、子どもたちが草を刈って、毎朝、その馬のとこへ届けないといけない。それが嫌でさ。町から来てるから、うまく草なんて刈れないんだよね。草の背負い籠があって、それを背負って、田舎の子はみんなうまいからいっぱいにするんだけど、僕は全然だめで、いっぱいじゃないと、殴られるの。殴るのは先生だけど。そうやって兵隊のところに草持っていっても、誰も、ありがとうなんて言わないんだよ、兵隊は。それも嫌だった。だから、兵隊は嫌いだった。

小森　それじゃ、兵隊になろうなんて思わないですね。

アメリカの音楽を浴びる

和田　それで、戦後の進駐軍放送。いまの、いわゆるスタンダード・ナンバーになったものが、たくさん流れていたことは確かなのね。で、そういうのじゃなくて、当時の流行歌もいっぱい流れてたはずなんですよ。流行歌って、その時期で消えちゃうから。「センチメンタル・ジャーニー」みたいに残ったものは、あとからも聴いているんですね。その当時、小学生で「センチメンタル・ジャーニー」なんて題名を憶えてるわけもないんで。

小森　進駐軍放送というのは、全部英語ですよね。

和田　全部英語ですよ。FENというのは、かなり経ってからの名前ですね。FENというのはFar East Networkですね。僕らはAFRSって言ってたけれど。Armed Forces Radio Service。つまり軍隊用ラジオですね。それから、もっと年上の人は、WVTRって言います。僕も時々言うけど、それは同じことなんです。WVTRっていうのは、コールサインなんです。AFRSの日本におけるコールサインがWVTR。

小森　そういうところを通じて、昭和二十年代の初めには、アメリカ音楽をお聴きになってたわけですね。

和田　そうですね。少なくとも二十年代の初めには、けっこうたくさん聴いてた。中学あたりになると相当はっきり憶えてる。歌詞を覚えようとしましたから。

小森　それは聴き取ってということですか。

和田　一番初めに、聴き取って歌詞を覚えようとしたのが「ボタンとリボン」なんだけど、これは『腰抜け二挺拳銃』の主題歌ですね。ボブ・ホープのコメディで、その中で、ボブ・ホープが歌うんです。これが覚えたくてね。僕は大好きな映画で、何度も何度も観た。で、メロデイはよく知ってるんだけど、歌詞は映画を観ただけでは聴き取れない。レコードもなくて。ずいぶん、しばらく経って、ダイナ・ショアがこの「ボタンとリボン」を歌った。これが、しょっちゅうラジオで流れたんですね。だいたい（ラジオから流れてくる時間の）見当をつけて待ってて、一所懸命カタカナで書いた。でも書けるわけないんだよね。絶対無理なんだけど。それでも、何度も何度も聴いてると、少しずつ埋まってきてさ。それで、英語の先生のところへ持ってって「これ、どういう意味ですか」って聞いたんだけど、カタカナだから（笑）全然ダメなんだ。ワケ分かんないんですよ。「これ無理だよ」って言われた。だけど、それを、英語教えてるくせに、英語できないんだと思った（笑）。

小森　（爆笑）

和田　ま、そんなんで。やっと日本でそのレコードが発売になって、僕ははじめて買ったんですよ。それで、僕、そのときにひとつ思ったんだ。ボブ・ホープが歌った歌であるはずなのに、ボブ・ホープではなく、ダイナ・ショアの歌で発売されてるっていうのが、すごく不思議だった。そんなのは、いまは当たり前のことなんだけど、当時は東海林太郎《しょうじたろう》が映画で歌った歌は、必ず東海林太郎のレコードが出るんですね。日本の習慣でいえば、笠置《かさぎ》シヅ子が歌えば、絶対に笠置シヅ子の歌なんですよ。そのときに意識したわけではないけれど、のちに高校ぐらいになってからふりかえって、そうなんだ、スタンダードナンバーってこういうふうに生まれるんだって思ったんです。あちらではひとつの歌はひとりの人間に属していないって。

小森　レコードは当時安いものではなかったんでしょう？

和田　そりゃ、やっぱり、一枚買うてのはたいへんなことだったよね。小遣いをためて、親にねだってさらに足してもらって、みたいなことやってね。
小森　それでは、中学高校の六年間で何枚という感じですね。
和田　そうですね。割れるしね（笑）。
小森　いまは残ってない？
和田　残ってますよ。割れちゃったのも、何枚かあるけど、割ってないのは全部ありますよ。
小森　ほかに、どんなレコードをお買いになったんですか。
和田　中学時代に買えたのは、それだけかな。高校になってから『第三の男』を観て、あの主題曲が欲しいと思ってね。アントン・カラスって人がツィターを弾いてるんだけど、このアントン・カラスのレコードが、また、出ないんですよ。それで、オーケストラにアレンジされた、ガイ・ロンバードのやつが出た。しょうがないから、でも違うなとか思いながら、それも買って、その後、半年も一年も経ってから、やっとアントン・カラスのが出た。それはロンドン・レコードから出たんですが、イギリスのレコードって、あまりなくて、だいたい、アメリカからのやつが多かった。高校になってからは、そういうのありましたけど、中学のころはあれだけじゃなかったかな。三年で一枚ですよ（笑）。
小森　あとは、もっぱらラジオで聴いていた。
和田　そうですね。あとは、映画を観てますから。
小森　映画は中学に入るともうご覧になってた？

和田　ええ、小学校のときも観ているけれども、小学校のときは、自分で選択をしていなくてね。学校から行く、教育的な映画。それから、友だちが親と行くのについていく。うちはメッチャクチャ貧乏だったから、あんまり行かなかったけど、戦争中に一本か二本、親と観てます。戦争中に観た映画で『あなたは狙はれてゐる』[*1]っていうスパイ映画が面白かったんだ。こんなのは、絶対、映画史に残ってないでしょうね。

小森　誰が出てるんですか。

和田　それが全然分からない。日本にいる外国人が、日本で細菌兵器を研究してるんだね。それが、表向き立派な博士なんだけど、実は細菌兵器の研究をしている。それについている日本人の忠実な看護婦さんというかアシスタントが、ある日、そういうことをしてるのを発見する。それで、彼が出かけているあいだに、夜中に研究室に忍び込んで、アルコールランプに火をつけて、シャーレをひとつずつ焼くんだよね。すると、カットバックで――カットバックって言葉知らなかったんだけど――博士が帰ってくんの。もう、怖くてね。その後、どうなるか憶えてないんだけど（笑）。カットバックって言葉を覚えたのは中学になってからだけど、そのとき、すぐ、そのことを思い出したもんね。

＊1　一九四二年大映東京第二。山本弘之監督。出演は伊沢一郎、水島道太郎、逢初夢子、他。

スタンダードナンバーの構造

小森　アメリカ映画に出会ったのは、もちろん、戦後ですね。

和田　最初は『チャップリンの黄金狂時代』ですね。観たのは邦楽座。それが、のちに丸の内ピカデリーになる。いまのビルの中に入ってるのとは違います。それは確か母親だか父親だかがつれていってくれたと思うんだけど、アタマに短篇映画がついてる。その短篇映画が音楽映画でね。クラシックなんですよ。トスカニーニが指揮するシンフォニー。トスカニーニなんて、当時知らないんだけど、母親だか父親が、あれがトスカニーニだって教えてくれた。そのときの『黄金狂時代』が、不思議なことに解説が入るんですよ。活弁みたいなのが。サウンドトラックに入ってるんです。もともとは無声なんですけど。そのサウンドトラックに入れた解説が、ものすごくヘンな日本語なの。たぶん、二世の兵隊が入れたんだと思う。

小森　そういう妙な解説付きの映画をご覧になったのは、それだけですか。

和田　もう一本あった。『ロンドン・オリンピック』。

小森　『ロンドン・オリンピック』という映画ですか。

和田　そう。ロンドン・オリンピックのドキュメント。もうカラーになってたね。ロンドン・オリンピックというのは何年だろう。小学校の高学年か中学の一年くらいだったと思う。それも、ヘンなナレーションでしたよ。ヘタなだけじゃなくて、アクセントもなにもヘンな日本語で。

小森　それ以外は字幕ですね。

和田　字幕のない映画もありましたよ。僕がはじめて観た長篇漫画映画は『ガリヴァー旅行記』ですが、カラー映画に字幕を入れる技術は、戦後すぐはなかったんです。それで、スライドで、まずストーリイが出る。それを読んで、ああ、こういう話かと分かって、それから始まる。字幕なし。そういうのは、僕の知ってる限りでは、確か二本あって、『ステート・フェア』ってミュージカルと『ガリヴァー旅行記』。僕は、そのときは『ステート・フェア』は観てないですけど、『ガリヴァー旅行記』はそうだった。それで『黄金狂時代』を観て、次に『ロビン・フッドの冒険』というのがあって、これがはじめて観たカラーもの。その前後に『鉄腕ターザン』てのがあって、これは、ワイズミュラーじゃなくて、ハーマン・ブリッグスのターザンで、それがとても面白かった。これも、映画史的には誰も問題にしない（笑）映画だけど、シーンとシーンの変わりめがワイプしますね、それがいろんな方向にワイプして、それだけじゃなくて、画面が細切れに切れて、ひとつひとつがひっくり返るとか、いろんな手法で変わるんですよ。もう一回観たいなと思ってるんだけど、観られないね。『黄金狂時代』も、ここから先はミニチュアだとかさ、ここから先はカメラを傾けるんだろうとか、そんなこと考えながら観てた。

小森　撮り方を。へえ。

和田　『黄金狂時代』で、家が雪の中を滑って斜めになるじゃない。そこをチャップリンが登っていって滑ったりなんかする。あれなんか、いま考えると、テクニックを使ってるんじゃなくて、本当にチャップリンが滑ってるんだと思うんだけど、もっとひねくれて考えてて、あれはカメラを斜めにしたんだなんて言ってた。ヘンな、テクニックなんかに気がいく子どもだったと思う。

小森　ミュージカルはいつごろから？

和田　ミュージカルが日本で公開されるようになったのは、わりあい早いですね。戦後すぐは、戦前のプリントが残っていて、それを映画館でやるというのがあって、さっき言った『ロビン・フッド』や『ターザン』がそうだったんですけどね。これは、ちょっと記録が分かんないんですよ。僕は中学生のときからミュージカルが好きになってまして、『ヒット・パレード』っていうのはジャズ映画ですね。ミュージカルではジーン・ケリーの『踊る大紐育《ニューヨーク》』、『デュバリイは貴婦人』。これはジーン・ケリーが脇役なんです。それから『イースター・パレード』『アニーよ銃をとれ』。これ全部MGMですね。MGMのすごくいい時期のミュージカルで、色もテクニカラーできれいだし、音楽も全部いい、みたいなのがドッと来た。時期的には、少しずつズレてます。ジーン・ケリーがそれほど有名じゃない時期の『デュバリイは貴婦人』と、ジーン・ケリーが自分で監督もしてる『踊る大紐育』が、ほぼ同時期に公開されてる。あのころのミュージカルって、全部が全部とは言えないまでも、映画館でいっぺんしか観ないのに、そのうちのひとつかふたつ曲を覚えて出て来る。ハミングしながら映画館から出て来る。ああいう感じがすごく良かったな。曲がいい。シンプルで覚えやすい。まあ、理由はいろいろあるだろうけれど、それから、演ってる人たちが魅力があった。『アニーよ銃をとれ』なんかは、「ショウほど素敵な商売はない」が一番ウイットがあって覚えやすい曲なんですね。僕が、とっても感心したのは、『アニーよ銃をとれ』は実話――バッファロー・ビルのワイルド・ウェスト・ショウ[*1]――に基づいていて、西部をテーマにしたサーカスなんですね。だけど、あの中で歌われる「ショウほど素敵な商売はない」は、西部とかサーカスとかピストルを撃つとか、そんな言葉が出て来ない。客の拍手がよくてとか、客の入らない日もあるとかね。これはワイルド・ウェスト・ショウだけではなくて、あらゆるショウ・ビジネスに使える歌なんです。これも、観たときにそんなことを考えてるわけではないけど、ちょっと経ってから、あ、そうなんだと思ってね。やっぱり巧いな、と思うわけね。そういうのは、アメリカのミュージカルに共通してて、ミュージカルの中の曲がミュージカルから独立して、スタンダードとして残っていくじゃないですか。たとえば『アニーよ銃をとれ』の「ゼイ・セイ・イッツ・ワンダフル」という歌ですね。アニーとワイルド・ウェスト・ショウのスターがいて、巡業で汽車に乗ってるときに、連結器の上で歌う。「ゼイ・セイ・イッツ・ワンダフル」てのは、恋をするってことは素晴らしいとみんなが言うと、女の子が歌って、片一方が、その通り恋ってのは素晴らし

＊1　バッファロー・ビルは、本名ウィリアム・フレデリック・コーディ。北軍の斥候を経て騎兵隊の斥候となる。ダイム・ノヴェルの主人公となったことから有名になり、それを逆利用して一八八三年、ワイルド・ウェスト・ショウを始めた。

いと歌う。これが、日本のミュージカルの作り方だと、私はこんな田舎娘だけどとか、あなたみたいなスターにあこがれてとか、みたいなふうになっちゃって、そのストーリイでないと使えない曲になる。どうしてもなっちゃう。「ゼイ・セイ・イッツ・ワンダフル」は、シチュエーションを全然無視して、でも、そこで歌うことによって、そこでしか使えないっていうふうになっている。だから、その曲はスタンダードになるんですよ。物語は忘れられても、それだけで独立できる。ほとんどのアメリカのミュージカルは、そういう作り方がされてますね。

小森　違う映画で使ったりもしますよね。

和田　そうなんです。『巴里のアメリカ人』ていうジーン・ケリーのミュージカルがあるけれども、ジョージ・ガーシュインが、あっちこっちのミュージカルのために、昔に作った曲を集めてきて、またひとつのストーリイを作った。で、それが、また、ちゃんと使える。というふうに、最初から考えてあるんですね（笑）。ディズニーもそうで、「星に願いを」っていう歌は、『ピノキオ』の中でこおろぎが歌ってるんですね。あれだって、星に願いごとをすれば、なんでも叶うっていう、それだけの歌なのね。あれも、やっぱりヘタな奴がやると、彼は木の人形だけど（笑）と。

小森　そうなっちゃう（笑）。

和田　絶対なるんですよ。でも、一所懸命がんばると人間になれるよ、みたいに歌っちゃう。それを、一切そういうことを言わないから、テレビショウのテーマソングなんかにでもバンバン使われる。

小森　和田さん、そういうことに、いつごろ気がついたんですか。

和田　それはね、高校のころでしょう。観たときすぐには気がつかないですよ。そのことと、ひとつの歌がひとりの人間に属していないということ。このふたつに気がついたのは、わりと大きいと思う。スタンダードを考える上においてね。

ベン・シャーンの存在

小森　では、また、イラストのお仕事の話に戻りたいのですが、最初はライトパブリシティですから、広告の仕事がメインなわけですよね。「銀座界隈」にお書きになっていたところによると、広告の仕事をやりながら、たとえば日活のポスターだとか、草月ホールのポスターといったお仕事をおやりになってますね。そういうポスターを描く、あるいは、大学時代の制作でもいいんですけれど、そういうときにお手本にしたものというのは、あるんですか。

和田　ポスターで直接お手本にしたというのはないんですが、最初に高校時代に影響を受けた世界のポスター展で、ヘルベルト・ロイピンていうスイスのグラフィック・デザイナーがいて、ドナルド・ブルン[*1]ていう、これもスイスの人なんだけど、このふたりのポスターがとても良かったね。なにがいいかっていうと、あまり文字やなんかの説明的な要素がなしに、なんのポスターでどういうとこが特徴なのか分かる。それは、まあ、アイデアがあるっていうことかな。そういうものが良くて、ポスターを描く人にあこがれたわけだけど。そういう発想、できるだけシンプルに絵を描いて、しかも、ちょっとウイットがあってみたいなのがいいなっていう、そういうことには影響を受けた。それから、これは多摩美に入ってからなんだけども、丸善でだったと思うんですが、アメリカのグラフィック・デザインの展覧会があったんですよ。わりあい小ぶりのパンフレットの表紙だとかが、ダーッと展示されてた。その中にベン・シャーン*2の小ぶりのポスターがあって、We want peace. って書いてある。本当に貧しそうな痩せた少年が、手を出してる。僕が自分で描く気分のものとは全然違うんだけど、それはヒューマンでいいんだね。絵がいいしね。訴えてくるものが、とても良かった。それは影響を受けてますね。多摩美の一年生のときに、ベン・シャーンという画家をはじめて知って、そのころ、まだイエナ書店が一階にあって、そこでペンギンブックスの小さいベン・シャーンの画集を見つけて、それを何度も何度も見たね。いま見ると印刷なんて相当悪いんだけど。それにとても影響を受けてますね。人間の描き方みたいなものをね。それまで手始めにずーっと描いてた漫画っぽいものではない、もうちょっと絵画寄りの感じで人物を描く。それは影響を受けてるかな。ただ、具体的に、このポスターを描くのに、これをお手本にしようとか、そういうのはないですね。

小森　エッセイでも、先輩から、ベン・シャーンが好きなんだろうと言われる場面がありましたね。

和田　多摩美の一年生でベン・シャーンの作品に出会って、三年生のときに描いた日宣美賞を取ったポスターで、そういうふうに言われたんです。僕は、さんざん影響受けてたくせに、あれは完全に離れたつもりでいたのね。展覧会に出すのに、モロ影響受けたものは、みっともないと思ったから、完全に離れたつもりだったんだけど、やっぱり、見る人が見ると分かるんですね。

小森　では、大学時代は、ベン・シャーンが特別に大きな存在だったわけですね。

和田　そうです。それは、とても大きかったと思うな。手紙出して返事もらったりして。（背後にあるカードの入った額を指して）あそこに額があるでしょ。あのクリスマス・カードをねだったんだよ。あれが、ヨーロッパのデザイン雑誌に紹介されてたの。良くてねえ。僕は、あなたの絵がとっても好きで好きで好きでしょうがなくて、画集はこれを持っててみたいなことを書いて、クリスマス・カードは画集にも印刷されてないので、それをくれないかみたいなことを（笑）。そうしたら、ちゃんと来た。全然クリスマスとは関係ないときに届いた。

小森　ご自分で意識して見るのは、やはり、アメリカのもの、外国のものが多かったですか。

和田　やっぱり、最初にびっくりしたスタインバーグとベン・シャーンですね。もちろん、クレーも見たし、ピカソも見たけども。

＊1　ともに、スイスのグラフィック・デザイナー。世界のポスター展は、一九五三年の四～五月に開催され、当時は「ブルンの多角的な技巧、ロイピンの画面の面白さ」と評されていた。ロイピンは一九九八年に、ギンザ・グラフィック・ギャラリーで個展も開かれた。

＊2　アメリカの画家。リトアニアのユダヤ人家庭に生まれた。一九二〇年代から活躍し、社会的な題材を多く扱った。

小森　和田さんの一番最初の装丁は……。

和田　『ジャズをたのしむ本』[*1]っていうのだったですね。

小森　装丁をなさりたいという気持ちは、もちろん、当初からおありになった？

和田　うん。装丁をしたいという気持ちはありましたね。というのは、あれは六〇年代の初めのころですから、ライトで広告の仕事を毎日やっていたじゃないですか。僕は、広告の仕事は、決して嫌いではなかったけれども、広告だけじゃなくて、レコードジャケットとか、本の装丁とか、映画のポスターとか、そういうものを、やっぱりやりたかった。それをやりながら、広告も好きだから、両方やってましたけど、そのうち、だんだん広告が好きじゃなくなってきたんですよ。六〇年代の後半になって。それはなぜかって言うと、広告の制約が多くなりすぎてきたんですね。初めのうちは、各宣伝部なりの企業の人たちが、デザインは自分たちは専門家じゃないから、おまかせしますということで、値段が間違ってないかとか、そういうデータ的なことは厳しくチェックされるけれども、そうじゃない表現の方は、僕らが自由にやれたんです。そのうちに、時代が経ってきて、六〇年代入ると、ちょうど、日本の高度経済成長の始まりの時期にぶつかって、企業から広告を通じてお金がとれるぞというふうに思う人たちが、多くなってきた。そうすると、各代理店、広告関係者という人たちが、少しずつ増えてきて、ひとつの企業の商品の仕事を取り合うようになってきたわけですね。そうなると、そこに理屈が入ってくるんだな。僕らみたいに、わりと感覚的に、面白いの作ろうっていうんじゃすまない。もっと理論的に企業を攻めて、自分の方に仕事を持ってこようという人々が、感覚だけに頼っちゃだめですよ、もうちょっと調査をしてやりましょうみたいなことを言う。それは説得力があるわけだね。

小森　マーケティングしてと。

和田　そうそう。そういう時代に、少しずつなってきて、初めは僕らのとこに、おまかせします って来てたのが、別のデザイン会社から、うちにもやらせてください、うちはこういう案を持ってきましたなんていうと、それはそれで、発注する方としては気持ちがいいじゃない。

小森　(笑)

和田　A案B案あります、好きな方を選んでくださいっていうふうになる。そうすると、なんで君んとこはもう一案持ってこないんだい、みたいな話になる。そういうのが、少しずつ積もり積もってきて、締め付けがどんどんきつくなって、なんか面白くなくなってきたんですね。広告にとっての、とてもいい時期を、僕は経験してるけれど、それはわずかだった。四、五年かな。

小森　装丁の話に戻ると、装丁する本は、必ずしも翻訳ものとは限らないし、日本の著者ののもありますね。

和田　その方が多いですね。

小森　だけど、和田さんの装丁は、やはり、バタくさい感じを、僕なんかは受けるんですが、

＊1　寺山修司・湯川れい子編著。一九六一年久保書店刊。

それは意識してということはないと思うんですが、いかにも日本の本らしい感じは嫌だなというようなことは、あるんですか。

和田　あんまりないですね。だいたい、あいつに国文学でもないだろうてのは、頼む方も分かるんですよ。

小森　確かに、和田さんが装丁なさってる作家というのは、ヨーロッパの文学に影響された方が多いですよね。遠藤周作《えんどうしゅうさく》さんも……。

和田　うーん、そうだなあ。丸谷《まるや》（才一《さいいち》）さんもそうだし。星《ほし》（新一《しんいち》）さんも、ショートショートてのは、まさにそうだし。

小森　基本的には依頼が来ての話ですもんね。

和田　そうそう。学生時代はね、自分の描きたいものを選んでますけども、そうはいかないわけです（笑）。こっちから売り込むということは、まずないから……うん、ないんじゃないかな、一冊も。だから、まあ『伊勢物語』などは来ないですよね。

小森　（爆笑）

バタくささの系譜

小森　「マンハント」からイラストの仕事が来て嬉しかったと、エッセイにお書きでしたが、ミステリはいつごろからお読みだったんですか。

和田　僕は中学のときに、まずルパンを読んで、それからシャーロック・ホームズを読んで、ポーを読んだ。このへんが中学生ですね。高校に入って、いわゆる本格ミステリ、ディクスン・カーとかアガサ・クリスティとか。それで、ダシール・ハメットやなんかは、ちょっと遅れて、大学入ってからですかね。ＥＱＭＭの創刊は僕の大学時代ですね。僕は「ヒッチコック・マガジン」が圧倒的に好きでした。
小森　それはヘンリー・スレッサーがお好きだったということですか。
和田　そうですね。というか、ヒッチコックが好きだから。
小森　ああ、そうか。そうですね。
和田　だから「ヒッチコック・マガジン」というのは、題名だけで嬉しくて。「ヒッチコック・マガジン」が向こうで出ているっていうのは知ってたんですよ。映画ファンはみんな知ってた。それが読みたくてしょうがないのね。それの日本語版が出るっていうのはすごく嬉しかった。創刊号からずっと買ってましたね。
小森　ミステリ関係のお仕事で最初だったのは、「マンハント」ですか。
和田　『血の収穫』[*1]の文庫本の表紙を描いたけどな。あれはどっちが先だったかな。
小森　創元推理文庫！
和田　そう。

＊1　現在の創元推理文庫版のカヴァーは和田誠イラストではない。

小森　あれは、カヴァーのイラスト見て、誰の絵だろうと思ったら、和田さんだったんで驚いたんですよ。こんな絵をお描きになるんだと思って。

和田　ああいうタッチにね、直接じゃないけど、ベン・シャーンの影響が残ってるんですよね。人物を漫画タッチではなく、深刻に描く（笑）みたいな。

小森　いや、深刻に描かれてました（笑）。

和田　あはは。

小森　和田さんの場合、ミステリは翻訳ものが多かったんですか。

和田　そうですね。僕はあんまり日本のミステリって読まなかったな。横溝《よこみぞ》さんなんか読んだのは、ずっとあとですよ。日本の小説も全然読まなかったわけじゃないんだけど、どっちかっていうと、僕はやっぱり、どのジャンルでもバタくさいものが好きだから。映画も日本映画を決して観ていないわけじゃないんだけど、やっぱり、アメリカ映画の数が圧倒的に多いんですよ。

小森　ヒッチコックで一番最初にご覧になったのは？

和田　僕は『汚名』です。日本公開のときですね。高校生のころ。その前に『疑惑の影』とか何本かやってたはずなんです。僕はまず『汚名』を観て、これはすごい、この人の映画は絶対観ようと思った。それから『レベッカ』をやったのかな。小林信彦《こばやしのぶひこ》さんに、『汚名』でもってすっかり気に入ったんだって言ったら、高校生であれが分かったのって言われたけど。確かにね。いま観ると、恋愛模様があのときより強烈ですよね。あのときに分かったのは、サスペンスの作り方のテクニックとか、そっちでね。

小森　当時、ヒッチコックというのは、ひとり特別な監督だったんですか。

和田　いや、違うんです。いまは、そういうふうに思えるけども、あのころ、ああいうスリラーと言われた映画は、けっこうたくさんあって、スリラーの巧い監督もたくさんいたんだよね。たとえば、ロバート・シオドマクっていう監督がいて『幻の女』がそうなんだけど、『らせん階段』とかね。ジョン・ファロー[*1]って監督――ミア・ファローのお父さんだけど――のちょっとオカルトがかったミステリで『夜は千の眼を持つ』、これも原作はウールリッチか。あと、やっぱりウールリッチかアイリッシュで『窓』というの。嘘ばっかりついてる少年がいて、これが殺人を目撃するんだけど、そのことを言っても誰も信用しない。それが犯人に聞こえて、少年が命を狙われる。これは面白かったね。テッド・テツラフ[*2]っていう監督なんですけど、その後、パッとしない。それから、フリッツ・ラング。これは『メトロポリス』からずっとやっ

＊1　オーストラリア生まれ。作家を経てハリウッドに行き脚本家、のち監督も。『夜は千の眼を持つ』『大時計』などの作品がある。『八十日間世界一周』（共作）でアカデミー脚本賞を受賞。ミア・ファローの父親。

＊2　キャメラマンとして映画人のキャリアをスタートした。ヒッチコックの『汚名』やフランク・キャプラ映画の撮影を担当した。監督作品には『孤児』『窓』『白銀の嶺』『戦慄の夜行列車』『四十人の女盗賊』などがある。

てる人だけど、あのころアメリカで『飾窓の女』みたいなスリラーや『外套と短剣』みたいなスパイサスペンスとか、撮ってたんですね。だから、ヒッチコックだけが群を抜いてたわけではなくて、みんな、どれもこれも面白かった。で、いまは、映画史的にヒッチコックだけが残って、なんとなくほかは忘れられてるけども、そんなことはない。

小森　和田さんも区別してご覧になってたわけではない？

和田　全然区別してなかった。ずっと経ってからじゃないですかね、ヒッチコックはちょっと特別だなって思ったのは。現役でずっといて、いつまでも面白いし、そう思って観ると、過去のあれもこれも、ほかの人とはちょっと違っていたのかなって、フト思ったりするんだけど。当時は、ホントにみんな……。それから、ヒューマンな、ハッピーエンドなんだけど、その直前には泣いちゃうみたいな、アメリカの善良な部分をうまく抽出したような映画を撮る人々がいたんですよ。フランク・キャプラとヘンリー・コスター、それからレオ・マッケリー。いまは、フランク・キャプラだけが、とりわけ大きな名前になってるけど、ほかの人たちも決して負けてはいない。西部劇だってさ、ジョン・フォードとかハワード・ホークスだけじゃない。面白い西部劇を作る人はたくさんいた。

小森　いま出て来たような映画――おもにアメリカ映画なんでしょうが――は、日本の映画にはないものとして、和田さんの頭の中にはあるんでしょうか。

和田　どうかな。絶対なくはないんだけども、日本映画にあるとすれば、珍しい例だっていうとらえ方になっちゃうかもしれないね。たとえば、僕は市川崑《いちかわこん》という監督の作品が好きで、はじめて市川崑を観たのは『愛人』っていう映画なんですけども、そのとき思ったのは、やっぱり、バタくさいっていうことだった。高校のころで、それほど日本映画をたくさん観たわけではないのに、でも、日本の監督にはない珍しい感覚を持ってる人だなって思いましたからね。

小森　ほかに、バタくさいとお感じになった方っていらっしゃいますか？　映画に限らなくてもいいですが。

和田　たとえば、村上春樹《むらかみはるき》の文体とか。伊丹一三《いたみいちぞう》時代のエッセイとかね。はじめて読んだときに、あ、こういうエッセイ書ける人がいるんだ、という思い方というかね。もっと昔で言うと、三木鶏郎《みきとりろう》*1という人の音楽。これは、僕の中では大きいですよ。

小森　三木鶏郎さんという人は戦後すぐの方ですよね。

和田　戦後すぐに、最初は「歌の新聞」っていう非常に短い番組をやって、その時代を諷刺しながらコミックソングをやった。それがウケたんで、「日曜娯楽版」っていうのに発展して、おそらく三十分だったと思うけどね。その三木鶏郎グループに三木《みき》のり平《へい》がいて、丹下《たんげ》キヨ子がいて、河井坊茶《かわいぼっちゃ》とか千葉信男《ちばのぶお》がいて……その後、三木鶏郎冗談工房というのができて、永六《えいろく》輔《すけ》だの野坂昭如《のさかあきゆき》だの五木寛之《いつきひろゆき》だのが入ってきた。それは、まあ、かなりあとの話ですね。いま

＊1　一九四六年の「南の風が消えちゃった」で登場した作詞・作曲家。「冗談音楽」「日曜娯楽版」などのラジオ番組を手がける。「明るいナショナル」「キリンレモン」などのコマーシャルソング、「鉄人28号」「トムとジェリー」「ジャングル大帝」などのテレビアニメの主題歌も作っている。

言ってるのは、僕が小学校から中学校の話なんだけど、その「日曜娯楽版」というのが、すごい人気番組だったんです。なにが人気だったかというと、コントの諷刺がキツくて面白いというので、ウケたんですが、僕はそのことよりも、その合間合間に発表される三木鶏郎の歌が、ものすごくバタくさかった。日本のそれまでの歌謡曲調のものとは、まったく違う、アメリカのミュージカルに出てくるような曲調だった。それは、いま聴いてもたぶんそう。うんとヒットした〽僕は特急の機関士で　とか〽田舎のバスはおんぼろ車　とか、そういうのは、ヒットするだけあって、日本人の好みに合ってるんですね。むしろ、ヒットしない、ちょっとしたやつが、とてもいいんです。僕にとってはね。それで、ずいぶん経って、七〇年代に入ってから、チャンスがあって、東芝でデューク・エイセスと由紀《ゆき》さおりでなにか企画しようということになって、三木鶏郎ソングブックというのを作ったのね。新しいアレンジで、当時の洒落たのを。三木鶏郎さんはまだ健在だったけど、もう引退していて、僕は会ったことなかったんだけど、すごい喜んでくれて。僕はライナーノートで、諷刺のこともいいけど、本当に記憶されるべきは、曲の方なんだっていうことを書いたら、ご本人がとても喜んで、会いにきてくれた。

小森　そういうものが点々とあるわけですね。なかなか線にはならないのかもしれないけれど。

和田　思い出すと、もっともっとあるだろうけどね。

和田流映画の発想

小森　一番最初にお撮りになった映画が『麻雀放浪記』でしたね。日本の小説の原作で、必ずしもバタくさくないというのが、振り返って考えると、不思議に思わないでもないんですが、いきさつからいうと、角川春樹《かどかわはるき》さんに、やりたいことはないかと言われて、映画のシナリオが書きたいとおっしゃったんですね。

和田　そう。

小森　そのときに『麻雀放浪記』とお答えになったわけですよね。そこでは『麻雀放浪記』を映画にしたいという気持ちが強くあったわけですか。

和田　あったんですね。もっと前はね、井上《いのうえ》ひさしの「江戸の夕立ち」っていうのがあって、ただ、それは、どうしてもなんとかしたいんだっていう強い欲望ではなくて、読んだときに、これは映画にしたら面白いな、キャスティングしたらこうなるなって思いながら読んでた。幕末の江戸がもうすぐ東京になるころの、幇間《ほうかん》と若旦那の話。これが侍に追われて全国逃げ回って、やっと帰ってきたときには、お店は没落してて、江戸は東京になってたって話なんだけど、これなんかも、バタくさい話じゃないんですよ。ただ、幇間と若旦那のロードムーヴィなんだな。

小森　その、ロードムーヴィと言っちゃうところが、バタくさいですね。

和田　言葉はバタくさいですね（笑）。それで『麻雀放浪記』も、実は、『ハスラー』だと思えばバタくさい。

小森　小説の『麻雀放浪記』も、確かに日本人離れしたところはあるんですね。

和田　あれだって、珍しいピカレスクだって思えば。カタカナだね（笑）。あのクールさっていうかね。つまり、義理とか人情とかみたいなものが一切ないでしょ。だけど、極悪非道でもない。ハードボイルドみたいな。そういうところが好きなんだな、読んでいて。

小森　小説を読んでいて、映画にしたいなと思うことは、わりと頻繁にあったんですか。

和田　あったんです。高校生のころから、頻繁にあったの。それはね『Xの悲劇』『Yの悲劇』ってシリーズ読んだときに、ドルリー・レーンていう探偵は、絶対ローレンス・オリヴィエが演るといいなって思いながら読んでた。考えてみたら、当時のローレンス・オリヴィエって、そんな老人じゃないんですね。当時は『嵐が丘』とか、そんなの観てたからね。

小森　ハムレットを現役で演ってるような歳ですよね。

和田　そうですね。『黄昏』っていう映画があってね。それは中年から初老にさしかかるくらいの役。景気のいい男がおちぶれていく感じ。それなんかは演ってたね。

小森　では、小説を読んでいて、キャスティングが浮かぶ……。

和田　ていうのは、ありますね。

小森　それは、翻訳小説、日本の小説を問わずに、浮かんでくる？

和田　そうですね。考えてみたら、しょっちゅうではないですけど、たまにありますね、やっぱり。むしろ、人の映画を観ていて、結末はこうじゃない方がいいな、こうしたら、もっとシャレてるなって思うときがあるね。

小森　それも昔からですか。

和田　そんなに昔からじゃないかな。でも、自分が映画を撮るとは全然思わないころから。たとえば、スピルバーグの『激突！』って映画あるじゃないですか。あれ、一応、襲ってくるタンクローリーが崖に転落して、主人公が勝ってハッピーエンドでしょ。それはそれで、いいんだけど、あのタンクローリーは炎上しないで、一応転落はするんだけれども、また、這い上がってきて、のろのろ走ってると、今度は別の青いスポーツカーが追い抜いたところで終わりたい。

小森　ああ、なるほど。

和田　森田芳光《もりたよしみつ》監督が「僕は『激突！』は百点満点の映画だと思う」って言うから、いまの話したら「百点満点じゃなくなっちゃったなあ」なんて言ってたけどね（笑）。それから、自分で映画作ったあとの話なんだけど、『マルサの女』って映画あったじゃないですか。あれは宮《みや》本信子《もとのぶこ》のマルサが山崎努《やまざきつとむ》の脱税を摘発して終わるじゃない。あれ、摘発してもいいけど、途中に、お互い憎からず思っているような瞬間もあるんですよね。だから、ふたりが結婚しなくていいけども、ちょっと一緒になって、最後に彼女は税務署を辞めて、山崎努に「今度からもっといい方法教えてあげるね」って言うところで終わったらよかった。税務署が勝ちで万歳って映画じゃ嫌だもん（笑）。

小森　『オーシャンと十一人の仲間』みたいな、犯罪ものに近い感覚ですか。

和田　そうだね。だから、奇妙な味というジャンルがあるじゃないですか。江戸川乱歩《えどがわらんぽ》が命名した。ああいうのは好きです。全部うまく解決してるっていうんではなくてね。それから、へンな奴が生き残ったりするもの。勧善懲悪じゃなくてね。

小森　映画を作るときというのは、原作があった方がいいものなんですか。

和田　最新作[*1]は自分で物語を作りましたけど、お話を作る能力があんまりないもんだから、とりあえずは、原作に惚れこんで、それを映画にするっていうのが、いいんですね。それが楽って意味ではないんだけども、アタマからノレるって意味でね。その原作が、小説であろうと戯曲であろうと実話であろうといいわけですね。原作に惚れた場合は、なんていうかな、換骨奪《かんこつだつ》胎《たい》して、自分のものにしてやろうなんてふうには思わずに、できるだけ原作の持ってるイメージを再現したいなというふうには思います。

小森　映画の原作というのは、仮に一時間半から二時間の映画にする場合、どれくらいの長さのものがいいんでしょうかね。

和田　大長篇は良くないですね。どうしても短くしなきゃなんないから。

小森　『麻雀放浪記』は最初四時間かかるとかおっしゃってたんでしたっけ。

和田　あれは四部作でしょ。もちろん、四部作を全部詰め込むことは絶対できない。で、最初の一冊だけは、まあ、二時間に納まるだろうなと思った。できるだけ忠実にやりたいと思ったから、原作にあるエピソードはできるだけ入れるようにして、それで、僕、書いたシナリオを自分で読んだんですよ、台詞のところを、時計見ながら。間《ま》のところも頭に浮かべながら。そうしたら二時間で納まったんだけど、やっぱり、そうはいかないからね、現実には（笑）。で、映画何本も作ってるプロデューサーに読んでもらったら、三時間か三時間半くらいかかるよと言われて、それで、また削んなきゃなんなかった。けっこう辛かったんだけども、いいシーン切ってんだよね。たとえば、坊や哲が、同級生に会うシーンは、やりたかったんだけれど、どうしても入んないんだよね。そういうふうに、長いものを短くしていくと、いいところやディテイルが、どんどん失われていっちゃう。逆に、大長篇の中のディテイルだけ積み重ねても、今度はストーリイが分かんなくなっちゃう。そういうのもあるからね。だから、ストーリイを分からせつつ、ディテイルもきちっとというときは、短篇ですね。だから、ヒッチコックが巧いのは、必ず短篇ですよね、原作が。

小森　そうですね。

和田　すごい短いの使ってるね。

小森　長篇でも短い長篇ですもんね。

和田　『老人と海』なんて、ちょうどいいよね。原作の長さと映画の関係がね。日本映画では『座頭市物語』がすごくうまくいってると思う。座頭市の第一作。あれ子母澤寛《しもざわかん》の「ふところ手帖」っていうエッセイなんですね。

小森　それが原作なんですか。

和田　原作っていうかね。子母澤寛が歴史小説を書く上でいっぱい取材するじゃない。それで、ちゃんとした小説の形にならないもので、自分の手帖にメモしてあったものを、もったいない

＊1　『真夜中まで』二〇〇一年九月公開。真田広之、ミッシェル・リー主演。

からってんで、歴史随筆の形にまとめた本がある。そこで、平手造酒を取材してたら、こういう人物がいることが分かったというんで、座頭で目が見えないんだけど居合の達人がいた、蠟燭なんか斬ってみせたそうです、なんていうのが書いてあって、文庫本で十ページ足らず。あれは大映の当時の誰かが、こいつは面白そうだから、これで一本作っちゃおうっていうのが、あんなシリーズになるんだからね。あれはすごいなと思う。

小森　原作なんですね。それも。

和田　ちゃんと、「原作　子母澤寛」と出ますから。

小森　『ニノチカ』の原作というのも三行くらい書いただけなんですよね、確か。

和田　あ、そう?

小森　それはビリー・ワイルダーの伝記に出て来ました。

和田　じゃあ、読んでるはずだなあ。

小森　コチコチの共産党員の女がパリに出て来てプレイボーイと出会う。いろいろあって、資本主義も捨てたもんじゃない、だったかな。[*1]

和田　でも、あれ戯曲あるんだよね。

小森　ありますね。黒柳徹子《くろやなぎてつこ》さんがやったのを観ました。

和田　それとの関係がどうかだよね。

小森　あれは映画が先というわけではないんですか。

和田　いや、それ、僕はよく分からない。僕は、その戯曲があると知ったときに、その戯曲を映画化したのかと思ったんだけども。映画が先で戯曲になることもよくあるからね。そういうんでは、『チャップリンの殺人狂時代』てのは、あれはオーソン・ウェルズなんだよね。
小森 あ、そうですね。
和田 原案オーソン・ウェルズ。
小森 あれ、電話で言っただけだって、ホントなんですか。
和田 うん、そう言いますねえ。
小森 クレジットもされてますね。
和田 アイデアに基づくとか、そんな書き方じゃなかったかな。原作ではなくて。
小森 向こうの場合は、ちゃんと、お金の問題になりますからね。
和田 そうだよね。すぐ訴訟になるから。渋谷実《しぶやみのる》という監督がいるじゃないですか。あの人のね、なんかの映画を観たら、『エデンの東』のジェームズ・ディーンが、自分の兄貴を母親のところにつれていくシーンと同じ構図のシーンが、シチュエーションは違うんだけど、あったね。別に剽窃《ひょうせつ》っていうんじゃないけど、影響されたんだなって思ったね。僕なんかも、映画撮って、ちょっと移動なんかして、窓から入ったりすると、すぐヒッチコックだって言われる

＊1　モーリス・ゾロトウ『ビリー・ワイルダー・イン・ハリウッド』から、その原作を引くと「筋金入りのボルシェビキ女が、おそるべき独占資本主義の牙城パリへ行く。彼女はロマンスに出会い、歓喜のひとときを過ごす。あれこれあって、資本主義もそう悪いものじゃない、でおしまい」。

んだよね。

小森　（笑）

和田　窓から入るのは、ヒッチコックだけじゃないのにね（笑）。一番驚いたのはね、『麻雀放浪記』撮ってすぐにね、藤田《ふじた》敏八《としや》監督に会ったら、『忘れられた人々』をやっただろうって言われたんだ。『忘れられた人々』って、ルイス・ブニュエルの映画。メキシコ映画なんだけど。それは貧しい子どもたちが、食うために、老人殺したりするのね。少年の死体をごみために捨てるシーンがある。出目徳が死んだところはあれだろうって。そりゃ観てるけど、そんなの全然忘れてる。そういうのは、いろんなところで言われますね。まあ、ブニュエルを言ったのは藤田さんだけだけど。ヒッチコックはしょっちゅう言われる。カメラを移動すると、すぐ言われるんだよね（笑）。

北村《きたむら》　薫《かおる》――良き作品の良き読者であるために

北村薫（きたむら・かおる）

一九四九年埼玉県生まれ。早稲田大学第一文学部卒業。〈日本探偵小説全集〉の編集委員を務めたのち、八九年『空飛ぶ馬』でデビュー。九一年『夜の蟬』で第四四回日本推理作家協会賞を受賞。二〇〇六年『ニッポン硬貨の謎　エラリー・クイーン最後の事件』で第六回本格ミステリ大賞を、〇九年『鷺と雪』で第一四一回直木賞を受賞。一六年に第一九回日本ミステリー文学大賞を受賞。二三年に『水　本の小説』で第五一回泉鏡花文学賞を受賞。『主な著書に〈円紫さんと私〉シリーズ、『街の灯』『覆面作家は二人いる』『冬のオペラ』『盤上の敵』〈いとま申して〉三部作など著作多数。エッセイに『謎物語　あるいは物語の謎』『ミステリは万華鏡』『詩歌の待ち伏せ』『ユーカリの木の蔭で』などがある。〈謎のギャラリー〉ほかアンソロジーの編纂も多く手がける。

『はじめて話すけど…』フリースタイル版でお話をうかがった方々と、北村薫さんとの間には、大きな違いがある。皆様ご承知のとおり、北村さんは、明治以降の小説はもちろん、散文から韻文あげく落語のような芸能まで、こと日本の文芸に関して、幅広い鑑賞眼の持ち主だ。私には接点の持ちようもない。にもかかわらず、私が不思議でならないのは、そういう人がなぜエラリイ・クイーンのあれほど熱心な読者となり、『ニッポン硬貨の謎』といった作品まで書いてしまうのか？　『はじめて話すけど…』の文庫化にあたって増補を考えたとき、まず頭に浮かんだのが、そのことだった。インタビューをお願いしたところ、イーディス・ウォートンの「ローマ熱」という短編について話がしたいという申し出があった。これまた、あまり人の読まないアメリカ作家だ。喜んで、しかし、恐る恐るインタビューに臨んだ。もっとも、インタビュー中に出てきた、「ローマ熱」を収録する話は叶わなかったけれど。なお、文庫版の担当編集者である古市怜子さんにも同席してもらった。

第一志望は早稲田の国文

小森　身辺調査みたいな始まり方で恐縮なんですが、大学は早稲田《わせだ》の文学部で、国文学科でよろしいんでしょうか？

北村　そうです。早稲田大学第一文学部国文学科ですね。

小森　受験なさったのは、そこだけですか？

北村　慶應《けいおう》の国文も受けましたね。それから早稲田の教育学部と。

小森　慶應に進むお考えはなかったんですか？

北村　いや、もちろん、父親が学んだ大学[*1]ですから、それは、あったんですが……。私が受験するときに、慶應が受験科目から国語をなくしたんですね。それが、ちょっとショックで……こりゃダメだ。国語を課さない大学では。

小森　いま言われて思い出しました。私が大学受験のときも、慶應の文学部だけ二科目でしたね、英語と社会で受けられた。

北村　勉強しなくても点が取れるのが国語ですし。それがないというのは（笑）。

小森　では、第一志望は早稲田だったと。それで、早稲田で国文をやりたいというお気持ちと、早稲田のミステリクラブに入りたいというのと、どちらの方が強かったんでしょうか？

北村　それはさすがに、ワセミスの方は付属的なものですね。もちろん、（存在を）知ってはいたんですよ。「宝石」[*2]はもう終刊になってましたが、古本屋で三十円くらいで手に入れて、それの読者欄に、早稲田や慶應のミステリ研やSRの会の人たちが出ていて、ああ、こういう人たちがいるんだと……。身の回りには誰もいませんでしたから。

小森　都会から少し離れると、いませんね。

北村　変わった人たちなんですよ、私たちはね。異邦人なんです。……小森さんも、そういう、読んだ本のことを話す人たちはいなかったですか。

小森　いたことはいたんですが……私は一九七一年に中一なんですが、その世代というか、まわりには、SFを読んでる人の方が多かったですね。翻訳も盛んでしたが、星新一《ほししんいち》、小《こ》松左京《まつさきょう》、筒井《つつい》康隆《やすたか》が中心で、日本のSFがすごかったころですから。

北村　私のあとからワセミスに入って来たのに、安藤《あんどう》というのがいて、クリスチアナ・ブランドの話なんかをすると、五十年くらい前の話ですから、まさかブランドの話が出来る人間が、この世にいるとは思わなかったといわれました。あのころは、都筑《つづき》さんが日本語版「EQMM」のぺいぱあ・ないふ[*3]で取り上げたせいで、ブランドといえば『はなれわざ』一辺倒でね。

＊1　御父君の学生時代については『いとま申して』三部作が詳しい。

＊2　岩谷書店から出ていた（のちに宝石社）探偵小説専門誌。一九四六年〜一九六四年。

＊3　日本語版EQMMに連載されていた、都筑道夫による未訳ミステリの紹介コーナー。『都筑道夫ポケミス全解説』（フリースタイル）に収録されている。

みんな『はなれわざ』読んで、それで済ませてるみたいなところがあって……。それを『ジェゼベルの死』がいいとか話しました。
小森　そうかあ。私は初めて読んだブランドが「ジェミニイ・クリケット事件」ですから。
北村　へえ。ということは、ブランドについての認識というのは、あまりなくて……。
小森　名前だけ。だって手に入りませんから。
北村　古書店めぐりなんかしてないんですか？
小森　古本屋がないんですよ。門司《もじ》に一軒。隣りの小倉《こくら》に二軒。ほかにあったのかもしれないけど、知りません。国鉄いまのJRで一時間以上かけて博多《はかた》に出て、初めて九大の近くに古本屋街らしきものがある。

「ONE PIECE」は知らなくても

北村　小森さんと私って、いくつ違うんですか？
小森　九歳ですね。一九五八年生まれですから。
北村　あ、そんなに違うんですか？　じゃあ、神保町《じんぼうちょう》なんか歩かないわけですね。
小森　初めて神保町に行ったのが一九七四年。高校一年の時です。義兄の仕事の関係で、姉夫婦が千葉にいたので、一目神保町というものを見てみんと。
北村　神保町だけじゃダメなんですよ。毎日毎日、東京じゅうの古書店の棚を見尽くそうとしないと。いろんな本には出会えないですよ（笑）。

小森　（苦笑）一週間くらいしかいない、お上りさんに、それはちょっと……。古本屋だけじゃなくて、そもそも紀伊國屋書店とか茗渓堂《めいけいどう》書店とかイエナとか、そういうところに行かなきゃなんないし、末廣亭《すえひろてい》に連れてってもらったりもしますから、残りは実質三、四日。だから神保町だけですね。ほかにどこ行っていいか分かんないし。高田馬場《たかだのばば》から早稲田にかけて古本屋が軒を連ねてるなんて、知りもしない。

北村　落語もお好きなんですか？

小森　熱心な聴き手ではないですけど、中学生のころに桂米朝《かつらべいちょう》さんをラジオで聴いて好きになりました。

北村　あ、そうか。西だから。

小森　中学生のときに、月曜から金曜まで、五夜連続で米朝さんがやったラジオがあって、それを憶えてます。

北村　私と同じかなあ。私も米朝五夜[*1]を聴いてね。それまで、関西落語は聴いたことがなかったんで、ひっくりかえっちゃった、どこの局だったかなあ。「壺算」とか「算段《さんだん》の平兵衛《へいべえ》」。あとは……

＊1　一九七二年十一月六日月曜日から五夜連続で、ニッポン放送系列にて午後九時よりオンエアされた。演目は、月曜から順に、不動坊、壺算、骨つり、算段の平兵衛、けんげしゃ茶屋。

小森　「けんげしゃ茶屋」
北村　そうそう。同じものですね。それ聴いて仰天してね。こんな世界があるんだって。
小森　その前にテレビで「壺算」を聴いてるんですよ。確かＮＨＫですが。終わったあとで、小松左京と解説対談をやりましたね。
北村　贅沢な。
小森　いま思えば、そうですね。私は「壺算」が一番好きなんです。
北村　理窟っぽい人ですね。
小森　（苦笑）米朝さんは好きだったんですけど、生で聴いたことはないんです。独演会はチケット取れなくて。米朝さんは自分の事務所だから、吉本でも松竹でもなくて。
北村　そうですか。私はミステリクラブに好きな人がいて、自分で手配しなくても、チケットを買えましたね。前に枝雀《しじゃく》さんが演って、その後、米朝さんの「地獄八景」とかね。
小森　それは、うらやましい。北村さんは、お芝居もご覧になりますよね。
北村　いやあ。昔ちょこっと観たくらいです。
小森　そのころは、歌舞伎が多かったんですか？
北村　歌舞伎は父が教えてくれました。[*1] ただ、歌舞伎なんて、昔はみんな知ってたもので、落語なんか「忠臣蔵」知らなきゃ分かんないような話、いっぱいあるのに、みんな忠臣蔵を知らないんだよね。あとは、時折、劇団四季なんかですね。
小森　そこは、北村さんと私で断絶のあるところで（笑）。九歳違って、九州に生まれてると、そうはいかない。たとえば、三人吉三《さんにんきちさ》を、北村さんは歌舞伎から知るわけだけど、植木等《うえきひとし》が和尚吉三を演じた――寺の息子ですからね――テレビのコントというかアチャラカで、私は知るわけです。ただ、それは私が子どものころの、視聴者の多くが歌舞伎の知識を共有していた時代のことで、いまではそれも成立しない。

北村　そういう伝統との断絶は、非常につらいですね。逆に、歌舞伎で、いま「ONE　PIECE」やったりするでしょう。私「ONE　PIECE」知らなかったから。神保町歩いていたら、集英社のところかな、ONE　PIECE祭りって広告が出てて、なにこれ、こんなの誰も知らないよって思ってたら、私だけが知らなかった（笑）。だけど「ONE　PIECE」は知らなくても、「与話情浮名横櫛《よわなさけうきなのよこぐし》」は分かるからね。

小森　文楽とか能は？

北村　それは、本当にちょっとだけ。押さえておこう的に……。やっぱり、埼玉だと、東京に住んでいる人がそういうところに行くのとは違うから。

小森　そういう差はお感じになりますか？

北村　東京に住んでる人って、やっぱり、違いますよ。

＊1　御父君と歌舞伎との出会いについては、やはり『いとま申して』三部作が詳しい。

良き読者でありたい

小森　話を大学に戻しまして。卒論は何をお書きになったんですか？
北村　「六の宮の姫君」[*1]です。
小森　あ、まんま。
北村　まんまです。ほぼ、まんま。……無駄にしない。
小森　研究者になろうというお考えは、なかったんですか。大学院に残って。
北村　いや。そういうことは……良き読者でありたい、と。いろんなものを幅広く読み、良き作品の良き読者でありたいという思いが強かったですね。
小森　それは当時から？
北村　そうです。本好きっていうのは、アンソロジーなんかを自分で考えるわけじゃないですか。そういうアンソロジストへのあこがれというか、そういう者でありたいという気持ちがありましたね。
小森　ああ、なるほど。……では、東京創元社の戸《と》川《がわ》さんから、日本探偵小説全集の編者の話が来たときは、渡りに舟と。
北村　いやいや、びっくりですよ。大学出たての三十そこそこの人間に、ああいう巨大な企画を任せるというんですから。えっ、いいんですかって、感じです。たいへんな歓びですが、私がやったら個性の強いものになりますよって。木々《きぎ》高太郎《たかたろう》の直木賞受賞作『人生の阿呆』みたいな愚作は入れませんと……

小森　あらかじめ、言った！

北村　そうしたら、いいですよ、と。大英断ですね。常識的には、ああいうもので受賞作を入れないというのは、考えられないですからね。

小森　講談社の現代推理小説大系[*2]には『人生の阿呆』しか入ってませんよ。

北村　しか、ね。

小森　（笑）

北村　坂口安吾《さかぐちあんご》の巻に「アンゴウ」を入れたら、都筑先生が読んで「これはいいですね」って言ったというのを、戸川さんから聞いてね。それが歓びでした。

小森　「アンゴウ」は都筑さんお読みではなかったんですね。

北村　なぜなら、「アンゴウ」は（安吾の短編集や全集では）文学の方に入ってるから。探偵小説の巻に入ってないんですよ。

＊1　円紫さんシリーズ第四作『六の宮の姫君』で「私」が書いた卒論が、まんま同じものであるの意。
＊2　一九七二年から翌年にかけて講談社から刊行された全二十巻（別巻二巻を含む。ただし別巻2の刊行は一九八〇年）の推理小説全集。『人生の阿呆』は第三巻「小栗虫太郎　木々高太郎　久生十蘭」に収録されている。

小森　商業誌の最初の仕事というのは、EQに連載したネヴィンズJr.の翻訳[*1]ということで、よろしいんでしょうか？

北村　そうですね。あれは手分けしてやったので、当時誰も知らなかったバールストン・ギャンビットという言葉があって、前の人が丸投げしてきたから、私がこういう意味なんだよと註をつけたんです。

小森　前の人って誰だったんですか？

北村　それは言えません（笑）。

小森　まあ、普通、投げますね。私がやってても投げてますね（笑）。ちょっと時間的に前後しますが、北村さんは大学生のころ、「じゅえる」という個人誌をお出しになってたんですよね？　私は実物を拝見したことはないんですが、「ミステリマガジン」の野帳メモ[*2]で取り上げられているのを、何度か読んでいます。その中で、ミステリのベスト10を選ぶのに、古典的な常連の作品──『Yの悲劇』とか『樽』とか──を除いて、それ以外でベスト10を選ぶ[*3]というのをやってらした記憶があります。あれも、一種のアンソロジーみたいなものですね。

北村　そのテーマで強者《つわもの》たちの文章を集めてみたということです。

小森　ほかには、どのようなテーマを？

北村　ルパンの特集とか、変わったところでは、軽ハードボイルドの特集なんかやりましたね。

小森　軽ハードボイルド！　お読みになってたんですか？

北村　ええ。まあ、カーター・ブラウンとか、少し。でも、編集者はあまり読んでなくても、面白そうな人に書いてもらうことは出来ますから。

＊1　ＥＱ一九七八年五月号から翌年三月号まで、六回にわたって連載された「王家の血統」。フランシス・ネヴィンズＪｒ、Ｒｏｙａｌ　Ｂｌｏｏｄｌｉｎｅの翻訳。その後一九八〇年に『エラリイ・クイーンの世界』として秋津知子他訳のものが早川書房から刊行された。

＊2　「海外ミステリ消息」を発展する形で、一九七〇年十一月号から始まった太田博（各務三郎）編集長時代のミステリマガジンのコラム。太田博自ら執筆し、海外の新刊ミステリの告知のみならず、内外のファンジンや海外でのミステリ関係の記事の紹介、日本推理作家協会賞や江戸川乱歩賞のノミネートと受賞作発表、ＳＲの会の年間ベスト5の紹介など、ヴァラエティに富んだ内容で、始め一ページだったものが、一九七一年六月号から見開き二ページに拡大された。

＊3　ミステリマガジン一九七一年十月号の「野帳メモ」から引く。除外された十作は以下のとおり。『黄色い部屋』『樽』『赤毛のレッドメーンズ』『アクロイド殺し』『そして誰もいなくなった』『グリーン家殺人事件』『僧正殺人事件』『Ｙの悲劇』『幻の女』『長いお別れ』。これらを除いた上で選出されたアンケート結果は次のとおり。1『死の接吻』アイラ・レヴィン　2『さらば愛しき女よ』レイモンド・チャンドラー　3『ドーヴァー④切断』ジョイス・ポーター　4『皇帝の嗅ぎ煙草入れ』Ｊ・Ｄ・カー　5『伯母殺し』リチャード・ハル　6『ウィチャリー家の女』Ｒ・マクドナルド　7「わらの女」カトリーヌ・アルレー　8『三つの棺』Ｊ・Ｄ・カー　9『Ｘの悲劇』エラリイ・クイーン　10『喪服のランデブー』Ｃ・ウールリッチ　10『さむけ』Ｒ・マクドナルド

人間なんて書いちゃダメだろう

小森　ミステリを読み始めたころというのは、何を？

北村　それは当然、少年探偵団ですよ。

小森　日本のものをお読みだった。

北村　いいえ。乱歩《らんぽ》の少年探偵団くらいしか、なかったので。高木《たかぎ》彬光《あきみつ》や横溝正史《よこみぞせいし》もジュヴナイルを書いてますけど、近所の本屋になかったですから。それと、われわれの学校の図書館には、少年探偵団がなかったので、買わなくちゃいけなかった。それで全巻はなかなか……。

小森　で、中学生のときに、クイーンやカーですか。鮎川哲也《あゆかわてつや》が先でしたか。

北村　鮎川哲也は中学生のときですね。クイーンとかカーは文庫本になってたので、小学校の五六年ごろから読み始めてます。

小森　そこにクリスティは入って来なかったんですか。北村さんは、あまりクリスティについて触れられないという印象があるんですが。

北村　うん。クリスティ……何を読んだかな。……クイーンやカーに対して、クリスティがもてはやされているというのは、なんか、悔しい（笑）。クリスティは上手いですけどね、非常に。なんというか、小説になっているところがあってね……

小森　そこが、嫌（笑）？

北村　嫌じゃないんだけどね。……真面目に、愚直に、ミステリを書いてる……愚直になんて書いちゃダメですよ……真摯《しんし》にミステリの王道を行っているクイーンやカーに……

小森　肩入れしてしまう？

北村　クリスティは、すごい作家だと思うんだけど。……やっぱり……うちの子がかわいいってのは、あるじゃない。

一同　（爆笑）

北村　そういうことですよ。あちらのお子さんが、よくお出来になるのは非常に分かるけど、ということですね。クリスティは上手いし、もちろん評価するんですが……小説の方に寄ってるんでね。人間を書いてるというか。……人間なんて書いちゃダメだろう（笑）

一同　（爆笑）

北村　まあ、ふと書いてしまうんですけど。

小森　坂口安吾と同じ立場ですね。それは文学がやればいいことであって……

北村　だから「アンゴウ」はミステリの巻に入らないんですね。小説の方に入っちゃってる。ただ、そっちの方に行ってても、名作はあるんでね。「アンゴウ」は素晴らしいですよね。人間が描けていて。わたしは君子だから豹変するんです。

小森　各務三郎《かがみさぶろう》さんにうかがったんですが、クリスティって、まったく売れない時期があったんですってね。各務さんが「ミステリマガジン」の編集長のころだから、一九七〇年前後でしょう。北村さんが大学生のころですか。カーはもちろん、クイーンだって新作のセールスは良くなかったはずですが、クリスティも例外ではなくて、『復讐の女神』を、翻訳権取得のリストからはずしてたって言うんですよ。

一同　へえ！

小森　それを各務さんが、これは取っといた方がいいと言って、リストに戻させたらしんです。だから、謎解きものは全般的に売れなかった。

北村　でも、チャンドラーは売れてた。それから、ロス・マク。

小森　そうですね。で、ドル箱は、もちろんジェームズ・ボンド。だけど、実際は時期的に少し前になりますね。七〇年ごろというと、多分、ポケミスの稼ぎ頭はディック・フランシスじゃないかな。年一作滞りなく出るし。

北村　ディック・フランシスというと阿津川辰海《あつかわたつみ》さんが、ベストスリーを選んでて、[*1]若いのにえらいなあと思ったんですが、『度胸』が入ってたのが嬉しかったな。私、『度胸』が好きなんで……。最後の一行が「許すのには、長い時間がかかる」。

小森　北村さんが大学生のころ、一番ホットだった話題はロス・マクでしたか？

北村　ロス・マク、チャンドラーが多かったですね。……不愉快でしたね。

小森　（笑）チャンドラーはお好きじゃない？

北村　……好きだという人が多いから、好きだと言いたくない。

一同　（笑）

北村　カーがね、書評で、[*2]チャンドラーくんも、もう少し精進すれば、いい小説が書けるようになるだろうと書いて、チャンドラーが激怒したなんて話を読むと、ああ、いい話だなあ（笑）……心が洗われるなあ（笑）と。……うちの親分も、なかなかやるじゃないか！

一同　（爆笑）

小森　大学生のころの北村さんは、多分、少数派だったでしょうね。

北村　そうでしょうね。

小森　いまだと、その（少数派だったという）感覚が、まず絶対に通じないと思います。

アンソロジーの効用

北村　イーディス・ウォートンの「ローマ熱[*3]」の話をしてもいいですか？　直接聞くと恐れ多

＊1　阿津川辰海『阿津川辰海読書日記　かくしてミステリー作家は語る〈新鋭奮闘編〉』

＊2　ダグラス・G・グリーン『ジョン・ディクスン・カー〈奇蹟を解く男〉』。

＊3　昼下がり、ローマの高台にあるレストランで、ふたりの中年女性――ミセス・スレイドとミセス・アンズレー――が食後にくつろいでいる。ふたりは若いころ、ともにローマの社交界で伴侶を見つけ、ほぼ同時に未亡人となり、互いにひとり娘――ジェニーとバーバラ――を連れてローマを訪れたところで再開したのだった。ふたりの会話ははじめとりとめもないが、やがて、かつて伴侶を見つけた一夜に話題が及び、長年の秘密を打明けることになるが、そこから過去の隠された事実が浮かび上がってくる。

いから（古市の方を向いて）いかがでしたか？

古市　えっ、私ですか？……面白かったです。北村先生がお見えになる前に、小森さんとお話ししてたんですけど、この結末は、本当に全部起きたのかという……手紙をもらったところまでは、本当にあったと言えるんだけど、その先というのは……

北村　深読みだなあ（笑）。そこまで行くと、話崩れちゃうんじゃない？　そう取れば取れるんだけど、話として恐ろしいのは、事実のときじゃないか。そうでないと、バーバラが活きてこないから。恐ろしいほど周到に張り巡らされた準備、伏線。タイプというか、イメージとしては、（ふたりの女は）竹下景子《たけしたけいこ》と松坂慶子《まつざかけいこ》が話しているようなね。松坂慶子は派手でモテモテだったんだろう。竹下景子は地味でね。竹下景子より、もうちょっとくすんだ感じかな。

小森　それって。もしかして「配達されない三通の手紙」[*1]ですか？

北村　それは気づかなかった。

小森　「ローマ熱」は、北村さんも『20世紀アメリカ短篇選』でお読みになったんですか。

北村　私、イギリス短編選の方は、全作読んだんですよ。それでエリザベス・テイラーの「蠅取紙」をアンソロジーに採ったんです。だけど、アメリカの方は棚に置いたまま読んでなかったの。全部は読めないから、なら、イギリス読もうかなって（笑）。で、小谷野敦《こやのあつし》さんが、ネットに書いた書評を本にしたんですね。[*2]それが面白くて面白くて。で、ウォートンの『幽霊』のところで『20世紀アメリカ短篇選』に言及し、「ローマ熱」傑作」と書いた。それで読んだんですよ。それが、すなわち、アンソロジーの効用というものだと思うんです。アンソロジーに入ってなければ読まないような作品を、誰かがアンソロジーに入れてくれていた。入れておいてくれると、誰かがそれを読んで「傑作」と言ってくれる。そうして、その作品に出会うことが出来る。イーディス・ウォートンって、私、全然意識していなくて。「ローマ熱」という短編については、なにか言うとネタばれになっちゃうんで、言えないんだけど……ふたりの女の設定についても言いにくい。なにを言ってもネタばれになっちゃうという感じはあるんだけど。最後まで行くと、緻密に伏線が張り巡らされていて、結末に到るまでの準備と最後の驚きを考え合わせると、これは、……『短編ミステリの二百年』に入っていても、おかしくない（笑）。

小森　（笑）もっと、早くに教えてくださいよ。

北村　あっ。採る価値あると思います？

小森　あると思いますよ。ウォートンは創元推理文庫の『怪奇小説傑作選』にも入っていたし……。たぶん、採って、入れてたら「裏漉《うらご》ししてなめらかに仕上げた連城三紀彦《れんじょうみきひこ》みたい」とか書いた気がします。

＊1　野村芳太郎監督による一九七九年の映画。エラリイ・クイーン『災厄の町』が原作だが、舞台を日本に移している。松坂慶子は藤村智子（原作のローズマリー）役を、竹下景子は大川美穂子（原作のロバータ）役を演じている。

＊2　小谷野敦『小谷野敦のカスタマーレビュー』

北村　誰かが採ってくれて、それを誰かが（面白いと）言ってくれることで出会える。そうしないと、大海のようにある短編は、とても読み切れない。小森さんのように、あんなに恐ろしく読んでる人は別にして……

小森　そこ、すでに誤解があるんですけど。量を読んでませんから、私は……

北村　いやいや。なにをおっしゃる兎さん。

小森　『短編ミステリの二百年』は、誰かがやっておかなきゃなんない仕事を、誰もやっていないし、もう誰かがやらないと手遅れになるところまで来ていたから、仕方なくやったわけです。それに、『短編ミステリの二百年』の収録作品の中で、北村さんが未読だったものって、ないでしょう？

北村　かなりあると思いますよ。それに、イメージの変わったものもあるし。サキの「セルノグラツの狼」なんて、高校の英語の教科書に出てきたんですよ。

一同　（驚く）

北村　その時は、なんとも思わなかったね。でも、ああいうふうに解説されると、英語の教科書で読んだときの、狼が出たよで終わっちゃう話じゃないんだと。それに、何と言っても、一番最後ですよ。「ジェミニー・クリケット事件」をふたつ並べてくれた。あれは膝をうってね。これが読みたかったんだよ。小森さんには、「諸悪の根源」って言われちゃったけど[*1]、『招かれざる客たちのビュッフェ』の解説で小さく書いたのは、こっち（イギリス版）だけじゃなく、あっち側（アメリカ版）も読んでよっていうメッセージだったからね。だけど、ふたつ並べて出すなんて、出来ると思わないもんね。
小森　私も最後まで不安でした。ＯＫ出ないかもしれないと思ってましたから。
北村　やる方もやる方なら（ＯＫを）出す方も出す方だよ（笑）。それまでは探して読むしかなかったんだから。よくぞ、やってくれました。あの、仕事は楽しかったでしょう？
小森　北村さんなら、楽しかったって、おっしゃれるんでしょうけど……。なんだかですね……身の丈に合わないことやってるなあ……って気がしてました。
北村　でも、完結するまでは健康を保たなくちゃとか思ったでしょ？
小森　それは思わなかったですね。
北村　思わないんだ。
小森　連載が異様に長くなった段階で、一冊にまとめられるかどうかも分からなくなったし……アンソロジーの話が出たところで、評論とくっつけないとイヤだとか言ったりしましたから。
北村　出版社は、それで納得したんですか？
小森　東京創元社じゃなきゃ無理だったでしょうね。それに、最初出したプランでは、私の文章の中に適宜、短編が挟み込まれるという形でしたから．。
北村　このインタビューのここに「ローマ熱」が入るみたいな。

＊1　紙魚の手帖ｖｏｌ03［祝完結！『短編ミステリの二百年』振り返り］杉江松恋との対談。

小森　そうです。ああ、そうか。その手もありますね、著作権的にも……
古市　ウォートンは死後七十年経ってますから、無版権ですね。でも、その場合、小森さんとしては、新訳にしたいでしょう？
小森　いや、必ずしも……。でも、この訳は不安がないわけではない。
北村　私は小森さんが訳すのがいいんじゃないかと思う。
小森　いやいや、また、そんな恐ろしいことを……。
北村　ちょっと読みにくいよね。
小森　もともと技巧の勝った短編ですしね。自分宛ての手紙の内容を相手が知っていて、実は私が書いたという。あそこなんか巧いですね。
北村　うん。巧いよね。さらに最後が実に巧い。書き手としては、こういうものを書いてみたいと思うような巧さですね。
小森　相手はバーバラが娘であることを、羨んでますしね。
北村　このインタビューに入れるという話は、本当におやりになる気があります？
小森　分量が許すなら……。ただ、こればっかりは定価に反映する話なので、一存では決められない。古市さんも、この場ではOK出せないですよ。
古市　北村先生が、この「ローマ熱」を何かのアンソロジーに入れるということはないんですか？
北村　そうね。ここで入んなかったら、どこかで……。「紙魚《しみ》の手帖《てちょう》」で宮部《みやべ》さんや有栖川《ありすがわ》さんとやった連載「ぼくたちが選んだ」をもとに作るアンソロジーは、第二期もやらせてもらえるのかな？　一年やっただけでは、入れようと思ってたものを、すいぶん落としているから……。

小森　そっちの方が、イーディス・ウォートンにとっては幸せですね（笑）。

北村　アンソロジーは、なかなか売れないんだよ。あんな面白いものはないと思うんだけど。

小森　売れないというのは、それは以前から？

北村　以前から。売れないんだよねえ。筑摩《ちくま》書房で出してるアンソロジーも[*1]、最初は有名な作家の作品を入れてたんだけど、そんなのつまんないから、「どうだ！　こんなの誰も知らないだろうっ」てのを入れるようになって、悦《えつ》にいってたら、ネットの評価で、だんだんトーンダウンしてるって書かれて……。レベルアップしてるのに、なんなんだろうって（笑）。知らない作家が入ってるから、こっちは買うのに。……世間っていったい何なんだろうって（笑）。

古市　『謎のギャラリー』なんかは、かなり挑戦的だったと思いますけど、あれは売れたんじゃないですか？

北村　いや、売れてないですよ。

小森　いまから二十年くらい前に、日本劇作家協会の事務所で雑談してたときに、朝日新聞の扇田《せんだ》昭彦《あきひこ》さんが「日本の現代の戯曲で、文庫で読めるものがない」と言いだして――早川が演劇文庫を始める前の話です――「唯一例外で、福田《ふくだ》善之《よしゆき》の『真田《さなだ》風雲録《ふううんろく》』だけが読める。それ

＊1　『名短篇、ここにあり』以下の宮部みゆきとの共編のアンソロジー。

は北村薫のアンソロジーに入ってるからだ」って。そのあたりに、戯曲を読んでもらうための突破口があるんじゃないかという話題になったことがあります。北村さんのアンソロジーは、そういう予想外のところにも影響を及ぼしてるんですよ。

あとがき

最初は、安直に考えていたのである。

二〇〇〇年の春に、フリースタイルのホームページが開設され、ワンマン・パブリッシャーの吉田《よしだ》さんから、なにか連載してくれないかと頼まれた。そのときは、とりあえずという感じで「下北沢日記《しもきたざわ》」という身辺雑記をスタートし、一年続けた。そしてホームページの様子もわかったので、違うことをやろうという話になった。吉田さんの意向としては、単行本を作れる企画が好ましいようで、ならば、連続インタビューはどうだろうと考えた。ゆっくり話をうかがいたい方が何人かいたし、それをまとめれば一冊の本になるだろう。そのサワリを予告篇として公開するのは、ホームページのコンテンツとして最適のように思われた。

まことに安直な話である。思いついたときは。

ところが、いざ企画を具体化していくと、そうはいかない。まず、雑誌でやるような、時の人に話を聞くという類ではない。話をうかがいたい人、うかがいたい題材の、ふたつが揃わなければならない。しかも、一本のインタビューは、ある程度ヴォリュームのあるものにしたかったので、それに耐えるだけの題材でなければならない。私が興味を持てる内容でなければならないことは言うまでもない。各務三郎さんに昔の「ミステリマガジン」のことを聞き、皆川博子さんには子どものころ読んだ本のことを話してもらおう、三谷幸喜さんには当然「作戦もの」についてだ。そう考えていけば、一冊にはなりそうなのだが、インタビュー集としてのまとまりに欠けることになる。かなり悩んだが、この段階では、その点は無視するしかないと思っていた。

二〇〇一年の初春、インタビューは各務三郎さんから始まった。新宿の喫茶店滝沢で、四時間近く話をうかがった。以後、皆川博子さんは山の上ホテルのラウンジで、三谷幸喜さんは三谷さん宅（この家を建てたときの体験から『みんなのいえ』ができた）で、法月綸太郎さんは京都ホテルの喫茶室で、インタビューを続けていった。並行して、テープを起こし原稿を作った。予定では、もっと早いペースで、原稿を作っていくつもりだったのだが、松岡和子さん宅に話をうかがいに行ったときには、夏になっていた。そのころ、私はあることに気がついた。

各務三郎さんは翻訳家としての顔もあるから当然のことだが、それ以外の人たちの回にしても、結局は翻訳文化の影響といった方向へ、私のインタビューは進んでいっているのだ。それは意図したことではなかった。そして、松岡和子さんに、戯曲を翻訳する喜びと、そこから得たことについて語っていただいたとき、とどのつまり、私が私の気になる人たちに確認したかったのは、欧米の文化の影響下で発想することの実際という一事につきると気づいたのだ。それは、インタビューの題材にあてはまるだけでなく、インタビューの人選の段階からして、すでにそのことを（無意識にせよ）求めていた結果だった。そして、それは、私にとって必要なことだったのだ。

石上三登志さんは現在の勤め先である太陽企画の事務所で、和田誠さんは和田さんの事務所で、それぞれ話をうかがうころには、季節は夏から秋になっていった。このころには、翻訳文化の影響というテーマに、いささか自覚的になっている。ただし、そのことを表立っては言わずにお二方にはお話をうかがったので、焦点の定まらない感じを持たれたかもしれない。なお、全体の構成を考えて、本書では松岡和子さんと石上三登志さんの順番を入れ替えている。

以上が、このインタビュー集の成立過程だが、もとより、インタビューの楽しさは、テーマ云々よりも、ひとつひとつのインタビューのディテイルだろう。読者の皆さんがそれを楽しまれるならば、本書の目的は達成される。

最後につけくわえておくことがある。法月綸太郎さんのインタビューのあとに、アントニイ・バークリーの『最上階の殺人』が翻訳されている。また、三谷幸喜さんとのインタビューのあとに、映画『オーシャンズ11』が公開された。このふたつが、インタビュー中で言及されていないのは、そのためである。

小森収

＊

以上のような〈あとがき〉を付して、二〇〇二年七月に、フリースタイルから『はじめて話すけど…』というインタビュー集を出した。今回の文庫化にあたっては、誤りや誤植の訂正以外、基本的にはフリースタイル版に手を加えないことを原則としているが、二十年以上の時が過ぎている。つけ加えておきたいことがある。

各務三郎さんについては、かつて親しくしていた人が、音信が途絶えたと心配なさっている旨、竹本健治《たけもとけんじ》さん（各務さんと並ぶ文壇では名うての碁打ちである）から伝えられた。ちょうど、本書の製作に取り掛かったところだったので、お元気のようだとお答えした。

皆川博子さんのインタビューは、二〇二〇年六月に柏書房から出版された『皆川博子長編推理コレクション2　巫女の棲む家　妖かし蔵殺人事件』に再録されている。そのとき、フリースタイル版では皆川さん作成の読書リストの冊数が間違っていることが判明し、題名が『皆川博子になるための135冊』に変更されている。こう見えて、日本語で数字が数えられなかったらしい。このままでは癪なので、今回、皆川さんのお手をわずらわせて、リストの本を増やす形で、元の136冊に合わせていただいた。つまらない見栄と、嗤《わら》わば嗤え。もとより、実質は、136などはるかに超える数の本があげられている。

三谷幸喜さんのインタビューのきっかけとなった新宿の夜は、三谷さんの朝日新聞連載エッセイの「外で飲む、僕らしくない夜」の回（二〇二三年五月二十五日付夕刊）に出てくるものだが、ジャズ喫茶（三谷さんとの打ち合わせは、靖国通り沿いのＮＥＷ　ＤＵＧを使うことが多かった）で仕事の打ち合わせをしたのちに、場所を変えて話し込んだように記憶している。その時が、私にとっても、完全に仕事を離れたものだったことは、本書インタビュー冒頭の行き違いぶりを見ていただければ明らかだと思う。

法月さんとの会話は、この二十年で、もっとも状況に変化のあったテーマなので、増補は避けられない。法月さんにはお手間を取らせることになったが、アントニイ・バークリーについて、二十年前と同じ考えということはありえないので、加筆をお願いした。

石上三登志さんは、二〇一二年に亡くなっている。その年の二月、フリースタイルの依頼で、私は石上さんのインタビューを行っている。キネマ旬報に連載されたまま四十年近く放置されていた「ぼくは駅馬車にのった」を中心に据えた評論集『私の映画史　石上三登志映画論集成』刊行を受けてのものだ。「嫌われてもいいから、大人の発言をしなきゃいけないかな」という題名で、雑誌フリースタイル第十八号に掲載された。石上さんの生前最後の発言ではないかと思う。

松岡和子さんとの対話は、さらに拡大版の企画へと発展した。二〇一一年二月、大地震の直前に新潮選書から刊行された『深読みシェイクスピア』がそれで、フリースタイル版が出たときに、芸術新潮編集長だった長井和博さんが本書を気に入ってくれていたのを思い出して、異動先の選書編集部を頼ったものだ。その後、渡辺保さんの素晴らしい解説を得て、新潮文庫に入っている。

和田誠さんも二〇一九年に亡くなっている。フリースタイル版では装丁も引き受けていただいた。文庫版でもお願いしたかったが、それは叶わなかった。

文庫化にあたって、新たに北村薫さんにお話をうかがった。創元推理文庫に入るのだから、絶好のボーナストラックになると判断した。イーディス・ウォートンの「ローマ熱」収録を見送ったのは、ページ数の関係もあるが、平石貴樹、柴田元幸の両氏が、近年それぞれアンソロジーに選び、かつ新訳を発表なさっていることが大きい。それだけ、この短編を評価する人が多いということでもある。

『明智卿死体検分』に続いて、東京創元社の古市怜子さんに、本づくりを引き受けていただいた。註作成において編集部の桑野崇さんのサポートを得た。東京創元社は翻訳中心の出版社なので、作家名表記には社の基準があるのだが、本書では、かなりの勝手を許していただいた。ただし三点リーダーだけは二倍（二字分）にしてほしいということなので、書名はそのように変えた。ま、言わなきゃ気づかない人も多いだろうけど。文庫化を快諾してくれたフリースタイルのワンマンパブリッシャー吉田保さんにも謝意を表します。本書の英語題名は吉田さんがつけてくれたものだ。創元推理文庫に入ることを予期したかのようなgood jobだと思う。

本書は『はじめて話すけど…』（フリースタイル刊、二〇〇二）に北村薫「良き作品の良き読者であるために」を新規で収録し、題を『はじめて話すけど……』にあらためて文庫化したものです。

JASRAC出2309121-301

検 印
廃 止

聞き手紹介　1958年福岡県生まれ。大阪大学人間科学部卒業。編集者、評論家、作家。著書・編書に〈短編ミステリの二百年〉（全6巻）、『本の窓から』、『土曜日の子ども』、『明智卿死体検分』等がある。

はじめて話すけど……
小森収インタビュー集

2023年12月15日　初版

聞き手　小《こ》　森《もり》　収《おさむ》

発行所　（株）東京創元社
代表者　渋谷健太郎

162-0814/東京都新宿区新小川町1-5
電 話　03・3268・8231-営業部
03・3268・8204-編集部
URL　http://www.tsogen.co.jp
暁印刷・本間製本

乱丁・落丁本は、ご面倒ですが小社までご送付ください。送料小社負担にてお取替えいたします。

ISBN978-4-488-48521-4　C0195